RIVSTART B1+B2

Svenska som främmande språk

TEXTBOK

Paula Levy Scherrer • Karl Lindemalm

Natur & Kultur

NATUR & KULTUR
Box 27323, 102 54 Stockholm
Produktinformation/kundsupport: Tel 08-453 87 00, produktinfo@nok.se
Redaktion: Tel 08-453 86 00, info@nok.se
www.nok.se

Order och distribution: Förlagssystem, Box 30195, 104 25 Stockholm
Tel 08-657 95 00, order@forlagssystem.se
www.fsbutiken.se

Projektledare Kirsti Jolma

Textredaktör Lisbeth Aronsson

Bildredaktör Riitta Tovi

Granskare Monica Sommarin

Omslag & grafisk form Anna Lindsten

Illustrationer speciellt för denna bok Lars Esselius

Tryckt i Polen 2014

Första upplagans nionde tryckning

ISBN 978-91-27-66687-0

Till läraren

Rivstart B1 + B2 är en enspråkig fortsättningskurs i svenska som främmande språk som vänder sig till personer i och utanför Sverige. Kursen täcker nivåerna B1 och första delen av nivå B2 i Europarådets nivåskala.

Materialet består av textbok (med cd-skiva i mp3-format), övningsbok och lärarhandledning. På webbplatsen www.nok.se/rivstart finns extra övningar, framstegstest med facit, verblista, texter till hörförståelse, övningsdialoger samt facit till text- och övningsboken.

Rivstart är tematiskt upplagd och speglar det moderna Sverige men tar också upp svenska seder och traditioner. Varje kapitel i textboken innehåller sekvenser av kommunikativa aktiviteter och övningar med ett modernt och naturligt språk. Progressionen i *Rivstart* är relativt snabb men varje kapitel innehåller repetitionsdelar där ord och grammatik från tidigare kapitel befästs. Längst bak i textboken finns en grammatiköversikt. Där finns också en särskild uttalsdel med regler och övningar.

I övningsboken kan deltagarna i detalj studera de olika grammatiska moment som tas upp och arbeta med ordkunskap.

Cd-skivan innehåller bokens texter, hörförståelser och uttalsövningar.

I lärarhandledningen finns metodiktips, förslag på aktiviteter i samband med de olika kapitlen, kopieringsunderlag med kommunikativa övningar, samt framstegstest.

Rivstart vill locka deltagarna att själva i möjligaste mån lista ut språkliga mönster och grammatiska regler. Deltagarna uppmuntras därför att tänka själva och att ägna sig åt en aktiv språkinlärning, något som även främjar språkutvecklingen utanför klassrummet. De lär sig klara vardagliga situationer men blir även väl förberedda för högre studier.

Tanken med *Rivstart* är att det ska vara ett inspirerande läromedel som tar lärare och deltagare på allvar. Men vår förhoppning är givetvis också att språkinlärningen ska bli lustfylld och att man ska ha roligt under resans gång.

Paula Levy Scherrer Karl Lindemalm

Skriv på separat papper

Lyssna på cd:n

Språkfokus

Språkliga verktyg

Arbeta i övningsboken

Till sist Repetitionsuppgifter i övningsboken

Arbeta i par

Arbeta i grupp

Arbeta med ordbok

INNEHÅLL

Nivå B1
Kan förstå huvudinnehållet i vad han/hon hört eller läst om välkända förhållanden som man regelbundet möter i arbete, i skola, på fritid osv. Kan hantera de flesta situationer som vanligtvis uppstår under resor i ett land där språket talas. Kan producera enkla, sammanhängande texter om ämnen som är välkända eller av personligt intresse. Kan beskriva erfarenheter och händelser, berätta om drömmar, förhoppningar och framtidsplaner och kortfattat ge skäl för och förklaringar till åsikter och planer.

Nivå B2

Observera att materialet bara täcker första delen av nivå B2.
Kan förstå huvudinnehållet i komplexa texter om både konkreta och abstrakta ämnen, inbegripet tekniska framställningar inom sitt eget intresseområde. Kan fungera i samtal så pass flytande och spontant att ett normalt umgänge med infödda talare av språket blir helt möjligt utan ansträngning för någondera parten. Kan producera tydlig och detaljerad text inom ett brett fält av ämnen, förklara en ståndpunkt samt framhålla såväl för- som nackdelar vid olika valmöjligheter.

* Finns i övningsboken.

1

1 A Titta på fotona. Skriv ner 5 –7 ord som du associerar med bilderna.

B Jämför med din partner och med ett annat par.
Prata om vad ni tänker om fotona.

2 A Läs frågorna i testet högt för varandra och svara båda två.
Notera din partners svar och räkna ihop poängen enligt instruktionerna efter testet.

Är du en **soffpotatis** eller en **hurtbulle?**

1 Vad gör du när du kommer hem från jobbet?

a Jag går snabbt till kylskåpet, tar fram en läsk och lägger mig framför teven.
b Jag städar hela huset inklusive badrummet.
c Jag tar på mig löparskorna och springer en mil.

2 Hur ofta tränar du?

a Varje gång jag springer till bussen.
b Mellan en gång i månaden och en gång i veckan.
c En gång om dagen.

3 Hur länge tränar du varje gång du tränar?

a Så lång tid det tar att springa till bussen: 2 minuter ungefär.
b Jag tränar i 20–40 minuter.
c Jag tränar i mer än 40 minuter.

4 Hur snabbt springer du 5 kilometer?

a Herregud! Så långt springer jag aldrig.
b Jag springer 5 kilometer på 30 minuter.
c Jag springer 5 kilometer på mindre än 30 minuter.

5 Vad gör du helst på din semester?

a Jag ligger på en strand och slappar och dricker paraplydrinkar.
b Jag åker till en storstad och går på alla museer och kulturattraktioner – till fots förstås.
c Jag vandrar i fjällen med 50 kilos packning och tältar.

6 Vad är bra mat för att träna?

a En påse chips – jag får mycket energi och orkar mer.
b Ett glas vatten – jag vill inte bli tjock.
c En banan – jag får kolhydrater som gör att jag orkar mer.

7 Hur är ett bra träningspass för dig?

a Frisyren är snygg under hela passet.
b Jag flåsar lätt.
c Jag blir dödstrött och svettas flera liter.

8 Hur börjar du träna efter en tids uppehåll?

a Jag har alltid uppehåll.
b Jag springer långsamt i början och bygger gradvis upp konditionen.
c Jag springer 2 mil jättesnabbt och gör 100 armhävningar efter det.

9 Vad är idrott för dig?

a En stor öl på en sportbar med en gigantisk teveskärm.
b Idrott är jobbigt men nödvändigt.
c Idrott är fantastiskt roligt.

10 Vad är en bra bantningskur enligt dig?

a Att bara äta lightprodukter.
b Att bara dricka vatten och äta sallad.
c Att äta som vanligt men skära ner på onyttig mat och röra på sig mer.

Räkna ut din poäng.

a = 1 poäng
b = 2 poäng
c = 3 poäng

25–30 poäng

Du är en riktig hurtbulle! Det är bra att röra på sig och äta nyttigt men kanske ska du tänka på att det finns annat än träning i livet. Kroppen behöver också vila ibland.

15–24 poäng

Du tränar ganska lagom. Du är varken en hurtbulle eller en soffpotatis. Men kanske kan du träna lite extra någon gång ibland och testa dina gränser?

1–14 poäng

Du är helt klart en soffpotatis med hemska matvanor! Det är skönt att vila och ta det lugnt och chips är gott ibland. Men det skadar inte att röra på sig ibland eller att äta en grönsak då och då. Du blir både piggare och friskare av det.

B Jämför era svar med ett annat par.

Idrott är fantastiskt roligt.
Jag springer två mil jättesnabbt.

Adverb

3 A Stryk under adverben i texten här nedanför.

Jag började träna tidigt, ett halvår innan loppet. I början sprang jag väldigt långsamt och försiktigt. Jag sprang bara korta distanser. Efter en månad var jag mycket starkare. Jag sprang långt och ganska snabbt. Det var roligt att träna för loppet.

B Adjektiv beskriver substantiv och pronomen.
Vilka ordklasser beskriver adverb?

s 4–7

Jag tränar en gång om dagen.
Jag springer två gånger i veckan.

Hur ofta?

Jag tränar i 10–20 minuter.

Hur länge?

Jag springer 5 kilometer på 30 minuter.

Hur snabbt?

s 7

4

SPORT OCH MOTION

badminton	gympa/aerobics	orientering	stavgång
bandy	gång/promenader	pilates	styrketräning
basket	handboll	powerwalk	surfning
cykling	innebandy	ridning	utförsåkning/slalom
dans	ishockey	simning	vindsurfning
fotboll	kampsport	skateboard	volleyboll
fäktning	längdskidåkning	skridskoåkning	yoga
golf	löpning/joggning	spinning	

A Titta på sporterna i rutan på s 8. Diskutera. Vilka sporter är populära i era länder? Vilka sporter tror ni är populära i Sverige?
(Se facit för svaret på vilka sporter som är populärast i Sverige.)

B Vilka sporter tycker du bäst och sämst om? Varför?

C Välj några sporter i rutan. Vad behöver man för utrustning och egenskaper för respektive sport?

UTRUSTNING		EGENSKAPER
träningsskor	en plan	ett glatt humör
träningskläder	stavar	tålamod
en skivstång	en klubba	styrka
badkläder (badbyxor/	ett racket	kondition
baddräkt)	ett nät	envishet
simglasögon	en puck	fantasi
en vattenflaska	skydd	taktkänsla
en hjälm	musik	snabbhet
en boll	skridskor	taktik
ett mål	skidor	uthållighet

Exempel:
För cykling behöver man en cykel och en …

s 8–10

5 A Lyssna på folk som pratar om sport. Vilka tre sporter talar de om?

B Arbeta i par och läs frågorna. Lyssna igen och svara på frågorna.

1 a Vad gör Ulf innan han börjar springa?
b Vad kallar man hans träningsmetod?

2 a Vad blev resultatet i matchen mellan Sjöbergs IF och Lindbergs IF?
b Hur gammal var Marika när hon började spela?

3 a Vad tränar Jan på lördagar?
b Varför började han träna?

C Lyssna på en av personerna och skriv ner det du hör.
Lyssna många gånger på de delar som är svåra att förstå.

Sportsnack

Alla områden i livet har sina speciella ord och uttryck. På sport- och motionsområdet finns förstås alla redskap och kläder, men också många andra ord som har att göra med sport och motion.

6 Läs dialogerna i par. Vilken sport eller motionsform talar personerna om? Det finns en sport för mycket.

gå på gym	spela golf	simma
jogga	spela tennis	åka längdskidor

1 ______________________
- Jag har sådan träningsvärk!
- Varför då?
- Jag körde 5 kilometer i går i elljusspåret. Och sedan glömde jag stretcha.
- Ojdå, det är viktigt att stretcha. Annars får man ont.
- Jo, jag vet. Jag ska tänka på det nästa gång.

2 ______________________
- Kan jag gå emellan?
- Ja, vänta lite, jag ska bara göra 20 till.
- Vilken maskin ska du köra sedan?
- Knäna.

3 ______________________
- Vem vann matchen i går?
- Det gjorde Pelle.
- Jaha. Han har hårda servar.

4 ______________________
- Hallå! Kan ni skynda på lite?
- Ta det lugnt. Det blir er tur sedan!
- Ja, men nu har vi väntat här på tredje hålet i 20 minuter. Man ska faktiskt släppa igenom dem som spelar snabbare.
- Vi var här först.
- Men, kan ni inte reglerna?!

5 ______________________
- Hur många längder har du kört nu?
- Hmm. 33 tror jag.
- Ska vi ta 60 längder? Det blir en och en halv kilometer.
- Jo, det blir bra. Jag har mest kört rygg. Jag ska nog byta n
- Det är bra att blanda. Det blir mer varierad träning då.
- Ska vi basta sedan?
- Ja, vad skönt!

Varför ska man träna egentligen?

Alla vet att det är bra att träna både för att bli piggare och för att hålla vikten. Men många tränar lite eller inte alls. Det finns många argument för att inte träna.

7 **A** Titta i rutan på några vanliga argument.
Välj fyra av argumenten och försök hitta motargument.

Jag får ont i knäna om jag springer.

På kvällen är det så mycket bra på teve, så då kan jag inte träna.

Det är bara smala, muskulösa människor i simhallen. Jag skäms för min kropp.

Jag har inte tid att träna. Jobbet tar all min tid.

Jag har astma, så jag orkar inte träna.

Jag gillar inte att bli svettig!

Det är så dyrt att gå på gym.

Exempel:

Jag gillar inte att bli svettig!

MOTARGUMENT: Du får duscha efter träningen!

B Jämför era motargument med ett annat par. Vilka argument är bäst?

Fredrik är expert på träning och hälsa och svarar varje månad på läsarnas frågor.

Bäste Fredrik!
Har du något råd till mig, en gammal pensionerad officer? Jag är inte längre jätteung men vill hålla mig i form. När jag jobbade tränade jag ju regelbundet i jobbet. Som pensionär har jag varit ute mycket med mina hundar i skog och mark. Nu har jag opererat höften och går bara runt kvarteret med hundarna. Min läkare säger att jag måste träna mer regelbundet. Har du något förslag på vad jag kan göra?

Mvh Nils

Bäste Nils!

Hej Fredrik!

Jag skulle verkligen vilja träna men jag vet inte hur jag ska komma igång. Jag är datatekniker med mycket oregelbundna arbetstider, så det är svårt att hitta tid att träna. Jag har aldrig gillat att sporta och jag hatar att bli svettig och andfådd. Jag gillar inte heller lagsporter, utan tycker bäst om att göra saker själv. Tyvärr äter jag ganska dåligt och dricker mycket läsk så min vikt är inte vad den borde vara. Har du något tips på träning för mig?

Olof

Olof,

Tjena Fredrik!

Jag är en tjej på 32 år som jobbar på reklambyrå i Stockholms innerstad. Jag jobbar långa stressiga dagar med mycket folk runt omkring mig. Telefonen ringer hela tiden och mejlboxen är sprängfull. Många bollar i luften helt enkelt. Nästan varje dag har jag huvudvärk eller migrän. Så här kan jag inte fortsätta! Jag behöver hitta något som får mig att stressa ner lite ... Har du någon idé?

Puss och kram/Emma

Hej Emma!

C Skriv ett brev från Fredrik till en av personerna och berätta vilken sport som skulle kunna passa och varför. 

Knasiga dieter

Många vill gå ner i vikt, men det är inte alltid så lätt. De som vet säger att det enda sättet är att äta färre kalorier än man gör av med. Dessutom bör man röra på sig mer för att öka förbränningen. Men detta sätt att banta är jobbigt och tar lång tid. Många försöker med olika bantningsmetoder som lovar snabb viktnedgång utan ansträngning. Här är några olika mirakelmetoder.

8 **A** Kombinera de olika bantningsmetodernas namn med rätt beskrivning. En metod blir över.

1. **Levande föda-dieten**
2. **Fruktdieten**
3. **Superdieten**
4. **Stenåldersdieten**
5. **ABC-dieten**

a) Dag 1 ska du bara äta saker som börjar på A. Den andra dagen får du äta saker som börjar på B och dag 3 äter du saker som börjar på C. Sedan fortsätter du så i totalt 28 dagar.

b) Du får bara äta sådant som man åt för 10 000 år sedan, alltså frukt, grönsaker (ej rotfrukter), kött och fisk. Du får inte äta spannmål. Salt och socker är förbjudet.

c) Den här dieten är ganska extrem. Till frukost äter du ett ägg och dricker ett glas vitt vin. Lunchen är liknande men du äter två ägg och dricker två glas vin. Till middag blir det, ja du gissade rätt, tre ägg och tre glas vin. Man säger att vinet ökar förbränningen.

d) Med den här dieten får du inte äta något som är uppvärmt till mer än 40 grader. Bröd bakar man i solen och grönsaker kokar man i ljummet vatten.

B Diskutera. Hur bra är de olika dieterna? Diskutera faktorerna i rutan.

går ner i vikt snabbt – långsamt	dyr – billig
varierad – enformig	farlig – ofarlig

C Har du själv eller någon du känner provat någon annorlunda diet? Eller känner du till någon konstig diet?

D Skriv en veckomeny med middagar för ABC-dieten för vecka 1, 2, 3 eller 4. 

9 A Rätt eller fel? Läs meningarna här nedanför *innan* ni läser texten ”Idrott i Sverige” och gissa om de är rätt eller fel. Skriv R (rätt) eller F (fel) intill varje påstående.

1 Nästan hälften av svenskarna motionerar regelbundet.
2 Cykling är den populäraste sporten i Sverige.
3 Svenskarna tycker om att vara utomhus.
4 Golf är en mycket populär sport i Sverige.
5 Vikingarna hade inga idrotter.
6 Världens äldsta simklubb är svensk.
7 De flesta som tränar gör det för att de vill gå ner i vikt.

B Jämför dina svar med din granne.

C Leta efter svaren i texten. Läs inte hela texten. Hade ni gissat rätt?

D Läs hela texten.

Idrott i Sverige

I dag har många stillasittande arbeten, ofta framför en dator. Då är det viktigt att röra på sig på fritiden. En undersökning visar att 46 % av svenskarna motionerar minst två gånger i veckan.

De tre största motionsaktiviteterna är gång/promenader, gympa/aerobics och styrketräning. Det är inte så konstigt att gång är populärt. Man kan promenera var som helst och man behöver ingen dyr utrustning. Många gillar att vara ute i naturen och gå och i Sverige är det aldrig långt till närmaste skog. På landet har många egen häst. Sverige är faktiskt ett av världens hästtätaste land per capita.

När det gäller sporter är fotboll, innebandy och golf populärast. Fotboll är populärt bland ungdomar och många vuxna spelar korpfotboll t ex i ett lag på jobbet. Innebandy spelar många på eller efter jobbet med kollegor eller ett kompisgäng. Golf var länge en snobbsport men har blivit mer och mer populärt och personer från olika samhällsklasser spelar det nu.

Mer än 600 000 svenskar är medlemmar i en golfklubb och man bygger nya golfbanor på många ställen i landet.

Det finns ungefär 22 000 idrottsföreningar i Sverige. Hälften av Sveriges befolkning är medlemmar i en förening och 2 miljoner är aktiva. Ungefär 700 000 tävlar inom någon sport. I föreningarna arbetar de flesta ideellt, dvs utan betalning. En halv miljon personer jobbar ideellt på fritiden som idrottsledare. Föreningarna får pengar från kommun, stat och landsting. Även lotterier ger pengar till idrotten.

Förr i världen

Förr i tiden när folk bodde på landet och var bönder var behovet av idrott för att hålla sig i form inte så stort. Man rörde på sig och jobbade hårt. Men redan på vikingatiden hade man tävlingar av olika slag. Man tävlade i löpning och simning, brottning och tyngdlyftning. På Gotland lever några av de gamla sporterna och lekarna kvar. Man spelar t ex varpa, ett spel där man kastar runda metallskivor så nära en pinne som möjligt.

I Dalarna använde man roddbåtar för att komma till kyrkan. Båtarna var långa och smala och kunde rymma 80 personer. På vägen hem från kyrkan brukade man ro ikapp. Fortfarande tävlar olika städer runt sjön Siljan mot varandra i kyrkrodd.

Idrottssverige växer fram

År 1796 startade Sveriges första idrottsförening, Uppsala simsällskap. Studenter och lärare på universitetet startade föreningen för att lära människor att simma. Men någon simhall hade man inte så man fick simma i ån som flyter genom Uppsala. Därför kunde man bara ha simundervisning på sommaren. Klubben är i dag världens äldsta ännu aktiva simklubb.

Med industrialismen under 1800-talet började fler människor sporta. Man bodde trångt och mörkt och det blev viktigt att komma ut i naturen och röra på sig. Samtidigt kom nya idéer om människan. Man trodde att en persons fysik kunde säga något om hans eller hennes karaktär. En vältränad, muskulös person var också intelligent och mentalt stark. Under denna tid blev också nationalismen starkare. Det blev viktigt för ett land att visa sin styrka genom sina idrottsmän och idrottskvinnor.

Stora sporter under 1900-talet var uthållighetssporter som längdåkning på skidor och löpning. Lagsporter som fotboll och hockey var också mycket populära.

Varför tränar svenskar i dag? Två av tre säger att de gör det för att hålla sig i form. Och mer än hälften säger att de gör det för att det är roligt. Bara en av fem gör det för att gå ner i vikt.

E Kommer du ihåg vad siffrorna stod för?

2 000 000	46%	600 000	20%
2/3 personer	500 000	80 personer	

F Skriv 6–7 frågor på texten. Ställ frågorna till paret bredvid.

G Skriv en text om sport och idrott i ditt land. Vilka sporter är populärast? Finns det några speciella sporter som bara finns i ditt land?

H Stryk under alla substantiv i de två första styckena i texten ”Idrott i Sverige” s 13. Skriv substantivets alla fyra former. Diskutera vilka regler som finns för substantivets former. Tänk på att det finns ord som inte har någon pluralform.

s 11

Skrivtips

Ibland vill man skriva till klubbar, organisationer, myndigheter och liknande för att få information eller för att bli medlem.

Välj en av uppgifterna.

- Du vill börja träna. Skriv ett mejl till en idrottsförening. Skriv lite om dig själv och varför du vill börja träna med den här klubben. Fantisera gärna.
- Du vill bli medlem i ett politiskt parti. Skriv kort om dig själv och be att få mer information. Fantisera gärna.
- Du vill börja på en kurs. Skriv till kursanordnaren. Presentera dig och be om information om kursen och skolan.

Hälsa och presentera sig
- Hej!
- Jag heter …
- Mitt namn är …

Berätta varför man skriver
- Jag skriver till er för …
- Anledningen till att jag skriver är …
- Jag har alltid varit intresserad av …
- Jag är mycket intresserad av …
- Jag skulle vilja …

Berätta hur man har hittat klubben eller organisationen
- Jag hittade … på nätet.
- Jag har hört talas om er genom kolleger/kurskamrater …

Be om information
- Kan ni skicka lite information om …?
- Jag vore tacksam om ni kunde …

Avsluta
- Tack på förhand!
- Vänligen …
- Vänliga hälsningar …
- Med vänlig hälsning förkortas ibland MVH …

VANLIGA FÖRKORTNINGAR

t ex	till exempel	**etc**	etcetera
osv	och så vidare	**bl a**	bland annat
mvh	med vänlig hälsning	**dvs**	det vill säga
mm	med mera	**pga**	på grund av

Till sist s 12

2

1 A När lärde du senast känna en ny person? Berätta för din partner.

B Hur skaffar man nya vänner? Diskutera och gör en lista med fem olika idéer.

> Man kan skaffa vänner på många olika sätt.
> Man kan till exempel … men ett problem med den metoden är att …
> Ett annat sätt är att … Det kanske är bättre eftersom …

C Berätta för paret bredvid om era förslag. Diskutera de olika sätten.
Vad har de för fördelar och nackdelar?

D Skriv en text om hur man kan skaffa vänner på olika sätt.
Skriv om fördelarna och nackdelarna med de olika sätten.

2 A Lyssna på telefonsamtalet mellan Benke och Linus.

B Kombinera.

1	Nåt i den stilen.	a	Är det sant?
2	Vad säger du?	b	Ringa.
3	Lägg av!/Du skojar!	c	Kontakta någon.
4	Slå en signal.	d	Hälsa på.
5	Titta förbi.	e	Vad tycker du?
6	Höra av sig.	f	Du också.
7	Du med.	g	Ungefär så.

C Lyssna igen och svara på frågorna.

1 Vad jobbar Benke med?
2 Varför flyttade Linus till Östersund?
3 Hur länge har Linus och Lena bott i Östersund?
4 Hur fick Linus nya kompisar i Östersund? Vad gjorde de tillsammans?
5 Vad gör Benke med sina kurskompisar från universitetet när de träffas?
6 Vem är Karina?
7 Vad jobbar hon med?
8 När planerar Benke och Linus att träffas?

D Jämför era svar. Lyssna gärna på samtalet igen.

3

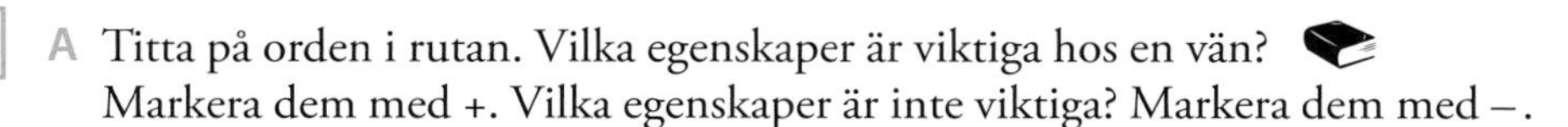

A Titta på orden i rutan. Vilka egenskaper är viktiga hos en vän?
Markera dem med +. Vilka egenskaper är inte viktiga? Markera dem med –.

ADJEKTIV			SUBSTANTIV
ärlig	generös	utåtriktad/social	icke-rökare
händig	trevlig	äventyrlig	djurvän
rolig	sportig	snygg	vegetarian
intelligent	pålitlig	rik	nykterist
modeintresserad	religiös	musikalisk	
hjälpsam	pratsam		

B Jämför din lista med din partners lista. Diskutera era val. 

För mig är det viktigt att han/hon är …
En riktig vän måste vara …, men han/hon **behöver inte** vara …
Det är bra/en fördel om han/hon är …, men det är inte jätteviktigt.
För mig spelar det (absolut) ingen roll om han/hon är …

TYCKA DETSAMMA
Jag håller med./Det tycker jag också.
Det tycker inte jag heller.

TYCKA OLIKA
Va? Tycker du?
Ja kanske, men för mig är det viktigare att han/hon är …
Ja, det är möjligt, men jag tycker …
Det beror på …

s 13

4 A Läs citaten om vänskap här nedanför.
Förklara med egna ord vad de betyder. Håller ni med?

B Diskutera vilket citat ni tycker bäst respektive sämst om.

C Berätta för paret bredvid vilka citat ni valt och varför.

5 A Läs de tre inläggen i forumet om vänskap här nedanför.
Sammanfatta varje inlägg muntligt eller skriftligt med en eller två meningar.

Kompis.se

1 Min kompis och jag har känt varandra i mer än tjugo år. För ett år sedan skilde han sig och efter det är han som en annan person. Förut var han så sportig, pigg och fräsch, men nuförtiden är han en riktig slusk som bara latar sig. Han luktar ofräscht. Han rakar sig inte och kammar sig aldrig. Håret är långt och smutsigt. Han borde verkligen klippa och tvätta sig! Ska jag säga något till honom eller är det oartigt?

Pelle Snusks kompis

2 Nu har det hänt igen. Jag har lånat ut pengar till min kompis trots att jag vet att det är jättedumt. Oj, vad jag ångrar mig! Jag har lånat ut pengar en massa gånger men jag får aldrig tillbaka dem. Min kompis är hopplös med pengar, men hon är ju ändå min bästa kompis. Vad ska jag göra?

Dum

3 Jag har ett hemskt problem. Jag har blivit kär i min bästa väns flickvän! Jag är säker på att hon älskar mig också. Vi brukar träffas alla tre och göra saker tillsammans. När vi var ute förra veckan viskade hon att hon ville träffa mig ensam, i hemlighet. Efter det har hon skickat sms till mig och ibland ringer hon på nätterna. Hon är så vacker och rolig, men hon är ju tillsammans med min bästa vän och jag vet att han vill gifta sig med henne. Jag känner mig desperat! Jag tänker på henne hela tiden. Jag kan inte somna på kvällarna och försover mig ofta på morgnarna. Och på jobbet kan jag inte koncentrera mig. Hjälp mig!

Desperat

B Läs de olika kommentarerna/svaren här nedanför. Vilka inlägg hör de till? 
Det finns två kommentarer till varje inlägg. Diskutera med din partner.

Det här måste höra till inlägg nummer … eftersom …

A Jag tycker att du ska lyssna till ditt hjärta. Om ni älskar varandra måste ni berätta det för din vän. Du förlorar en vän, men vinner en flickvän.

B Din vän går igenom en kris efter skilsmässan. Var en riktig vän och försök att göra honom glad igen. Bry dig inte om att han luktar.

C Du måste akta dig för att låna ut pengar till din vän. Säg att du inte har några pengar nästa gång hon frågar.

D Jag tycker att man alltid ska vara ärlig mot sina vänner. Säg sanningen, att han behöver en uppfräschning! Och att han måste börja aktivera sig igen. Ingen tycker om en soffpotatis! Gå tillsammans och simma en gång i veckan. Ge honom en klippning på fin salong i födelsedagspresent. Tipsa också om att han kan anmäla sig till en danskurs. Sakta men säkert kommer han att bli som förr.

E Jag tycker att du och din vän ska sätta er ner och prata ut om det här problemet. Förbered dig innan ni träffas. Skriv upp hur mycket pengar hon är skyldig dig. Gör en plan för hur hon kan betala tillbaka. Om det inte hjälper ska du kanske prata med polisen.

F Du och din kompis flickvän kan inte bli lyckliga tillsammans. Tänk på att hon är oärlig mot sin pojkvän/din vän. Hon kanske är oärlig mot dig också senare. Jag tycker att du ska berätta allt för din kompis. Vänskap är dessutom viktigare än kärlek.

C Diskutera de olika svarsalternativen. Vilket/vilka tycker ni är bäst?
Finns det något bättre alternativ?

Jag tycker att det här en bra/dålig/usel idé, därför att …
Nej, fy, så kan man inte göra mot en vän. Det är fräckt/ojust/taskigt.
Nja, det är inte så snällt att …
Man skulle kunna … i stället.
Det skulle vara bättre att … Skulle det inte vara bättre att …?

D Berätta för paret bredvid vad ni har diskuterat.

För ett år sedan skilde han sig.
Han rakar sig inte och kammar sig aldrig.

Reflexiva verb

Hon kammar sig.

Hon kammar barnet.

6 A Stryk under alla reflexiva verb ni kan hitta i inläggen och svaren på s 19. Det finns 17 stycken. Vad betyder de?

PRONOMEN

SUBJEKT	OBJEKT	REFLEXIVA
jag	mig/mej	mig/mej
du	dig/dej	dig/dej
han	honom	sig/sej
hon	henne	sig/sej
man	en	sig/sej
den	den	sig/sej
det	det	sig/sej
vi	oss	oss
ni	er	er
de/dom	dem/dom	sig/sej

B Skriv rätt pronomen. 

- Axels flickvän är i USA just nu. Han tänker ofta på (1)… . (2)… chattar med varandra varje dag. I går frågade hon (3)… om (4)… ville komma och hälsa på i USA. Han har inte bestämt(5) … för om han ska åka ännu.
- Vi har blivit mycket intresserade av tango, så nu har vi anmält (6)… till en danskurs.
- Vi har ringt Arne och Linn och frågat (7)…om de också vill börja. Linn sa att det var en bra idé, för de behöver aktivera (8)… . De ligger mest och latar (9)… i soffan.

 s 13–14

7 A Titta på de reflexiva verben i rutan. Vilka hör ihop, tycker ni?
Sortera dem i grupper och motivera varför de hör ihop. Gör gärna roliga förslag.
Diskutera olika alternativ.

kamma sig	ångra sig	koncentrera sig	torka sig
försova sig	raka sig	lata sig	lägga sig
akta sig	tvätta sig	klippa sig	sätta sig
skilja sig	bestämma sig	aktivera sig	
känna sig	gifta sig	bry sig om	
förbereda sig	sätta sig	anmäla sig	

Exempel:
bestämma sig, förbereda sig, gifta sig, ångra sig, skilja sig
Alla verb hänger ihop med att gifta sig.

B Skriv korta texter med samma verb. 

Exempel:

Linus och Charlotte har bestämt sig för att gifta sig. De förbereder sig mycket noga för bröllopet. På bröllopsdagen kommer de för sent till kyrkan. Det blir en stor katastrof. Linus ångrar sig och efter ett halvår skiljer de sig.

Ö s 14–15

Jag har lånat ut pengar en massa gånger
men jag får aldrig tillbaka dem.

Huvudsats

Jag tycker att man alltid ska vara ärlig mot sina vänner.
Om det inte hjälper ska du kanske prata med polisen.

Bisats

8 A Titta på meningarna i fokus-rutan. Hur är ordföljden
(subjekt, verb, satsadverb) i huvudsats respektive bisats?

B Läs meningarna nedanför och stryk under huvudsatser (H) och bisatser (B).

Exempel:

Ska jag säga åt honom att han borde tvätta sig?

H B

1 När vi var ute förra veckan sa hon att hon ville träffa mig ensam.

2 Efter det har hon skickat sms till mig och ibland ringer hon på nätterna.

3 Jag tycker att du ska berätta allt för din kompis.

4 Säg till din kompis flickvän att hon måste sluta kontakta dig.

5 Om ni älskar varandra måste ni berätta det för din vän.

Ö s 16–18

9 A En i paret läser texten om Carl Larsson, den andra läser texten om Anders Zorn. Gör en lista på nya, viktiga ord. Skriv upp nyckelord från texten och öva att återberätta den.

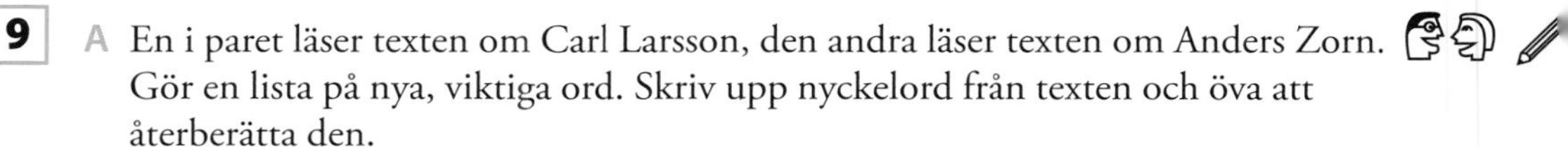

B Gå igenom listorna med nya ord tillsammans. Förklara för varandra vad orden betyder.

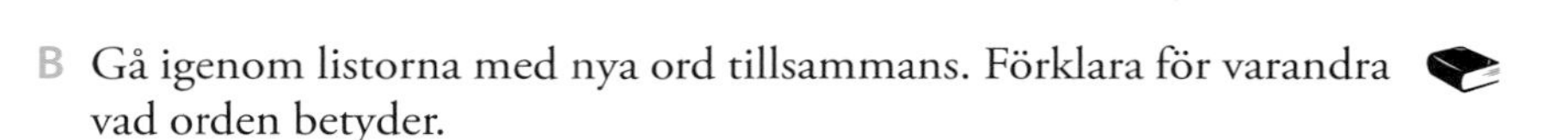

C Berätta om konstnärerna för varandra. Kontrollera då och då att den andra förstår.

FRÅGA	BE OM HJÄLP
Förstår du?	Kan du säga det en gång till?
Är du med?/Hänger du med?	Nej, nu förstår jag inte riktigt.
	Lite långsammare, tack.

Carl Larsson (1853–1919)

Carl Larsson växte upp i ett fattigt hem i Gamla stan i Stockholm. Han gick i en fattigskola på Östermalm. En lärare på skolan såg Carls konstnärliga begåvning. Läraren anmälde den 13-åriga Carl till en förberedande skola på Konstakademien. Senare väntade mer konststudier i Paris. Där blev han allt mer intresserad av porträtt. I ett par år bodde han och hans blivande hustru, Karin Bergöö, i den skandinaviska konstnärskolonin Grez-sur-Loing, en liten stad strax söder om Paris. Konstnärsgruppen där var mycket inspirerad av det franska friluftsmåleriet som var ljust och luftigt.

När Carl Larsson och Karin gifte sig fick de gården Lilla Hyttnäs i Sundborn (i östra Dalarna) av Karins far. Karin var också utbildad konstnär, men lämnade sin konstnärskarriär när hon gifte sig med Carl.

Karin Larsson skapade tillsammans med sin make ett hem som var ovanligt för 1800-talet, då de flesta hem var mörka och tunga. Karin ritade möbler och vävde vackra textilier. Möblerna var enkla och hemmet var målat i klara färger med mycket rött och grönt. Deras hem blev efter en tid en symbol för det typiskt svenska. Inspirationen till Larssons hem kom dock både från Sverige och från utlandet. Konstnärsparets hem i Sundborn

var så speciellt att det även på Larssons tid kom turister dit för att besöka hemmet. I dag är huset i Sundborn ett museum och det kommer cirka 60 000 besökare per år dit.

Carl och Karin Larssons familjeliv var mycket modernt för den tiden. Deras sju barn var ofta med de vuxna, även vid måltiderna när föräldrarna hade besök. Många besökare blev förvånade över barnens lek och stoj.

Carl Larsson var en mycket produktiv konstnär. Hans konst blev känd för den stora publiken när han publicerade sina målningar i böcker. Hans målningar och akvareller av familjen och hemmet ger bilden av ett lyckligt familjeliv. Men i Carl Larssons självbiografi "Jag" får man också en annan, mer problemfylld bild av konstnären.

Anders Zorn (1860–1920)

Anders Zorn är en av Sveriges mest kända och framgångsrika konstnärer genom tiderna. Han var son till Grudd Anna Andersdotter och en tysk bryggare, Leonard Zorn. De gifte sig aldrig men sonen fick faderns namn. Zorn växte upp hos sina morföräldrar i Mora. Vid 15 års ålder började han studera på Konstakademien i Stockholm.

Han blev känd som konstnär på en elevutställning 1880 med akvarellen I sorg. Tavlan visar en ung flicka i sorgdräkt.

Efter det ville många att Zorn skulle måla deras porträtt. När Zorn målade ett porträtt av en liten pojke träffade han sin blivande hustru, Emma Lamm. Emma var faster till pojken och hon och Anders blev mycket förälskade i varandra. Hon kom från en förmögen och kulturellt intresserad familj som tyckte mycket om den charmiga Anders Zorn. De kunde dock inte gifta sig förrän

Anders hade egna pengar. Zorn reste utomlands för att studera vidare och också för att försöka tjäna ihop pengar.

År 1885 kunde han gifta sig med sin Emma. De bodde utomlands i många år, först i England, sedan i Frankrike innan de flyttade tillbaka till Mora. Emma var mycket intresserad av Anders konst. Hon gav honom konstruktiv kritik och han blev en ännu bättre konstnär.

Zorn blev känd utomlands som porträttmålare och han målade många berömda personers porträtt. Han målade till exempel porträtt av tre av USAs presidenter, bland annat av Theodore Roosevelt. Tavlorna hänger fortfarande i Vita huset.

Zorn målade gärna "naket i det fria". Han var intresserad av vattnets rörelser och ljusets reflexer. Han placerade ofta en naken modell vid eller i vattnet för att visa relationen människa – natur.

Anders Zorn var också mycket intresserad av ny teknik. Han var en av de första i Mora med telefon i huset och han importerade en varmvattenberedare från Chicago. Paret Zorn var först i Sverige med varmvatten direkt från en kran. De var också mycket aktiva i hembygden Mora. Emma Zorn grundade bland annat ett bibliotek och ett barnhem. Tillsammans startade de också en folkhögskola. Emma Zorn levde 21 år efter sin mans död. Hon arbetade med att skapa ett minnesmärke över sin man och 1939 öppnade man Zornmuseet i Mora.

A Rätt eller fel? Läs meningarna här nedanför *innan* ni läser texten om Carl Larsson och Anders Zorn och gissa om de är rätt eller fel. Skriv R (rätt) eller F (fel) intill påståendena.

1 Carl Larsson blev mycket rik.
2 Paret Zorn fick inga barn.
3 Emma Zorn och Karin Larsson slutade umgås när deras män hade dött.
4 Carl Larsson skrev att han var avundsjuk på Zorns framgångar.
5 Zorn och Larssons brev handlade ofta om politik.
6 Zorn hade bättre självförtroende än Larsson.

B Läs texten och kontrollera om era svar stämmer.

Vänskapen mellan Carl Larsson och Anders Zorn

Vännerna Carl Larssons och Anders Zorns liv liknade varandra på många sätt. Båda föddes i enkla hem och var mycket konstnärliga. De gifte sig rikt och gjorde en lång klassresa, ända upp i överklassen. Båda bosatte sig i Dalarna och blev kultursymboler för det svenska. Men det fanns också mycket som skilde dem åt. Med tiden blev Anders Zorn en mycket förmögen man, medan Carl Larsson alltid hade det svårare ekonomiskt. Paret Zorn fick aldrig några barn, men de lät gärna något av Larssons sju barn bo hos sig. Familjerna träffades ofta och Emma Zorn och Karin Larsson fortsatte att umgås efter männens död.

De båda konstnärerna brevväxlade under många år. Deras brev är ett vackert bevis på vänskap. I breven berömmer de varandra och man märker ingen avundsjuka eller konkurrens mellan dem. Breven handlade ofta om deras arbete, utställningar och svårigheter att skapa. De verkade inte fundera så mycket över den tidens stora frågor som allmän rösträtt, industrialism och politiska förändringar.

Både Zorn och Larsson tycks ha varit pålitliga och hjälpsamma män. Larsson hade dock sämre självförtroende än Zorn och han klagade ibland över sin djupa melankoli.

C Svara muntligt på frågorna. Försök att inte titta i texten.

1 På vilka sätt liknade Carl Larssons och Anders Zorns liv varandra?

2 På vilka sätt var deras liv olika?

3 Vad handlade deras brev om?

4 Vilka stora frågor skrev de <u>inte</u> om?

D Välj ut två saker ur texten Vänskapen … som du tyckte var intressanta.

E Berätta för varandra vad ni har valt. Motivera era val för varandra.

F Skriv en text om en konstnär från ditt land. Eller skriv en text om vänskapen mellan två berömda personer från ditt land.

G Berätta om personen/personerna för din partner.

s 18–19

Skrivtips

När man skriver privata brev eller mejl använder man ofta vissa fraser.

11 Skriv ett brev eller ett mejl till en person du känner. Välj en av uppgifterna. 

- Skriv till en vän och berätta om något som har hänt.
- Skriv till en vän och berätta om en resa.
- Skriv till en vän som du inte har träffat på länge och berätta lite om ditt liv.

Hälsa och fråga hur någon mår

Hej …!

Hejsan …!

Kära …,

Allt väl?

Hur är läget?

Är allt bra med dig?

Börja berätta någon nyhet

Jag måste berätta något …

Har du hört vad som har hänt?

Det hände en så rolig sak …

Vet du vem jag träffade?

Berätta något från en resa

Efter en lång resa är vi äntligen framme i …

Här är allting toppen/underbart/härligt …

Vi har det jättebra här i …

Avslutningsfraser

Hoppas ni alla/du mår bra!

Hoppas att vi ses snart!

Längtar efter dig!

Sköt om dig!

Hälsa …!

Hör av dig snart!

Hälsningar …

Puss och kram …

Kramar …

Till sist s 19–20

3

1 A Titta på fotona. Skriv ner 5–7 ord som du associerar med bilderna.

B Jämför med två andra personer.

2 A Kontrollera att du förstår de kursiverade orden.

1 = håller *inte alls* med	3 = håller med *helt och hållet*
2 = håller *delvis* med	0 = vet inte/ingen åsikt

B Läs påståendena och bestäm hur mycket du håller med.
Skriv en siffra intill varje påstående.

_____ Världen skulle vara bättre utan pengar.

_____ Man ska aldrig låna ut pengar till andra för man riskerar att inte få tillbaka dem.

_____ Det är roligare att ge än att få.

_____ Man behöver varken pengar eller status. Det finns annat som är viktigare i livet.

_____ Både familj och vänner är jätteviktigt i livet.

_____ Ett jobb måste ge mig antingen hög status eller hög lön.

_____ Jag sparar inte pengar utan gör av med allt direkt.

C Jobba 3–4 personer. Berätta vad ni tycker om de olika påståendena. Argumentera för er åsikt. 

antingen hög status eller hög lön
både familj och vänner
varken pengar eller status
Jag sparar inte pengar utan gör av med alla direkt.

Konjunktioner

D Titta på exemplen med konjunktioner i fokusrutan.
Matcha konjunktionerna med betydelserna här nedanför.

1 x och y ______________________
2 inte x men y ______________________
3 x eller y ______________________
4 inte x inte y ______________________

s 21

3 A Gör en lista över 10 sätt att bli rik.

Exempel:

Panta tomburkar och flaskor
Råna en bank

B Diskutera för- och nackdelar med de olika metoderna.
Är de snabba, lagliga, moraliska, praktiska osv?

Å ena sidan är det ... men å andra sidan är det ...
Det är ganska ... , men det är också ganska ...
Ett bra sätt kan vara att ... Men det finns ett problem med den metoden ...
Att ... är en annan idé. Det är lagligt, men ...

C Ulf och Jenny, berättar om hur de blev rika.
Titta på nyckelorden i rutan och gissa hur de gjorde för att bli rika innan du lyssnar.

Ulf: salamikorvar, aktier, datorer, singlar, hunddagis
Jenny: jobbar hårt, bankkonto, 10 år, skrapar

D Lyssna på Ulfs och Jennys berättelser. En person koncentrerar sig på Ulf och den andra på Jenny. Lyssna och anteckna det viktigaste.

E Berätta historien för din partner. Stämde era idéer från övning C?

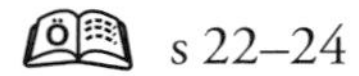
s 22–24

Pengasnack

Många tycker att det är ohövligt att prata om pengar. Man brukar till exempel inte fråga bekanta om vad de tjänar. Men om man känner någon väl pratar man kanske mer om pengar. Och många samtal handlar om vad saker kostar och vad man ska köpa. Här är fem samtal om pengar.

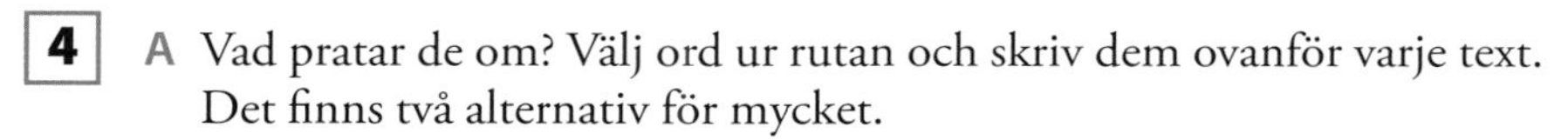

4 A Vad pratar de om? Välj ord ur rutan och skriv dem ovanför varje text. Det finns två alternativ för mycket.

arbetslöshet	sjuklön
husköp	socialbidrag
lön	veckopeng
pension	

1 ______________________

– Vad fick ni ge?
– 5 miljoner.
– Vad fick ni för det ni sålde?
– 4 miljoner, så vi behövde inte låna så mycket den här gången.
– Sjysst!

2 ______________________

– Hur klarar du dig nu när du har a-kassa?
– Ganska okej. Jag får 80 % av lönen och sedan har jag sparat pengar. Jag har inte så hög hyra och jag försöker äta billig mat. Jag har inte råd att gå ut så ofta och äta.
– Nej, det förstås. Men mat man lagar själv är ofta godare och nyttigare.

3 ______________________

– Hur mycket tjänar du egentligen?
– Hmm. Det är egentligen privat men jag tjänar lite över 30 000. Sedan får jag ju obekväm arbetstid på det. Du då?
– Mycket mindre. Jag förhandlade så dåligt när jag började på firman. Nu är det svårt att höja.
– Jo, jag vet. Bästa sättet att få mer är att byta jobb.

4 ______________________

– Får du några pengar nu när du är sjuk?
– Första dagarna ingenting. Karensdagar. Efter det har jag fått 80 % av lönen. Jag har också fått en del pengar från min pensionsförsäkring eftersom jag har varit sjuk så länge.
– Ja, stackars dig, men tur att du har pengar i alla fall.

5 ______________________

– Jag behöver mer mamma!
– Jamen, du får ju 100 kronor i veckan. Det borde räcka!
– Det räcker ju knappt till att hyra en dvd och att köpa läsk och godis.
– Hmm. Priserna har nog gått upp lite sedan jag var barn.

B Skriv en egen dialog om pengar. Använd några av orden här nedanför.  

knappt	låna	ha	råd	behöver	mycket

 s 24–25

Jobbet – himmel eller helvete?

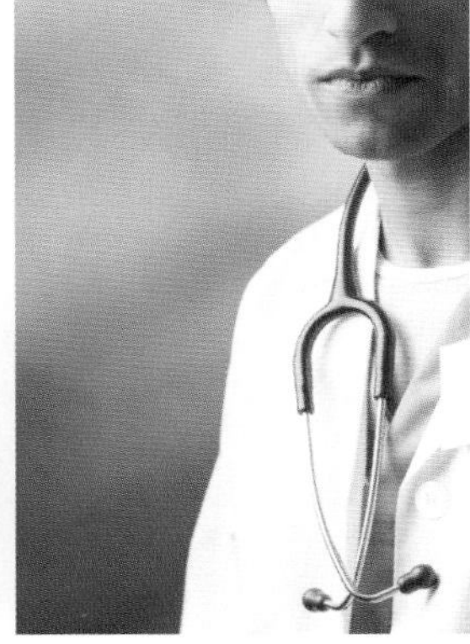

En del hoppar upp ur sängen på morgonen för att springa till jobbet. Andra ser en lång tråkig arbetsdag framför sig och vill hellre ligga kvar i sängen. Lön, arbetsuppgifter och arbetskamrater är tre saker som många tycker är viktiga.

5

A Skriv upp tre jobb som du tycker verkar bra och tre jobb som du absolut inte kan tänka dig att ha. Jämför med en eller två personer.

B Vad har du för yrke/yrkesplaner? Varför valde du det yrket? Vad är du nöjd/missnöjd med?

C Titta på yrkena i rutan. Vilka yrken tror ni är högavlönade och vilka är lågavlönade?

en läkare
en advokat
en präst
en civilingenjör
en förskollärare
en gymnasielärare
en servitris
en receptionist/telefonist
en sjuksköterska
en lokförare
en städare
en politiker
en vd (verkställande direktör)

Jag tror att ... har högst lön för ... har
lång/kort utbildning
mycket/lite ansvar
bra/dåliga arbetstider
bra/dålig arbetsmiljö

Att arbeta som ... är
stressigt
roligt
tungt
tråkigt
osv

D Vilka yrken har mest status, tycker du? Gör en lista från högst till lägst status. Motivera. Är det skillnad i Sverige och andra länder, tror du?

För mig har ... hög/låg status för de
jobbar med människor
har mycket ansvar, osv

E I vilka jobb behöver man dessa egenskaper? 

bra med människor
bra ledare
bra på att lyssna
noggrann
stark
förstående
ha fantasi
ha tålamod
tycka om att läsa
kunna förklara

Exempel:
En läkare måste vara bra på att lyssna.

F Hur är du? Vilket jobb passar för dig, tror du?

 s 25

6 A Vilka vanor och attityder tror du Maria och Ulrika har? Diskutera utifrån underrubrikerna i texten, utan att läsa texten.

Jag tror att Maria tycker att pengar är ...
Jag tror att Ulrika brukar ...

B Läs artikeln. Vem tror du säger vad?
Skriv M för Maria och U för Ulrika vid styckena 1–13.

C Stämde era idéer om Maria och Ulrika? Berätta för varandra. 
Kontrollera i facit.

Skilda världar

Ulrika och Maria är båda i 30-årsåldern. De har studerat på universitetet och har villa, Volvo och vovve. De är båda gifta och har barn. Men en sak skiljer dem åt: de har helt olika syn på pengar och pengars betydelse.

Jag sitter på ett kafé i stan med Ulrika och Maria och pratar pengar och livsstil.

Om boende

1 ____ – Jag känner att jag måste bo mitt i stan! Det är ju här saker händer. Jag och min man älskar att gå ut på restaurang och på teatrar och museer. Shopping är ett stort fritidsintresse för oss. Vi skulle bli galna i en håla på landet.

2 ____ – Eftersom jag köpte min första lägenhet för 15 år sedan så har jag bara tjänat på de högre priserna. Det har blivit som en extra karriär för mig.

3 ____ – Huspriserna i stan blev mer och mer hysteriska. Vi kände att hela livet handlade om att jobba för att kunna betala lånen på huset. Men varken jag eller min man vill jobba så mycket så vi flyttade till ett billigt hus på landet 13 mil från stan.

Om jobb

4 ____ – För mig betyder jobbet jättemycket. Jag är pr-konsult. För mig finns inget val. Jag måste jobba stenhårt i vissa perioder för firman kräver det. Men å andra sidan tjänar jag ganska bra och får ofta en bonus i slutet på året.

5 ____ – Klart att barnen och familjen får lida ibland. Jag sitter ofta på jobbet till sent på kvällen och blir tvungen att ringa till barnvakten och fråga om hon kan stanna längre.

6 ____ – Vi vill ha tid för vår familj och vårt stora fritidsintresse, att odla. Nu jobbar jag

Maria: »Lycka kan inte köpas för pengar.«

Ulrika: »En guldnyckel öppnar alla dörrar.«

30 timmar i veckan. Jag är bibliotekarie. Min man har möjlighet att jobba hemifrån så han slipper resorna till och från jobbet.

Om sparande

7 ____ – Som jag sa, så känner jag att jag behöver pengarna för familjens livsstil. Det kostar att bo i stan helt enkelt och att ha de vanor som vi har. Men boendet är ju också en investering. Självklart sparar jag i aktier och fonder också men boendet är den största investeringen.

8 ____ – Jag sparar faktiskt nästan ingenting. Jag och min familj försöker i stället bli mer och mer oberoende av pengar. Jag har mer tid. Därför har jag också tid att planera och göra billiga saker, t ex när det gäller mat.

9 ____ – Jag brukar baka bröd och bullar. Sedan kokar jag en massa sylt och marmelad på sommaren och konserverar grönsaker och svamp. Jag älskar när mitt skafferi är fyllt med saker som jag själv har gjort.

10 _____ – Jag skulle kunna leva mycket billigare om jag hade tid. Men för mig är pengar en nyckel som öppnar dörrar.

Om lycka

11 _____ – Tänk när vi var hela familjen på ett hotell i Tibet och satt på balkongen och tittade på soluppgången över Himalaya. Det var lycka för mig, och utan pengar hade det inte funkat.

12 _____ – För mig är lycka ingenting som man kan köpa för pengar. Lycka hittar jag i vardagen i småsaker som t ex att gå ut till mina egna hönor och plocka ägg.

13 _____ – Det vackraste jag vet är soluppgången över min egen lilla sjö. Vi semestrar ofta i Sverige, antingen på vandrarhem eller i tält.

TVÅ KORTA FRÅGOR

Vad kan du inte vara utan?

Maria: Min härliga familj och mina gulliga hönor.

Ulrika: Vår stora, ljusa lägenhet och vårt underbara lantställe.

Vad vill du köpa?

Maria: En fin, brun häst till mina snälla barn.

Ulrika: Den fina väskan som jag såg i går i en damtidning, nya golfklubbor, det dyra sminket som min kompis har köpt.

D Stryk under två saker som du håller med om och två saker som du inte håller med om i texten. Jämför med din partner.

E Vem är du mest lik, Maria eller Ulrika? Berätta för din partner.

F Hitta ord med följande betydelse i de olika styckena. (Siffrorna är nummer på de olika styckena.)

1 hobby, liten stad
4 jobba mycket, extra lön
5 arbete
6 behöver inte
8 handlar om
9 skåp där man har mat
11 fungera

Min härliga familj och mina gulliga hönor.
Det nya, dyra sminket som min kompis har köpt.

Adjektiv + substantiv

G Gör fraser med ord ur de tre kolumnerna A, B och C.

Exempel:

en moralisk person

A	B	C
	ADJEKTIV	SUBSTANTIV
en/ett/två/tre …	jätteviktig	bil
trehundrafemtionio …	hysterisk	barn
den/det/de	tung	film
min/mitt/mina …	tråkig	fråga
Peters/kungens/dagens …	stressig	fåtölj
	snabb	historia
	sjuk	kvinna
	rolig	land
	rik	lektion
	praktisk	man
	obekväm	musik
	moralisk	möte
	laglig	nyhet
		person
		sanning
		tåg
		väska
		år

Ö s 26–28

7 A Vad tror ni att lyckoforskaren Berit Lyckeberg säger om pengar och lycka? 
Diskutera innan ni läser texten. Ta hjälp av nyckelorden i rutan.

lottovinst	rika/fattiga länder	företagsledare	1 procent
sjuk	fattig	sociala relationer	jämför sig

Lyckoforskning

Berit Lyckeberg har forskat i över 40 år om sambandet mellan pengar och lycka.

– När man får pengar reagerar hjärnan på samma sätt som när man tar droger eller har sex. Man blir gladare. Men effekten är kortvarig. Efter fem år har man samma lyckonivå som innan till exempel en lottovinst.

– Så pengar gör oss lyckliga men bara för en stund. Om man tittar på hela länder kan man se att folk i rika länder ofta är lite lyckligare än de i fattiga länder. Men det stämmer inte alltid. I vissa länder som t ex Guatemala finns ganska många fattiga, men folk där är ändå rätt lyckliga.

– Och lyckonivån hos massajfolket i Östafrika är lika hög som hos företagsledare i Europa. En forskarkollega har räknat ut att pengar bara står för 1 procent av lyckan.

– Men det gäller inte för alla. Om man är sjuk eller fattig har pengar stor betydelse. Man behöver ha tillräckligt med pengar för att klara sig och ibland kunna göra något roligt.

– En viktig faktor för lyckan är sociala relationer. Det är delvis därför många arbetslösa är olyckliga. De saknar de sociala relationer som man får på en arbetsplats.

– En förklaring till att pengars lyckoeffekt försvinner är att man hela tiden vill ha mer och hela tiden jämför sig med andra. Vi har också hittat ett annat stort problem med pengar: en person som plötsligt får mycket pengar använder dem ofta på fel sätt. Han eller hon kanske flyttar till en stor avlägsen villa och förlorar kontakten med sina vänner och grannar. Det kanske är bättre att bo kvar och att bjuda vänner och grannar på en stor fest?

B Stämde era teorier? Stryk under några saker som är konstiga, nya eller intressanta. Jämför med andra par.

C Vad är lycka för dig? Diskutera med din partner.

Skrivtips

När man ska skriva om för- och nackdelarna med något kan man först göra plus- och minuslistor.

8 A Skriv: ”Bästa sättet att bli rik”. Följ arbetsschemat här nedanför. Gör gärna A–C tillsammans. Gör en lista med olika metoder, gärna både möjliga och omöjliga metoder så att texten blir rolig att läsa.

Exempel:

råna en bank   spara på banken   sjunga på gatan

B Gå sedan igenom alla metoder och skriv upp fördelar och nackdelar med dem.

Exempel:

RÅNA EN BANK
+ man behöver bara göra ett jobb
– det är olagligt (man kanske hamnar i fängelse)

C Gör en disposition, ett skelett, för din text.

Exempel:

Inledning
Metod 1 för/emot
Metod 2 för/emot osv
Avslutning/slutsats

D Skriv texten och använd gärna dessa fraser. 

- Ett bra sätt kan vara att .... Det är ... Det finns dock ett problem med den metoden.
- Det är ... och ..., men man måste också tänka på riskerna ...
- Å ena sidan är det ... men å andra sidan är det ...
- Att ... är en annan idé. Det är lagligt, men ...

E Jobba 3–4 personer. Läs varandras texter. Hjälp varandra att förbättra texterna. Diskutera texterna och säg två saker som är bra och en sak som kan bli bättre med de olika texterna. Fundera över de här två sakerna: Är texten klar och tydlig? Är argumenten bra?

Till sist s 29–30

4

1 A Vilka adjektiv associerar ni till de olika djuren?
Välj ord ur rutan eller hitta på egna.

självständig, trofast, tyst, lydig, busig, stilig, vacker, gullig, intelligent, stark, opålitlig, lekfull, pålitlig, graciös, påhittig, klumpig, ilsken, korkad, farlig, sällskaplig, rolig

B Vilka av djuren på bilderna passar som husdjur/sällskapsdjur, tycker ni?
För vem passar de?

Jag tycker/tror att … är ett perfekt husdjur för … eftersom …
… passar absolut inte för … eftersom …
En fördel/nackdel med … är att de är …
Jag tror att det är jobbigt/tråkigt/svårt/roligt med … eftersom …
Om man ska ha en … som husdjur måste man …

2 Berätta för varandra och diskutera.

1 Har ni eller har ni haft djur? Varför? Varför inte?
2 Varför skaffar så många människor husdjur?

s 31

3 A Lyssna några gånger på historien som Maggi berättar.

B Gå igenom verben och verbfraserna i rutan och kontrollera att ni vet vad de betyder. 

rida	drömma (om)	övertala	skaffa	spara	gå förbi
klappa	trösta	leka (med)	ta hand om	gå ut med	tjata
vara rädd (för)	tro	växa upp	längta (efter)	stirra (på)	spola ner

C Lyssna på Maggi igen och anteckna nyckelord och fraser.

D Återberätta så mycket ni kan för varandra.

E Lyssna igen och svara på frågorna.

1 Vad ville Maggi bli när hon var i 10-årsåldern?
2 Vad för sorts häst ville hon ha?
3 Varför fick hon ingen häst?
4 Vad för sorts hund ville hon ha?
5 Varför ville hon ha en hund?
6 Varför fick hon ingen katt?
7 Varför var hon rädd för fåglar?
8 Varför köpte Maggis mamma fiskar?
9 Vad hände med fiskarna till slut?

F Jämför era svar. Lyssna igen om det behövs och kontrollera att ni har svarat rätt.

4 A Vilka verbgrupper (1–4) tillhör verben i rutan här nedanför? Hur kan man se det?

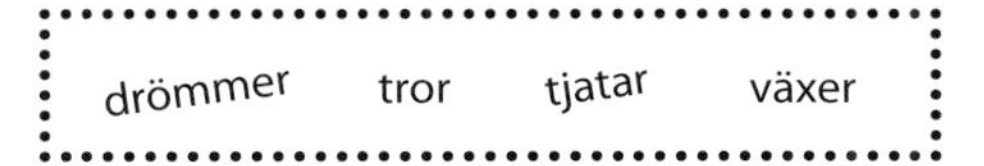

B Skriv de fyra verbens alla former. 

Exempel:

IMPERATIV	INFINITIV	PRESENS	PRETERITUM	SUPINUM
dröm!	drömma			

 s 32

5 A Vilket djur passar i uttrycket? Prata med din partner.

B Vilka uttryck med djur finns på ditt språk? Prata med din partner.

s 32

Farliga djur i Sverige

Många tror nog inte att det finns farliga djur i Sverige. Vi har till exempel inga krokodiler, skorpioner eller riktigt giftiga spindlar. Men det finns faktiskt djur i Sverige som på olika sätt kan vara mycket farliga för människan.

6 A Vilka av djuren tror ni är farliga för människan?
På vilket sätt kan de vara farliga?

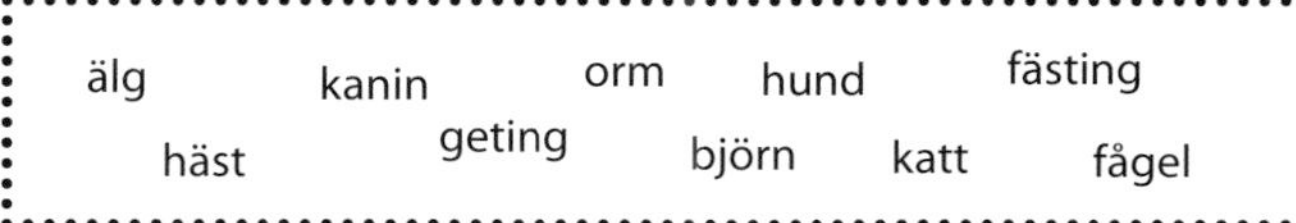

B Gör en lista över Sveriges farligaste djur. Det farligaste får siffran 1, nästa får 2 osv. Motivera ordningen.

C Berätta för hela gruppen/klassen om era listor.

7 A Rätt eller fel? Läs meningarna här nedanför *innan* ni läser texten "Stickande och bitande djur i Sverige" och gissa om de är rätt eller fel. Skriv R (rätt) eller F (fel). 

1 Många dör av huggormsbett varje år.
2 Huggormar är rädda för människor.
3 Getingar kan vara farliga för alla människor.
4 Varje år dör ungefär 10 personer av getingstick.
5 Fästingar suger bara djurblod.
6 Man kan få farliga sjukdomar av fästingar.
7 Man kan vaccinera sig mot alla fästingsjukdomar.

B Läs texten och kontrollera om ni gissade rätt.

Stickande och bitande djur i Sverige

Huggormar biter sällan människor. Ormarna är nämligen skygga och försvinner oftast snabbt när en människa närmar sig. Ett huggormsbett är normalt inte så dramatiskt. Det svider och gör ont och området runt ormbettet svullnar upp. Det kan dock vara mycket farligt om man blir biten direkt i en blodåder eller om man är överkänslig. Men det händer sällan att människor dör av huggormsbett, ungefär en person vart åttonde år gör det. Många människor är ändå rädda för huggormar och vågar därför inte gå på platser där de vet att det finns huggormar.

Getingar är mycket farliga för människor som är överkänsliga mot getingstick. För dem kan ett getingstick orsaka en allergichock som kan vara livshotande. Det är också farligt om en geting sticker en i munnen, på tungan till exempel. Då kan tungan svullna upp så att man inte kan andas. En person om året brukar dö av getingstick.

Fästingen är bara några millimeter stor men orsakar mycket lidande varje år. Den är ett blodsugande djur som gärna suger blod från människor. Fästingen i sig är inte farlig, men den kan överföra flera sjukdomar som är farliga. Varje sommar får mellan fem- och tiotusen personer sjukdomen borrelia på grund av fästingar. Några av dem blir mycket sjuka med feber, värk i lederna och ibland ansiktsförlamning. Det finns inget vaccin mot borrelia än. Man kan däremot vaccinera sig mot virussjukdomen TBE, som fästingen också kan överföra till människor. Man rekommenderar att de boende i bland annat Stockholms skärgård vaccinerar sig, eftersom det finns många smittbärande fästingar där.

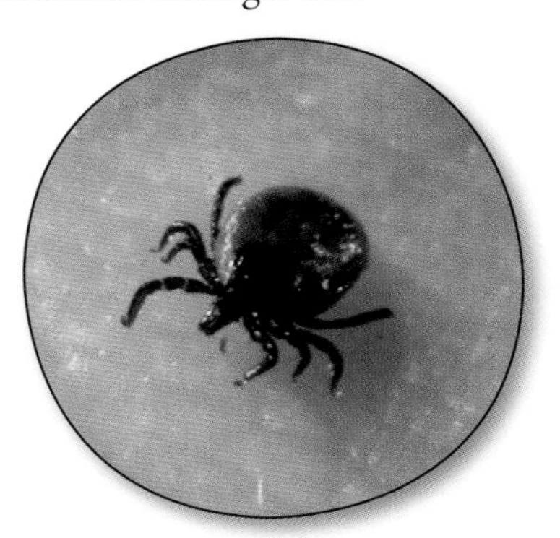

C Skriv 6–7 frågor till texten "Stickande och bitande djur i Sverige". 

D Byt frågor med paret bredvid. Svara muntligt på frågorna utan att titta i texten.

E Samla alla ord i texten som har att göra med kroppen och sjukdomar.
Gör egna meningar med dem.

Exempel:

VERB	
svider	Det svider om man får schampo i ögonen.
gör ont	
svullnar upp	

s 33

8 A En i paret läser texten om björnen, den andra läser texten om vargen.  
Gör en lista på nya, viktiga ord. Anteckna nyckelord från texten och öva att återberätta den.

B Gå igenom listorna med nya ord tillsammans.
Förklara för varandra vad orden betyder.

C Berätta om djuren för varandra.

Björn

Björnen ser ganska dåligt men den hör bra och har ett mycket bra luktsinne. Om något oroar björnen reser den sig på bakbenen. Då kan den höra ljud och känna lukter bättre. Om den förstår att det finns en människa eller en större björn i närheten brukar den snabbt vända sig om och lufsa därifrån. Björnar är normalt fridsamma djur och attackerar mycket sällan människor.

Om björnar attackerar beror det nästan alltid på att de är skadade av skott från jägare, eller att någon plötsligt har kommit för nära en björnhona med små ungar. Björnar kan också vara farliga om människor överraskar dem. I sådana situationer brukar de visa med ljud och "maktdemonstrationer" att de inte vill att man ska komma närmare. Björn har dödat två personer i Sverige på 2000-talet. Innan dess hade ingen blivit dödad av björn i Sverige sedan 1902.

Man tror att björn dödade sammanlagt 27 personer i Skandinavien mellan 1750 och 1962. Många dog inte av själva attacken, utan av infektioner som de fick i såren. I dag hade man troligtvis kunnat bota de flesta med antibiotika. Som jämförelse kan man nämna att ungefär 10 människor dör i trafiken varje år efter att ha krockat med älg och i genomsnitt blir 2–3 personer varje år skjutna av misstag i samband med jakt.

Om du möter en björn i skogen ska du göra så här:

- Prata lite med björnen så att den hör att du är där. Prata vänligt, hosta lite eller harkla dig. Du kan också klappa i händerna.
- Gå sedan sakta bakåt utan att vända dig om.
- Spring inte. Björnar springer mycket snabbare än människor.
- Klättra inte heller upp i ett träd, björnar

är skickliga klättrare. Om björnen följer efter dig kan du släppa några av dina saker på marken, dina kläder till exempel. Då brukar björnen stanna en lång stund för att lukta på sakerna.

- Om björnen attackerar ska du lägga dig ner på marken i fosterställning med ansiktet mot marken och skydda huvudet och nacken med händerna och armarna. En björnattack slutar oftast med att björnen går iväg när han har visat vem som bestämmer.

Vi människor behöver inte vara oroliga för att en europeisk brunbjörn ska äta upp oss – vi står nämligen inte på deras meny. Björnen lever framför allt på bär och växter, myror, älg, ren och kadaver.

Fakta

För 70 år sedan fanns det bara omkring 500 brunbjörnar i Sverige. I dag är den siffran uppe i cirka 2 500. I Sverige finns det mest björn i Värmland, Dalarna, Hälsingland, Gästrikland och norrut.

Storlek: 100–280 cm lång.

Vikt: 60–100 kilo (honor) och 100–200 kilo (hannar). Stora hannar kan väga upp till 250 kilo.

Under vintern går björnen i ide, då den sover djupt. Kroppstemperaturen sjunker och björnen andas långsammare.

I januari–februari föder honan sina ungar, oftast två–tre stycken. Ungarna väger bara 300–600 gram när de föds.

Varg

I många generationer har man läst sagor som handlar om elaka vargar, *Rödluvan och vargen* och *Peter och vargen* till exempel och människor har alltid varit mycket rädda för vargar.

På gammal svenska hette djuret "ulv", men man var rädd att säga det ordet. Man trodde att djuret skulle komma om man sa namnet. Därför kallade man djuret för "varg", som betydde ungefär "en som använder våld" på gammal svenska. Efter en tid kunde man inte använda "varg" heller, utan då sa man Gråben eller Tasse.

Vargen är symbol för något elakt och blodtörstigt men samtidigt är den stamfader till alla våra tamhundar. Hunden, människans bästa vän, är med andra ord direkt släkt med vargen. Man tror att separationen mellan hund och varg skedde redan för 100 000 år sedan. En del hundar är fortfarande lika vargen: jämthund, grönlandshund och schäfer till exempel.

En varg kan på egen hand döda en fullvuxen älg. Givetvis kan den också döda en människa, men det händer mycket, mycket sällan. Vargen är ett intelligent djur och är normalt mycket rädd för människor i alla åldrar. Ibland händer det dock att en varg kommer nära människor. Ofta är det en ensam varg som letar efter sällskap och mat.

Man tror att varg (icke rabies-smittad) har dödat högst fem människor i Europa under de senaste 60 åren. Under samma period har hundratals människor blivit dödade av sina egna eller andras hundar.

Ett par människor avlider också varje år när de ramlar av hästar och bryter nacken. I Sverige hade man ett dödsfall 1821 då en människa blev attackerad av en varg. Det var en varg som man hade hållit i fångenskap och som man sedan släppte ut i skogen. Den vargen hade aldrig lärt sig att jaga.

Vargen passar absolut inte som husdjur och så kallade hybrider, korsningar mellan varg och hund, har angripit och dödat flera människor i både USA och Ryssland.

Föda: älg, rådjur, bäver, grävling och om det finns tillfälle även får, ren och hund.

Om du möter en varg i skogen ska du göra så här:

- Prata med vargen, hosta eller klappa i händerna så att den vet att du är där. Då brukar vargen långsamt ge sig iväg.
- Gå sjungande eller pratande därifrån om vargen inte ger sig iväg. Spring inte.
- Vänd och ta ett par steg mot vargen om den följer efter. Vifta med kläder, en väska eller liknande och verka stor och farlig.
- Spela inte död om vargen trots allt skulle anfalla. Sparka och slå så mycket du kan.

Fakta

Ingen vet exakt hur många vargar det finns i Sverige. Ett flertal vargar rör sig över gränsen mellan Norge och Sverige. Vintern 2005/2006 fanns det 130–150 vargar i Sverige och Norge. Förr i tiden fanns det varg i hela Sverige, men numera finns de framför allt i Värmland, Dalarna, Dalsland, Närke, Uppland, Hälsingland och Gästrikland.

Storlek: mankhöjd upp till 90 cm.

Vikt: 35–55 kilo.

Valparna föds under perioden april–juni, oftast 5–6 stycken. Men de kan vara ända upp till 10 stycken. Valparna väger ca 400 gram när de föds.

D Diskutera vilket djur som är farligast för människan. Motivera med fakta från de olika texterna. 

E Skriv en text om farliga djur i ditt land.

Stickande och bitande djur
De boende i skärgården …
Fästingen orsakar mycket lidande varje år.
Gå sjungande eller pratande därifrån …

Presens particip

9 

A Titta på fraserna i fokusrutan här ovanför. Vilken funktion har presens participformerna i de olika exemplen? Fungerar de som substantiv, adjektiv eller adverb? 

B Vad heter verben i rutan i imperativ? Försök att formulera regler för hur man bildar presens particip.

s 33–34

Huggormar biter sällan människor. Ormarna är nämligen skygga och brukar ringla undan när en människa närmar sig. Ett huggormsbett kan dock vara mycket farligt om man blir biten direkt i en blodåder.
Många människor är ändå rädda för huggormar och vågar därför inte gå ut och vandra på ställen där de vet att det finns huggormar.
Man kan däremot vaccinera sig mot virussjukdomen TBE, som fästingen också kan överföra till människor.

Sambandsord

10 A Titta på exemplen i fokusrutan här ovanför.
Uttrycker de markerade orden förklaring eller kontrast?

B Välj sambandsord ur fokusrutan och sätt in dem där de passar.
Tips: Börja inte en mening med "dock".

1 Hundar är fina sällskapsdjur ... är vargar helt olämpliga som husdjur.
2 Vargen var mycket nyfiken ... kom den så nära människorna.
3 Man måste vara försiktig med björnhonan. Hon har ... ungar nu.
4 Björnar är normalt fridsamma djur. De kan ... vara farliga om man kommer för nära.

ÖB s 34–36

11 A Välj verb ur rutan och skriv dem i rubrikerna där de passar in.

provsmakar attackerade skrämmer emigrerar

1. 79-årig man ______________ älg med stavar
2. **Älgar ______________ nytt vägsalt**
3. **Svenska älgar ______________**
4. **Berusad älg ______________ skolbarn. Barnen jätterädda!**

B Läs snabbt igenom älgartiklarna. Välj rubriker från övning A och skriv dem på linjen över rätt artiklar.

Älgnyheter

1 ____________________________

I flera dagar har en arg och berusad älg skrämt barnen på Vallaskolan i Brösarp. Personalen beskriver älgen som "helt galen". I morse låg den halvsovande älgen vid skolans entré och hindrade barnen från att komma in i skolan. Efter ett tag reste den sig och lunkade sakta iväg.

– Barnen är jätterädda och i går var älgen så aggressiv att vi ringde polisen, säger skolans rektor, Eva Nilsson.

När polisen kom låg älgen och vilade i skogen och var hur lugn som helst. Polisen har dock koll på älgen.

– Vi kan ha att göra med en fylleälg, säger polisintendent Claes Jönsson. Det är inte helt ovanligt på höstarna. Vi tror att älgen har ätit en massa jästa falläpplen i villaträdgårdarna här omkring och blivit berusad helt enkelt.

2 ____________________________

Nu ska man exportera svenska älgar. Sveriges Radio Jämtland rapporterar att en dräktig älgko och en älgkalv från en älgfarm i Jämtland ska bilda grunden för en ny älgstam i Skottland. För ungefär 1 000 år sedan fanns det älg i Skottland, men sedan dess har landet varit älgfritt. Nu ska alltså de svenska älgarna ändra på det.

– Idén är att plantera in Skottlands ursprungliga djur igen och tanken känns bra, tycker jag, säger älgfarmaren och älgexportören Arne Lindqvist.

3 ____________________________

Ett par stavar räddade en 79-årig man från en attack från en ilsken älgko.

Mannen var ute och gick med sina stavar i skogen när han plötsligt stötte på en älgko. Den ilskna älgkon gick till attack mot mannen.

– Jag hann aldrig bli rädd. Jag ställde mig som en sumobrottare, bredbent med böjda ben och koncentrerade mig på att sticka med stavarna mot älgens ögon, säger mannen till Värmlandstidningen.

Enligt mannen försökte älgkon attackera honom åtta gånger. Så småningom gav den upp och försvann in i skogen igen.

4 ____________________________

I Sverige har man länge saltat isiga vintervägar. Sedan 2004 testar Vägverket nya blandningar av salt och socker. Om man blandar socker i vägsaltet blir nämligen den negativa effekten på både bilar och miljö mindre. Risken finns dock att socker skulle kunna locka upp älgar och rådjur på vägarna och därmed öka antalet trafikolyckor.

Därför ska man nu testa de nya salt- och sockerblandningarna på älgarna på en älgfarm i Jämtland. Under sex veckor ska älgarna få välja mellan stenar med rent salt eller med sockerblandning. Om älgarna inte föredrar sockret talar mycket för att man ska börja använda sockerblandningen på vägarna.

C Läs artiklarna en gång till.
Den ena i paret frågar, den andra svarar utan att titta i artiklarna.

1 Vad gjorde älgen vid skolentrén?
2 Vad gjorde älgen när polisen kom?
3 Hur kunde älgen bli berusad?
4 När fanns det älgar i Skottland?
5 Varifrån kommer älgarna man ska exportera?
6 Vad gjorde den 79-åriga mannen när han stötte på älgkon?
7 Hur försvarade han sig mot älgen?
8 Varför vill man blanda in socker i vägsaltet?
9 Vad finns det för risk med sockerblandningen?
10 Hur ska man göra provsmakningen?

12 A Välj ut 2–3 roliga eller intressanta saker som du har lärt dig i det här kapitlet.

B Berätta för varandra vilka saker ni har valt. Motivera era val.

Skrivtips

Det finns en del ord i svenskan som man inte ska ha först i en mening.
Ibland kan man använda andra ord som betyder samma sak.

Skriv inte dessa ord först	Skriv i stället	Dessa ord ska stå på samma plats som "inte"
också	dessutom	dock
därför att	eftersom	nämligen
förstås	naturligtvis, självklart	absolut
		verkligen

13 Skriv om meningarna, så att de blir korrekta.

1 Förstås är det bra att bo nära jobbet.
2 Därför att vi bor nära kan vi cykla till jobbet.
3 Också är det praktiskt att barnen bor nära skolan.
4 Faktiskt är det billigt att bo här.
5 Absolut måste du komma och hälsa på.
6 Verkligen hoppas vi att ni kommer snart.
7 Ni borde också flytta hit. Nämligen är det en fantastisk miljö här.

Till sist s 37–39

5

1 A Titta på bilden och prata om den.
1 Vilka är personerna, tror ni?
2 Vad gör de?
3 Vad får ni för associationer? Skriv ner 5–7 ord.

B Jämför vad ni har sagt och skrivit med paret bredvid.

2 A Läs de fyra texterna här nedanför.

Fredagsmys

Svenskar är ett folk som gillar att mysa, speciellt på hösten och vintern när det är mörkt och kallt ute. Vad innebär det att mysa egentligen? Det beror lite på vem man frågar.

1
Varje fredag har vi fredagsmys med barnen. Då har vi en massa smågodis och så gör vi en stor skål med popcorn. Sedan ligger vi i soffan allihop och tittar på teve eller någon bra dvd. Det är så himla mysigt!

2
Det är kul att gå ut och festa men ibland är det skönt att bara vara hemma och mysa. Då köper vi hem sushi, tänder levande ljus och har en riktig mysmiddag. När vi har mys är det förbjudet att ha på mobilen eller datorn.

3
När jag ska mysa sätter jag på mig sköna myskläder och slår mig ner i favoritfåtöljen med en spännande deckare. Medan jag läser lyssnar jag på klassisk musik och äter smågodis och chips. Det är jättemysigt!

4
På söndagar brukar vi baka något gott, kanelbullar eller kanske en sockerkaka. Sedan brygger vi riktigt gott kaffe som vi dricker till. Vi tänder en brasa och sitter och småpratar och löser korsord tillsammans. Åh, vad mysigt!

B Titta på fotona. Vem säger vad om att mysa, tror ni? Skriv texternas siffror (1–4) vid respektive bild. Det blir en bild över. Motivera era val.

En svensk livsmedelskedja frågade 14 000 svenskar: »Vad äter ni till fredagsmyset?« Resultatet visade att chips och ostbågar hade högst mysfaktor. Strax efter chips kom godis.

Chips, ostbågar och liknande:	46%
Godis:	43%
Glass:	25%
Frukt:	22%

Källa: Fri köpenskap (2008)

C Diskutera era val med paret bredvid.

D Skriv en text på temat "mys". Finns fenomenet mys i ditt land? Varför tror du att svenskar i allmänhet tycker så mycket om det? Brukar du mysa? Hur?

3 A Lyssna på dialogen. Vad är det Theresa inte har förstått riktigt?

B Lyssna på dialogen igen och skriv svaren på frågorna.

1 Vilka tre saker/aktiviteter tycker Theresa är mysiga?
2 Vad tycker Adam är mysigt?
3 Varför tycker Adam att Theresa inte riktigt förstår vad *mys* betyder?

C Jämför era svar.

D Diskutera.

1 Finns det något fenomen i Sverige som ni inte riktigt förstår?
2 Finns det något fenomen i era länder som är svårt för utlänningar att förstå?

Barrunda eller fredagsmys?

Gabriella: Ja, det är Gabriella.
Mange: Tja! Mange här. Läget?
G: Jo, det är helt okej. Du då?
M: Det är fint. Du, har du några planer för kvällen? Jag ska ut med min kompis Siri från Stockholm. Hänger du med?
G: Nja, jag tror inte det. Jag är supertrött och hade bara tänkt vara hemma och mysa.
M: Men, kom igen! Vi ska göra en riktig barrunda. Det kommer att bli hur kul som helst!
G: Nej, jag orkar inte i kväll. Dessutom är jag helt pank. Jag har inte ett öre.
M: Äsch, det ordnar sig. Jag bjuder. Du kan bjuda mig en annan gång, när du har pengar.
G: Jaaa, jag vet inte.
M: Snälla ... Du behöver komma ut och träffa lite nya människor! Du kan inte bara sitta hemma jämt och ha det tråkigt.
G: Okej då, men bara en liten stund. Bli inte sur om jag går hem tidigt.
M: Nej, jag lovar!

4 A Välj en aktivitet ur rutan. Försök sedan övertala din partner (som inte alls vill följa med) att följa med på aktiviteten.

- gå på teater
- ta en långpromenad i skogen
- ha en myskväll
- gå på tangokurs
- gå på Historiska museet

FRÅGA	SVARA (NEGATIVT)	ÖVERTALA
Har du lust att ...?	Nja, jag tror inte det.	Kom igen!
Vad sägs om att ...?	Jaaa. (stigande ton)	Snälla! (familjärt)
Hänger du med ...?	Nja, jag vet inte.	Jo, det blir kul!/Jo, det är ju hur kul som helst!
Ska vi ...?	Tjaaa, jag vet inte riktigt.	Varför inte?

B Skriv en dialog om någon av aktiviteterna från övning A.

C Läs upp för de andra i gruppen.

Hej Agnes!

Vet du vad som hände i går? Jo, jag var ute på en barrunda med Mange och hans kompisar (trots att jag hade tänkt vara hemma ... ☺). Då träffade jag Siri från Stockholm. Hon var jättetrevlig. Vi pratade en massa och hon berättade att hon jobbade i shoppen på Nordiska museet. Innan jag gick hem frågade hon om jag hade lust att åka upp till Stockholm och hälsa på nästa helg. Det är ju långhelg eftersom det är klämdag på fredag. Först sa jag ja utan att tänka, men sedan kom jag på att du och jag hade planerat att göra något. Då frågade hon om du inte kunde följa med också. Men jag sa att jag inte kunde bestämma något förrän jag hade pratat med dig, så klart. Vet du vad som händer här hemma nästa helg? Jag menar, om det inte är något speciellt kanske vi kan ta en tur till Stockholm?

Jag vet att det kostar hur mycket som helst att åka dit och egentligen kanske vi borde vänta tills vi får lön. Men man kan väl ha skoj i Stockholm, även om man inte har en massa pengar? Vi kan ju snåla lite genom att ta bussen dit i stället för tåget. Vet du när bussarna går på torsdagar? Och Siri sa att vi självklart kan bo hemma hos henne. Jag vet inte exakt var hon bor, men det är någonstans strax utanför stan.

Så vad säger du? Visst låter det skoj? Bestäm dig snabbt så att jag kan ringa Siri och säga hur vi gör.

Förresten, vet du vem som frågade efter dig? Ring mig i kväll, eller kom hem till mig så ska jag berätta ...

Puss puss
Gabriella

Siri sa att vi självklart kan bo hemma hos henne.
... kom hem till mig så ska jag berätta.

Hemma hos + objekt
Hem till + objekt

D Titta på meningarna i fokusrutan. När säger man *hem till* och när säger man *hemma hos*?

s 40–41

E Skriv ett svar från Agnes till Gabriella. Ta med informationen i rutan.  

inte nästa helg	inga pengar
rolig fest hemma	jobba extra

5 A Titta på subjunktionerna i rutan. Vilka hör ihop, tycker ni? Varför?  
Om ni är osäkra på vad de betyder kan ni leta efter dem i texterna på s 48–49 eller slå upp dem i ordboken.

när	innan	inte … förrän	eftersom/därför
om	genom att	ifall	att
utan att	tills	även om	för att
så att	trots att/fastän	medan	

Exempel:

trots att/fastän — även om
De visar en kontrast.

B Fyll i rätt subjunktion.

1 Jag gick till kursen … jag hade huvudvärk.
2 Vi kan stanna hemma … du vill.
3 Han brukar sjunga … han städar.
4 Hon tar en dusch … hon går ut.
5 Jag stannar hemma i kväll … jag är så trött.

C Ändra på satserna i övning B, så att bisatsen kommer först.

Ö s 41–42

Indirekt tal

Hon berättade att hon jobbar i shoppen på Nordiska museet.
Hon frågade om jag hade lust att åka till Stockholm.
Jag sa att jag inte kunde bestämma något …
Vet du när de går på torsdagar?

6 A Stryk under alla meningar med indirekt tal i Gabriellas mejl till Agnes. 

B Komplettera meningarna muntligt.

1 Adam säger alltid att …
2 Vet du om …?
3 Birgitta undrar varför …
4 Varför säger Eva att …?
5 Jag skulle vilja veta hur …
6 Vet du inte varför …?

Indirekt tal med 'som'

Vet du vem som pratade med mig i går?
Vet du vem jag pratade med i går?
Vet du hur många som röker här?
Vet du hur många cigaretter han röker?
Vet du vad som hände i går?
Vet du vad jag gjorde i går?

7

A Titta på meningarna i fokusrutan. När måste man ha *som* i indirekt tal? Försök att formulera en enkel regel. Tips: Tänk på direkt tal (vad hände i går?) Vad är subjekt?

B Markera med X där man behöver *som*.

1 Vet/du/vem/ska åka/till Stockholm/nästa helg?
2 Vet/du/vad/du/ska göra/nästa vecka?
3 Jag/vill veta/vem/du/ringde.
4 Vet/du/vem/ringde/mig?
5 Vet/du/vilka/ska gå/på festen?
6 Jag/undrar/vad/han/sa.
7 Jag/har ingen aning om/hur många/följer med/ut/i kväll.

C Skriv en fråga på ett separat papper till varje person i gruppen. Be din lärare dela ut frågorna.

Exempel:

Till Peter:
Var har du köpt din snygga tröja?
/Thomas

D Skriv svar på de frågor du får. Läraren lämnar tillbaka de besvarade frågorna.

Exempel:

Till Thomas:
Ska vi ta en fika efter lektionerna?
/Carla
Jag kan tyvärr inte i dag. Jag måste åka hem direkt.
/Thomas

E Läs igenom de svar du får. Välj ut 3–4 frågor med svar som du läser upp för alla i gruppen. Använd indirekt tal.

Exempel:
Jag frågade Thomas om vi ska ta en fika efter lektionerna.
Han svarade att han tyvärr inte kan. Han sa att han måste hem direkt.

s 43

8 A Läs orden i rutan och gissa vad artikeln handlar om, alternativ a, b, c eller d.

salta sillar | sura bomber | mormors löständer | stekta ägg | Ferraribilar | sega råttor | blåa delfiner

a Familjemiddag i Italien
b Ovanliga djur
c Hotellfrukost
d Smågodis

Ingen annanstans äter man lika mycket godis som i Sverige. Varje år stoppar svenskarna i sig runt 35 000 ton. Det är nästan 4 kilo per person och år. Till det kommer 6–7 kilo choklad.

Hur kommer det sig att man just i Sverige äter sådana mängder godis? Leif Claesson, produktchef på Godisbomben AB, tror att det bland annat handlar om Sveriges tradition med många kiosker.

– I Sverige har vi länge haft en speciell kioskkultur. När vi var små stod vi i kioskluckan och pekade på godiset som låg i olika burkar – en sån, en sån och en sån – tills kronan var slut. Vi svenskar är vana att välja och plocka ihop vårt godis själva, menar Leif Claesson.

På 1980-talet började man sälja plockgodis, eller lösviktsgodis, i en liten mataffär utanför Stockholm. Kunderna tog själva en tom påse och plockade ihop det godis som de ville ha. Inom några år var succén med plockgodis ett faktum. Nuförtiden har alla mataffärer plockgodis i mängder, oftast strax innan kunderna kommer till kassan. Här kan man välja mellan en massa olika sorters godis, salta sillar, mormors löständer, stekta ägg, blåa delfiner, sura bomber, Ferraribilar och sega råttor till exempel.

Marknaden för plockgodis verkar dock ha stannat av, medan chokladförsäljningen ökar starkt. Detta kan bero på hälsodebatten.

– Man tycker att choklad och speciellt mörk choklad är finare än annat godis. Dessutom har forskare visat att mörk choklad till och med kan vara nyttigt. Därför introducerar vi en ny produkt; mörk choklad i lösvikt. Det ska bli spännande att se vad konsumenterna tycker om det.

Man kunde tro att försäljningen av lösviktsgodis snart kommer att minska nu när svenskarna har blivit så intresserade av hälsa, men Leif Carlsson är inte orolig.

– Det vanliga lösviktsgodiset kommer alltid att sälja, avslutar han.

B Diskutera vilken rubrik som passar till artikeln. Motivera ert val. 

Sverige har flest kiosker i världen

Svenskarna riktiga godisgrisar

Snart slut med plockgodiset

C Svara muntligt på frågorna.

1 Varför tror man att svenskarna äter så mycket godis?
2 Hur började trenden med plockgodis?
3 Varför tror man att svenskarna börjar äta mer och mer choklad?

Vanor och ovanor

Nästan alla människor har vanor av olika slag. Man vaknar en viss tid varje dag, firar jul på ett speciellt sätt, eller spelar tennis en gång i veckan. De flesta har nog någon ovana också. Man kanske biter på naglarna, smaskar när man äter, svär mycket eller petar sig i näsan.

Om man har svårt att leva utan något kan man tala om beroende. Man kan exempelvis vara sockerberoende, spelberoende eller narkotikaberoende. Ibland överdriver man lite och säger att man är beroende av shopping, en teveserie, en speciell hudkräm eller en viss pizza. En person som missbrukar narkotika kallar man narkoman. Ordet narkoman kan man använda i olika sammanhang, en person kan vara arbetsnarkoman eller träningsnarkoman till exempel.

Att vara sugen betyder att man har stor lust att äta, dricka eller göra något just nu. Det finns mycket man kan vara sugen på. Man kan bland annat vara röksugen, fikasugen eller ressugen.

9 A Diskutera.

1 Vad har ni för vanor och ovanor?
2 Finns det några ovanor som är extra irriterande?
3 Vilka ovanor skulle ni vilja sluta med?
4 Är ni sugna på något just nu? Vad?

B Skriv och berätta om en eller två ovanor som ni skulle vilja sluta med. Om ni vill kan ni fantisera.

C Byt papper med paret bredvid.

D Diskutera det andra parets ovanor.

E Ge det andra paret råd om hur de kan sluta med sina ovanor. 

Ett bra/effektivt sätt att sluta … kan vara att …
Du borde försöka …
I stället för att … kan du prova att …

Sedan ligger vi i soffan allihop.
Man kanske biter på naglarna, smaskar när man äter, svär mycket eller petar sig i näsan.

Bestämd form

Sedan ligger vi i ~~vår soffa~~ allihop.
Man kanske biter på ~~sina naglar~~.

 s 44

10 A Läs texten ”Godisets historia”. 10 meningar är bortplockade ur texten. De finns i rutan här nedanför med en bokstav framför. Skriv sedan rätt bokstav på raderna i texten.

a Gränna, vid Vättern, är fortfarande känt för sina polkagrisar och många turister stannar till där för att handla.
b Men man vet i alla fall att han hade dåliga tänder.
c När folk gick på bio ville de ha godis med sig in i salongen.
d Idén med lördagsgodis spred sig snabbt i Sverige och lever kvar än i dag.
e Choklad var dock fortfarande en lyx och de som inte hade så mycket pengar kunde bara köpa enklare karameller.
f Den hade också vissa medicinska effekter och hjälpte till att hålla munnen och tänderna rena.
g Sockret var dock en extremt dyr produkt och det var inte många som hade råd att äta sötsaker.
h Snart följde fler succéer som Daim, Schweizernöt och Twist.
i Flera generationer stockholmare har njutit av systrarnas gräddkolor, Tjong, och stora kokosbollar.
j De gjorde vackra arrangemang på konfektborden och dekorerade eleganta marsipantårtor.

Godisets historia

Människan har i alla tider tyckt om att tugga på och äta söta saker. Man tror att människan för länge, länge sedan smaskade på kåda, honung, bär, frukter och nötter. I Finland har man hittat en bit kåda av björk med tuggmärken i. Det visade sig vara en sorts tuggummi som var 5 000 år gammalt. Kådan var söt och god att tugga på. (1) ____

Redan på 500-talet kunde man tillverka socker i Indien och Kina och så småningom kom sockret via Mellanöstern till länderna runt Medelhavet, framför allt Spanien och Italien. Men det var först på 1100-talet handeln med socker blev stor. (2) ____

På 1500-talet var det apotekarna som tillverkade och handlade med konfekt i Sverige. Skillnaden mellan medicin och konfekt var inte stor. På den tiden trodde man nämligen att sötsaker var bra för kroppen. Man säger att Gustav Vasa, som levde på 1500-talet, var Sveriges första godisgris. Hur ofta och hur mycket sötsaker kungen åt vet emellertid ingen. (3) ____

När de långa krigen i Europa var slut på 1600-talet och de svenska militärerna återvände hem tog de med sig tyska och schweiziska sockerbagare. Rika adelsfamiljer anställde sockerbagarna och man såg dem mer eller mindre som fria konstnärer.

En del av sockerbagarna kallades till och med dessertmålare. (4) ____ Exempel på godis från den tiden är kanderade violer, syrener eller rosenblad och brända mandlar.

Sockerimporten till Sverige blev med tiden mycket stor och de som styrde landet tyckte att man borde minska importen, eftersom så mycket valuta försvann utomlands. Man försökte odla sockerbetor här i Sverige, men det var först mot slutet av 1800-talet man lyckades. Tack vare odlingen av sockerbetor kunde man starta en egen sockerindustri, vilket blev startpunkten för masstillverkning av godis i Sverige. Sveriges första chokladfabrik öppnade i Göteborg på 1870-talet. (5) ____

Under senare delen av 1800-talet var det mest kvinnor som sysslade med karamellkokning. De kokade karamellerna hemma i sina kök och sålde dem sedan på torgen. Två kvinnor har betytt mycket för svenskarnas godisätande. Den ena var änkan Amalia Eriksson. Hennes röd- och vitrandiga polkagrisar som hon tillverkade i Gränna blev mycket populära. Amalia tjänade mycket pengar på sin polkagristillverkning och hon blev med tiden en förmögen kvinna. (6) ____

Den andra kvinnan var Augusta Jansson. Hon kom till Stockholm på

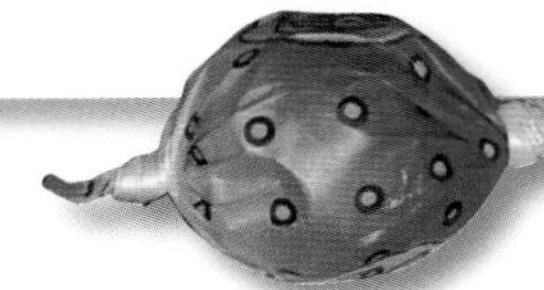

1880-talet och lärde sig hur man kokade karameller. Efter en tid öppnade hon eget karamellkokeri i en källarfabrik på Söder. Till en början var det gatuförsäljare som sålde Augusta Janssons godsaker på olika platser i Stockholm. Gummor sålde godiset i pappersstrutar på de platser där Stockholmare brukade ta sina söndagspromenader. Tillsammans med sin syster Signe öppnade hon så småningom en godisbutik. (7) ____

På 1920-talet ökade svenskarnas godiskonsumtion. Sverige behövde vid den här tiden inte importera socker och man startade större fabriker som tillverkade kolor, tablettaskar och chokladkakor. Samtidigt fick filmen sitt genombrott, något som också ökade godisförsäljningen.
(8) ____

En annan orsak till att folk började äta mer godis var att man öppnade kiosker på olika platser i landet, framför allt vid järnvägsstationer. På så sätt blev det lättare att få tag på godis. På 40-talet lanserade chokladfabriken Marabou pralinasken Aladdin (9) ____ . Aladdin är fortfarande en storsäljare och många svenskar köper den än i dag till storhelger som jul och påsk.

Under 40- och 50-talet forskade man om varför man får karies i tänderna och kom fram till att socker var en viktig faktor för dålig tandhälsa. Man upptäckte också att det var skadligare att äta lite godis ofta än att äta mycket godis mer sällan. Därför startade man en kampanj för att barnen bara skulle äta godis en gång i veckan, på lördagar. (10) ____

B Välj 10–15 nya ord från texten som du vill lära dig. Skriv egna exempel eller en historia med orden.

Tack vare odlingen av sockerbetor kunde man starta en egen sockerindustri, vilket blev startpunkten för masstillverkning av godis i Sverige. Samtidigt fick filmen sitt genombrott, något som också ökade godisförsäljningen.

RELATIVT PRONOMEN
vilket = något som

Ö s 45

Skrivtips

När man skriver en berättande text om exempelvis en händelse eller en utveckling över tiden är det bra att kunna olika ord och uttryck som handlar om tid.

11 Skriv en berättande text och använd några av tidsuttrycken från rutan här nedanför. 
Välj bland ämnen eller hitta på något eget.

- Ett barndomsminne
- Mina far- eller morföräldrar
- Mitt land på ... -talet
- Mina elektroniska prylar (mobil, dator, teve osv)

för länge sedan	fortfarande
förr (i tiden)	samtidigt
mot slutet av ... /i början av ...	med tiden
på den tiden	så småningom
i alla tider	snart
nuförtiden	länge
än i dag	inom

Till sist s 46–48

1 A Vilka ser du på bilden? Vad vet du om dem?

– Vad skulle du göra om du var kung i Sverige?
– Om jag var kung? Tja ... Då skulle jag resa en massa. Och så skulle jag bestämma en hel del.
– Jaså, som vadå? Kungen har ju ingen politisk makt.
– Nej, det är sant. Och om jag var kung skulle jag ju inte kunna gifta mig med Madeleine!
– Det kanske inte är så roligt att vara kung, trots allt ...
– Nja, jag vet inte. Hur kul är det egentligen att sitta en massa timmar på Nobelmiddagen till exempel?
– Du skulle ju kunna abdikera direkt och bara leva livets glada dagar. Eller?
– Det skulle inte vara så dumt förstås.

Sverige är en parlamentarisk demokrati. Kung Carl XVI Gustaf är Sveriges statschef. Han är symbol och representant för Sverige, men han har ingen politisk makt och han får inte delta i det politiska livet. Den svenska monarkin är med andra ord konstitutionell.

Före Gustav Vasas tid valde man kung, men 1544 bestämde Gustav Vasa att kungamakten skulle gå i arv.

Kronprinsessan Victoria, född 1977, kommer att efterträda Kung Carl Gustaf.

B Berätta för varandra om statsskicket i era länder. 

Vad skulle du göra om du var kung i Sverige?

Konditionalis

2 **A** Läraren delar ut en fråga var till alla i gruppen.
Om ni är fler än tio personer får ni komplettera listan med frågor.

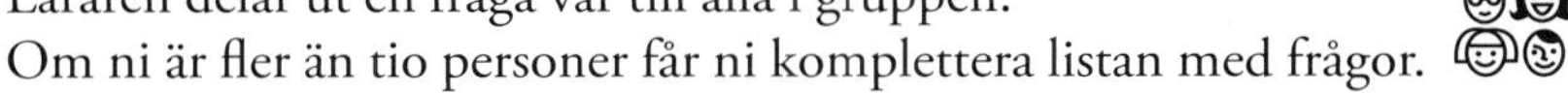

Vad skulle du göra om …
… du vann tio miljoner?
… du var osynlig en dag?
… du bara hade två dagars semester ett år?
… du var finansminister i ditt land?
… en vän ville låna 10 000 kronor av dig?
… någon bjöd dig på surströmming?
… du körde på en annan bil på en parkering?
… du var kung eller drottning i en vecka?
… Madonna frågade om du ville dansa i hennes show?
… du fick en chans att resa till månen?

B Gå runt i klassrummet och ställ era frågor till så många som möjligt.
Anteckna svaren ni får.

C Redovisa de svar du har fått för hela gruppen.

Många sa att …
De flesta svarade att …
Ett par personer/några sa att …
Det var bara en/två som svarade att …
Det var ingen som sa …

s 49

Man ska aldrig säga aldrig!

Uttrycket ”Man ska aldrig säga aldrig” finns på många språk. Det betyder ungefär att man aldrig kan veta helt säkert vad som kommer att hända eller hur man kommer att agera i olika situationer.

3 **A** Diskutera.

I vilka situationer (om det finns några) skulle ni kunna …
… ljuga för en nära vän?
… stjäla något?
… slå någon?
… låna ut en stor summa pengar till en vän?

B Berätta för paret bredvid hur ni har svarat.

s 49–50

4 Läs om partier och regeringar i Sverige. Börja med text 1. Stanna vid varje fråga. Gissa svaret tillsammans. Följ sedan instruktionerna för hur ni ska läsa vidare och få det rätta svaret. 

Partier och regeringar i Sverige

Det svenska partisystemet har länge varit ett av världens stabilaste. De fem partierna som i dag heter Vänsterpartiet, Socialdemokraterna (det socialistiska blocket), Centern, Folkpartiet liberalerna och Moderaterna (det borgerliga blocket) satt som de enda partierna i riksdagen …

Hur länge satt de som de enda partierna i riksdagen?

a 45 år

b 68 år

c 79 år

Läs **4** för att få svaret.

3

… en stark stat. Under de socialdemokratiska åren växte välfärdsstaten fram. Sverige fick till exempel allmänna barnbidrag, nioårig obligatorisk skola, allmän pension (ATP), 40 timmars arbetsvecka och fyra veckors semester. Man finansierade reformerna bland annat med …

Hur finansierade man reformerna?

a ökad export

b mindre bidrag till jordbruket

c höga skatter

Läs **5** för att få svaret.

… det socialdemokratiska Folkhemmet. Han menade att Sverige skulle bli som ett gott hem för alla svenskar. Folkhemmet skulle ersätta klassamhället. Där skulle det finnas jämlikhet och samförstånd och…

Vad skulle mer finnas där?

a aktiva medborgare

b en stark stat

c låga skatter

Läs **3** för att få svaret.

… från 1920 till 1988. Då kom ett nytt parti, Miljöpartiet, in i riksdagen. I valet 1991 tillkom ytterligare två partier: Kristdemokraterna och Ny demokrati.

Vad hände med Ny demokrati?

a De satt i regeringen 1994.

b De blev det största borgerliga partiet i valet efter.

c De åkte ur riksdagen i valet efter.

Läs **2** för att få svaret.

5

...ett högt skattetryck och en progressiv skatteskala, de som tjänade mer betalade mer skatt.
Mellan 1976 och 1982 hade Sverige fyra borgerliga regeringar. De borgerliga partierna hade olika problem att lösa. Ekonomin var svag och man försökte minska de offentliga utgifterna. En viktig fråga man diskuterade var om Sverige skulle ha kärnkraft eller inte. Partierna hade olika åsikter i den frågan och samarbetet mellan partierna blev svårt.

1982 tog Socialdemokraterna makten igen och Olof Palme blev statsminister. Fyra år senare hände det som ingen trodde var möjligt i Sverige.

Vad hände?

a Det var en statskupp i Sverige.
b Statsministern blev mördad.
c Någon försökte skjuta kungen.

Läs **7** för att få svaret.

Statsministern blev skjuten på öppen gata i centrala Stockholm. Ingvar Carlsson tog över statsministerposten efter Palme. Med undantag för en mandatperiod, 1991–1994, hade Sverige socialdemokratiska regeringar 1982–2006.

Till valet 2006 bildade de borgerliga partierna en koalition, Allians för Sverige, med ett gemensamt valmanifest. De vann valet och Fredrik Reinfeldt, partiledare för det största borgerliga partiet, Moderaterna, blev statsminister.

2

Men Ny demokrati satt bara i riksdagen under en mandatperiod.

Inget annat land har haft ett så långt socialdemokratiskt styre som Sverige. Socialdemokraterna satt vid makten utan avbrott från år 1932 till år 1976. Under tre månader hade Sverige dock en interimsregering (1936). Sverige förändrades mycket under den socialdemokratiska perioden. En av partiets statsministrar, Per Albin Hansson, införde ett nytt uttryck:

Vilket uttryck var det?

a Folkhemmet
b Moder Svea
c Storsverige

Läs **6** för att få svaret.

Ö s 50–51

Ett nytt parti

Intervju med Roine Wigman, partiledare för det nya Fiskpartiet.

Intervjuare: Vad är er viktigaste fråga?

Roine: Vår viktigaste fråga är naturligtvis hur vi ska rädda vår fisk. Vi människor måste ändra våra matvanor. Fisken kommer att försvinna från våra vatten om vi inte slutar äta så mycket fisk. Haven kommer att bli utfiskade. Vi måste också sluta släppa ut föroreningar och annat skräp i våra vatten, annars kommer fisken att dö ut.

Intervjuare: Hur ska ni vinna folks röster?

Roine: Vi startar en kampanj nästa månad. Vi ska annonsera i olika tidningar och ringa till folk för att informera om problemet. Vi ska också sätta upp affischer runt stan. Sedan ska vi ställa oss vid olika köpcentrum och dela ut flygblad. Det kommer att bli mycket arbete.

Intervjuare: Vad gör ni om ni inte lyckas?

Roine: Om det går dåligt tänker jag starta ett annat parti. Jag vet inte riktigt vad för parti, köttpartiet kanske?

5 A Välj ett av partinamnen eller hitta på ett eget, och skriv om er viktigaste fråga. Hur ska ni vinna röster?

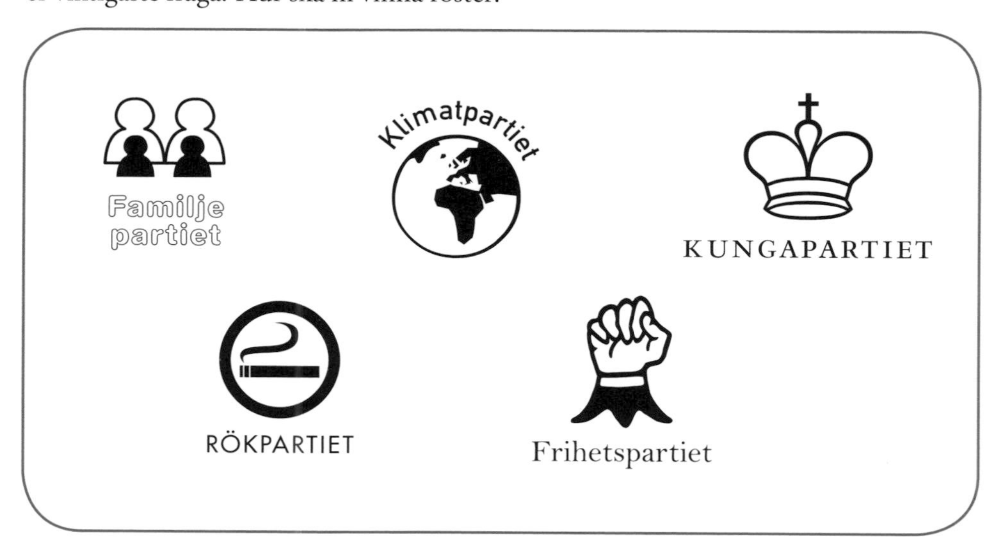

B Sätt er tillsammans med paret bredvid. Intervjua varandra om era partier.

C Berätta kort om partierna för resten av gruppen.

6 A Lyssna på samtalet mellan Mia och Daniel.

B Lyssna igen och markera rätt alternativ.

1 Mia ville inte hålla på med politik därför att
a) hennes föräldrar var ointresserade av politik.
b) hon hade lyssnat på för mycket prat om politik hemma.
c) Mias föräldrar protesterade mot hennes politiska intresse.

2 Daniels föräldrar
a) pratade aldrig om politik.
b) protesterade mot saker som var fel i skolan.
c) var politiskt aktiva.

3 Daniel började syssla med politik tack vare
a) en lärare i skolan.
b) sina föräldrar.
c) sina klasskompisar.

4 Daniel
a) ordnade ett möte mellan skolpersonalen och hela klassen.
b) satt ensam i möte med skolpersonalen om skolmaten.
c) var med i en grupp som hade möte med skolpersonalen.

5 Skolmaten blev
a) inte bättre alls.
b) lite bättre, men bara för en period.
c) mycket bättre.

6 I det politiska ungdomsförbundet
a) gjorde man andra saker ibland.
b) hade man bara politiska möten.
c) pratade man nästan aldrig om politik.

7 Mia
a) hatar fortfarande politik.
b) jobbar inom EU.
c) planerar att bli statsminister.

Fisken kommer att försvinna från våra vatten …
Vi startar en kampanj nästa månad.
Vi ska annonsera i olika tidningar …
Om det går dåligt tänker jag starta ett annat parti.

PRESENS FUTURUM
kommer att + infinitiv
presens
ska + infinitiv
tänker + infinitiv

7 A När använder man de olika uttrycken för presens futurum?

B Kombinera förklaringarna. Dra streck.

1 Kommer att + infinitiv använder man ofta när ingen bestämmer och när något är …

2 Presens som framtid använder man …

3 Ska + infinitiv har ofta en extrabetydelse, till exempel …

4 Tänker + infinitiv är detsamma som …

a planerar.

b beslut/plan/vilja/tvång/intention/löfte/ ”rykte” (man refererar till någon annan).

c en naturlig process/logisk konsekvens/prognos.

d i temporala och konditionala bisatser och tillsammans med framtidsuttryck.

C Vad är meningarna här nedanför med *ska* exempel på (beslut, plan, vilja osv)? Ibland kan flera alternativ vara möjliga.

1 Till i morgon ska ni läsa text 9.
2 Nästa vecka ska jag göra alla läxor.
3 Jag ska hälsa på farfar i morgon.
4 Drottningen ska besöka tre barnhem under veckan.
5 Det ska bli regn på lördag.
6 Jag ska sluta snusa!

D Komplettera meningarna med *kommer att*.

1 Om fler börjar ta cykeln i stället för bilen …
2 Jag är inte alls nervös för provet. Det …
3 Om du tar den här tabletten …
4 När du blir äldre …
5 Klimatet i världen …
6 Min mormor är otroligt pigg. Jag tror att hon …

s 51–52

Sveriges grundlagar

Sverige har fyra grundlagar: regeringsformen, successionsordningen, tryckfrihetsförordningen och yttrandefrihetsgrundlagen. Grundlagarna ska skydda vår demokrati och innehåller regler för Sveriges statsskick och människans fri- och rättigheter. Grundlagarna står över alla andra lagar i Sverige.

8 Titta på förklaringarna av lagarna här nedanför. Skriv sedan rätt siffra vid respektive grundlag.

1 Lagen har regler för vad man får säga till exempel på teve, på film, i radio och på internet.
2 Lagen har bland annat regler för hur valen ska gå till.
3 Lagen bestämmer vem som får bli kung eller drottning.
4 Lagen säger bland annat att alla får skriva vad de tycker i tidningar och böcker.

Regeringsformen, RF __________

Successionsordningen, SO __________

Tryckfrihetsförordningen, TF __________

Yttrandefrihetsgrundlagen, YGL __________

9 A Sök svaren snabbt på frågorna utan att läsa hela texten på nästa sida. Svara kort på frågorna.

1 Hur många platser finns det i riksdagen?
2 Vad beslutar man om i landstingen?
3 Hur ofta är det val i Sverige?
4 Skriv tre exempel på ministerposter.
5 Hur många kommuner finns det i Sverige?
6 Hur många procent av befolkningen brukar rösta?
7 Vad kallar man ministrar med ett annat ord?
8 Vilka frågor tar kommunerna hand om?
9 Hur gammal måste man vara för att få rösta?
10 Hur många procent av rösterna måste ett parti få för att komma in i riksdagen?

B Läs hela texten. Gör en ordlista på nya ord som du vill lära dig. Skriv egna exempel med orden.

Så styrs Sverige

Allmänna val

Den tredje söndagen i september vart fjärde år har man allmänna val i Sverige. Man har val på tre olika nivåer, nationell nivå (riksdagen), regional nivå (landstingen) och lokal nivå (kommunerna). Alla svenska medborgare som är 18 år får rösta i riksdagsvalet. För kommunalvalen och landstingsvalen är det andra regler. Om man är EU-medborgare eller kommer från Island eller Norge och bor i Sverige får man rösta i kommunalvalen och landstingsvalen. Om man kommer från ett annat land måste man ha bott i Sverige i mer än tre år i rad för att få rösta.

I Sverige är det många som röstar, omkring 80%.

Riksdagen

I riksdagen finns 349 platser. För att ett parti ska få plats i riksdagen behöver det få 4% av rösterna.

Regeringen

Det parti som får flest röster får bilda regering. Om flera partier tillsammans får många röster kan de bilda en gemensam regering. I Sverige brukar de två blocken, det socialistiska (Socialdemokraterna och Vänsterpartiet) och det borgerliga (Moderaterna, Folkpartiet liberalerna, Centern och Kristdemokraterna), vara ungefär lika stora.

Statsministern väljer vilka personer som ska bli ministrar, eller statsråd som de också kallas. Exempel på ministerposter är finansminister, utrikesminister, utbildningsminister, kulturminister, försvarsminister och miljöminister. Statsråden/ministrarna arbetar i olika departement. Det finns nio departement. En minister kan sitta i flera olika departement samtidigt.

Regeringen styr landet genom att lägga fram förslag, propositioner, till riksdagen. Sedan bestämmer riksdagen om förslagen ska gå igenom. Man kan säga att regeringen föreslår och riksdagen beslutar.

Myndigheterna

Det finns över 300 myndigheter i Sverige. De ska se till att riksdagens och regeringens beslut blir verklighet. Om riksdagen bestämmer om nya regler för socialbidrag till exempel ska de sociala myndigheterna se till att betala ut bidrag enligt de nya reglerna. I Sverige är ministerstyre förbjudet. Det innebär att myndigheterna arbetar självständigt. Inga ministrar får gå in och styra arbetet i detalj.

Landstingen

Det finns 18 landsting i Sverige. Deras viktigaste uppgift är att ta hand om sjukvården. En annan fråga landstingen beslutar om är kollektivtrafiken.

Kommunerna

Sverige har 290 kommuner. Kommunerna beslutar om många lokala frågor som vägar, skola, barnomsorg och äldringsvård.

Tabu

En del saker är ofint att fråga andra personer, till exempel hur gammal han eller hon är. Vad man kan och inte kan prata om kan variera mellan olika kulturer.

10 A Diskutera.

1 Vad kan man absolut inte fråga en svensk, tror ni?
2 Är någon eller några av frågorna i pratbubblan möjliga, tror ni?
3 Vad kan man/kan man inte fråga en person från era länder?

B Diskutera frågorna med hela gruppen. 

Skrivtips

När man skriver om statistik återkommer ofta vissa ord och fraser. Det är viktigt att meningarna inte blir för långa och krångliga.

Andel män i riksdagen

- Andelen män i riksdagen sjönk/minskade från 87 procent år 1970 till 53 procent år 2006.
- Knappt 90 procent av riksdagsledamöterna var män år 1970. 1982 var mer än två tredjedelar av riksdagsledamöterna män. Nu är lite mer än hälften av riksdagsledamöterna män.
- En majoritet av riksdagsledamöterna är män.

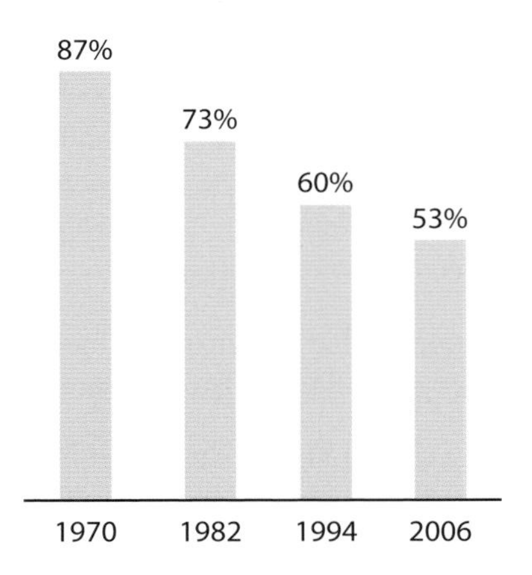

11 Skriv 4–5 meningar om andelen kvinnor i riksdagen. Använd diagrammet som hjälp.

 s 53

Till sist s 54

7

1 A Titta på fotot. Vilka ord associerar du mest med fotot? Varför?

vackert	skönt	vilsamt
tråkigt	exotiskt	spännande
ensamt	läskigt	äckligt

B Jämför vad du har skrivit/tänkt med några andra personer. Kommer ni på fler ord som ni associerar med fotot?

C Markera de ord i rutan du kan. Jobba med din partner och berätta för varandra om orden ni kan. Slå upp de andra.

ett smultronställe	gå vilse	ett bekymmer	njuta
en skog	smutsig	en udde	en stämning
en stig	svettig	en macka	titta in

D Lyssna på tre personer som pratar om sitt smultronställe. 
Vad har de för smultronställen?

E Lyssna igen och svara på frågorna.

Hamid
1 Hur kommer han till sitt smultronställe?
2 Vad gör han när han kommer fram?
3 Vilka djur brukar han se?

Isak
4 Vad gör han när han vill vara själv?
5 Vad gör han med familjen på stranden?
6 Vad gör de på kvällen?

Lollo
7 Varför vill hon helst komma på morgonen?
8 Vad gör hon där?
9 Hur är det där efter jobbet?

F Välj en av personerna, lyssna och skriv ner det du hör.

Smultronställe

För många svenskar är smultron en symbol för sol och sommar. Barn brukar ta ett grässtrå och trä upp smultronen på det. Det finns faktiskt inga smultronprodukter att köpa i Sverige. Det beror nog på att bären är så goda att man vill äta upp dem på en gång. Carl von Linné gillade smultron. Han brukade äta dem som medicin. Poeten och trubaduren Carl Michael Bellman sjöng så här om smultron: ”Ulla! min Ulla! Säg får jag dig bjuda rödaste smultron i mjölk och vin?”

Ordet smultron kommer troligen från ett gammalt svenskt ord som betyder mjuk eller lös. Suffixet -on finns på många bärnamn, t ex lingon, hallon och hjortron. Smultronet är släkt med jordgubben som dock inte kom till Sverige förrän på 1700-talet.

Ordet smultronställe har använts sedan början av 1900-talet för att beskriva en plats som man gärna kommer tillbaka till och som inte är så lätt för andra att hitta. Ett smultronställe är ett ställe där man mår bra och kopplar av, en plats dit man kan ta sig när man är stressad och har för mycket att göra.

Carl von Linné (1707–1778) var en svensk botaniker, läkare, geolog, pedagog och zoolog som systematiserade växt- och djurnamn. Hans system används fortfarande.

Carl Michael Bellman (1740–1795) var en poet och trubadur som ibland kallas för Sveriges nationalskald. Han skrev dikter och visor som fortfarande är populära bl a ”Fjäril'n vingad syns på Haga”.

G Har du något eget smultronställe? Skriv ner några stödord till frågorna.

- Vilket är ditt smultronställe?
- Hur ser det ut?
- Vad gör du där?
- Varför gillar du det stället?

H Berätta för några andra personer i gruppen om ditt smultronställe. 

I Skriv en text på temat ”Mitt smultronställe”.

2 A Vet du vem mannen på fotot är? Vad vet du om honom? Berätta för din partner. 
Om du inte vet vem det är: vem tror du att det är? En ingenjör, en musiker, en regissör eller en politiker eller något annat? Diskutera.

Ingmar Bergman (1918–2007)

Någon har sagt att om man får ett eget adjektiv så är man verkligen berömd. Ingmar Bergman fick det. Ordet bergmansk kan användas t ex så här: bergmansk ångest, bergmansk teatertradition och en bergmansk basker.

Ingmar Bergman var regissör inom teater och film och skrev filmmanus, teaterpjäser och flera böcker om sig själv och sitt arbete. Han var en av de största konstnärerna i Sverige under 1900-talet.

Men Bergman var aldrig folkkär. Många säger att de inte förstår hans filmer och pjäser och att filmerna är tunga och långsamma. Dessutom är de ofta svartvita. Men vad handlar de om?

B Vilka är filmerna, tror du? Skriv namnet på filmen på raden.

Det sjunde inseglet* ~~Persona~~ Sommaren med Monika
Fanny och Alexander Smultronstället

1 ______________________________

Ett ungt par lämnar sina tråkiga jobb i stan och åker ut i skärgården under sommaren. Den här filmen gjorde Bergman känd i Sverige. Den exporterades också till andra länder och gjorde skandal på många ställen.

Skandalen berodde på att filmen visade människor utan kläder. Det var den här och andra filmer under 50-, 60-, och 70-talet som skapade myten om ”den svenska synden”.

* Ett citat ur Bibeln.

2 ______

Den här filmen känner nästan alla till för det finns en mycket speciell scen där en riddare möter en person som säger att han är döden. Riddaren frågar: Kommer du för att hämta mig? Riddaren och Döden spelar ett parti schack. Om riddaren vinner får han leva lite till. Filmen har ett religiöst tema och utspelar sig under medeltiden då pesten dödade många. Titeln innehåller en siffra.

3 ______

En gammal professor bilar mellan Stockholm och Lund tillsammans med sin svärdotter. De gör en paus vid en sjö i skogen där de träffar några ungdomar och den gamla professorn börjar i drömsekvenser minnas sin ungdom.

4 Persona

Elisabet är skådespelerska men har blivit sjuk och slutat tala. Sjuksköterskan Alma tar hand om henne i ett sommarhus på Gotland. Alma talar och talar men Elisabet är tyst. Situationen blir mer och mer konstig och till slut vet de inte vem som är vem.

5 ______

Det här är en släktkrönika som handlar om en bror och en syster vars pappa dör. Deras mamma gifter om sig med en elak präst. Filmen får ett ganska lyckligt slut när prästen dör och livet går tillbaka till det normala. En stor julfest är central i filmen.

Bergman återkommer ofta till tre teman: familjen, religionen och konsten. Med dessa tre teman vill han visa på samma problem, nämligen bristen på kommunikation mellan människor. Hemmet är inte en varm och välkomnande plats. Tvärtom är folk grymma eller oförstående mot varandra. Guds tystnad är ett vanligt tema i hans filmer. Människor försöker tro men det är svårt i en grym värld. De söker kontakt med Gud men han svarar inte. Konstnärer i Bergmans filmer är ofta parasiter som lever på andra eller bara lever för sin konst och inte bryr sig om sina familjer eller vänner.

Bergman var gift fem gånger och fick nio barn. Alla barn utom ett blev skådespelare, regissörer eller författare.

Ön Fårö på norra Gotland fick en speciell plats i Bergmans liv och filmer. Landskapet fascinerade honom och han spelade in sex filmer och en teve-serie där. Han byggde ett hus med en privat biograf på ön och är också begravd där.

Att jobba med Bergman var för många skådespelare den största drömmen. De som har gjort det säger att det var svårt och jobbigt men mycket spännande.

Läs mer om Bergman på www.ingmarbergman.se

C Diskutera. Vad gillar du för filmer: actionfilmer, kärleksfilmer, snyftare, komedier, deckare eller skräckfilmer? Varför?

D Har du någon favoritfilm? Vad handlar filmen om? Varför är den så bra?

Den handlar om ...
Den är spännande, gripande, romantisk, läskig, hemsk, viktig, sann, rolig, urkul ...

E Vad minns du av texten om Ingmar Bergman? Försök tillsammans rekonstruera så mycket som möjligt med hjälp av orden i rutan.

teater och film	folkkär	tung	långsam
skandal	riddare	gammal professor	religion
Fårö	släktkrönika	familj	
konst	gift	barn	
sommarhus på Gotland	svårt och jobbigt	högsta drömmen	

... jordgubben **som** inte kom till Sverige förrän på 1700-talet.
... en plats **som** man gärna kommer tillbaka till ...
... ett ställe **där** man mår bra och kopplar av.
... plats **dit** man man kan åka när man är stressad ...
... två syskon **vars** pappa dör ...

Relativa pronomen och adverb

s 55–56

3 A Vilka landskap tror du gömmer sig bakom dessa reklamfraser? Läs texterna om de olika landskapen och skriv rätt fras vid rätt landskap.

a Det riktiga Sverige – natur och kultur
b Europas sista vildmark
c Djupa skogar och röda stugor
d Landskapet med ett mysterium
e Kontrasternas landskap
f Rosornas och ruinernas landskap

Härliga Sverige

Gotland

Gotland har många ansikten: Visby med sin medeltida ringmur och sina gamla kyrkor, de långa stränderna, raukarna och ängarna fulla med orkidéer.

Ön med sina lämningar från stenålder, vikingatid och medeltid är ett eldorado för den historieintresserade. Våra många kyrkor påminner om öns guldålder under medeltiden.

Varje sommar under Medeltidsveckan flyttar vi hela Visby tillbaka i tiden. Det är en spännande vecka full av aktiviteter för ung och gammal.

På ön kan du studera många olika ämnen på högskolan men också mer specialinriktade utbildningar som tonsättarskolan för dig som vill bli kompositör.

Här kan du bo innanför ringmuren i ett medeltida hus eller köpa en hel gård mitt i naturen.

Jämtland

Här finns mängder av små och stora äventyr för alla åldrar, under alla årstider.

På sommaren kan du fiska i någon av alla våra sjöar eller älvar eller vandra i skogen eller fjällen. Men här kan du också paddla kanot, cykla mountainbike på ett fjäll, bergsklättra, lära dig forsränning eller uppleva olika kultur- och musikfestivaler, som Storsjöyran – Sveriges största stadsfestival!

Vi har också ett rikt djurliv. Häng med på safari i sommar! Du kan få se björn, älg eller kanske den blyga bävern.

På vintern kommer man i stället hit för att åka skidor, både långfärdsskidor och slalom, t ex i Åre.

Landskapets natur är omväxlande. Vi har sjöar, älvar, forsar, skogar och höga fjäll. I Storsjön har vi också ett eget odjur – Storsjöodjuret. Om du är intresserad av det mystiska kom hit och försök få syn på det!

För den som vill studera finns både Mittuniversitetet och många folkhögskolor med olika specialinriktningar.

Lappland

Om du vill slippa storstadens stress är Lappland rätt ställe för dig. Här är det naturen som står i fokus. Vi har stora skogar, tundror och Sveriges högsta fjäll, Kebnekaise.

Fritidsmöjligheterna är stora och i centrum står jakt och fiske. Här kan du också uppleva den unika samekulturen på nära håll.

Även för dig som vill studera finns möjligheter. I något av våra lärcentrum kan du studera på distans. Jobba kan du göra i någon av våra många gruvor eller på rymdforskningscentret Esrange utanför Kiruna.

Våra huspriser är attraktiva. Hos oss kostar normalvillan 500 000 kronor jämfört med snittpriset i landet som är ungefär 2 000 000.

Dalarna

Hos oss hittar du det genuina Sverige. Här bakar vi knäckebröd och målar dalahästar, symboler för Sverige över hela världen. Vill du kombinera natur och kultur är Dalarna rätt ställe.

Till Dalarna har många konstnärer inom konst och hantverk flyttat. Här får de ro att skapa och blir inspirerade av den vackra naturen.

För den språkintresserade är Dalarna ett eldorado. Här talar vi olika dialekter i nästan varje by. Älvdalskan är en av de mest speciella dialekterna. Man säger att det liknar det språk som vikingarna talade. Men var inte orolig. Vi talar rikssvenska också.

Hos oss finner du gemenskapen på landet. I Dalarna lever nämligen de gamla byarna kvar till skillnad från i resten av Sverige där husen ligger långt från varandra. Därför har vi också bevarat många gamla traditioner som inte finns kvar i andra landsändar. Vi spelar folkmusik och klär fortfarande upp oss i folkdräkt till fest.

Skåne

Kom till Skåne, platsen där allt händer. Här hittar du allt: pulserande storstad i Malmö, studentstad med historia i Lund, levande landsbygd, rikt kulturliv och en spännande historia.

I Skåne har turisten nära till badstränder, vandringsleder, historiska slott och pittoreska byar. Den historieintresserade kan besöka många intressanta platser och lära mer om landskapets danska och svenska historia.

Vår arbetsmarknad är god. Många företag växer mycket pga den ökande kontakten med Köpenhamn. Studentlivet är omfattande, du kan studera på högskolenivå i flera av våra städer.

Småland

Drömmer du om en röd stuga vid en sjö? Då är Småland rätt ställe för dig. Här kan du uppleva en riktig svensk sommar med bad, saft och bullar och smultron på strå. I våra djupa skogar kan du vandra och plocka svamp och bär under sommar och höst. Längs kusten finns en underbar skärgård och Öland är nära.

Barnen trivs också i Småland. Du vet väl att Emil kommer från Vimmerby? Där kan man besöka Astrid Lindgrens miljöer.

Vi har en stor framtidsoptimism och investerar mycket i ny teknik som t ex vindkraft. I flera av våra städer har miljöarbetet kommit långt.

I Småland har vi en lång tradition av familjeföretagande och vi arbetar hårt. Vill du starta ett eget företag är Småland alltså den perfekta platsen för dig.

B Diskutera. Vilket landskap skulle du välja …

… om du skulle semestra? … om du skulle studera? … om du skulle bosätta dig? Varför?

C Tänk dig att du jobbar på en resebyrå eller turistinformation. Berätta om en speciell region i Sverige eller ett annat land. Gör så mycket reklam som möjligt för regionen.
Förbered dig genom att tänka på följande punkter: sevärdheter, natur, speciell mat och aktiviteter. Skriv 1–3 meningar om varje punkt. Jobba 2–3 personer och berätta för varandra.

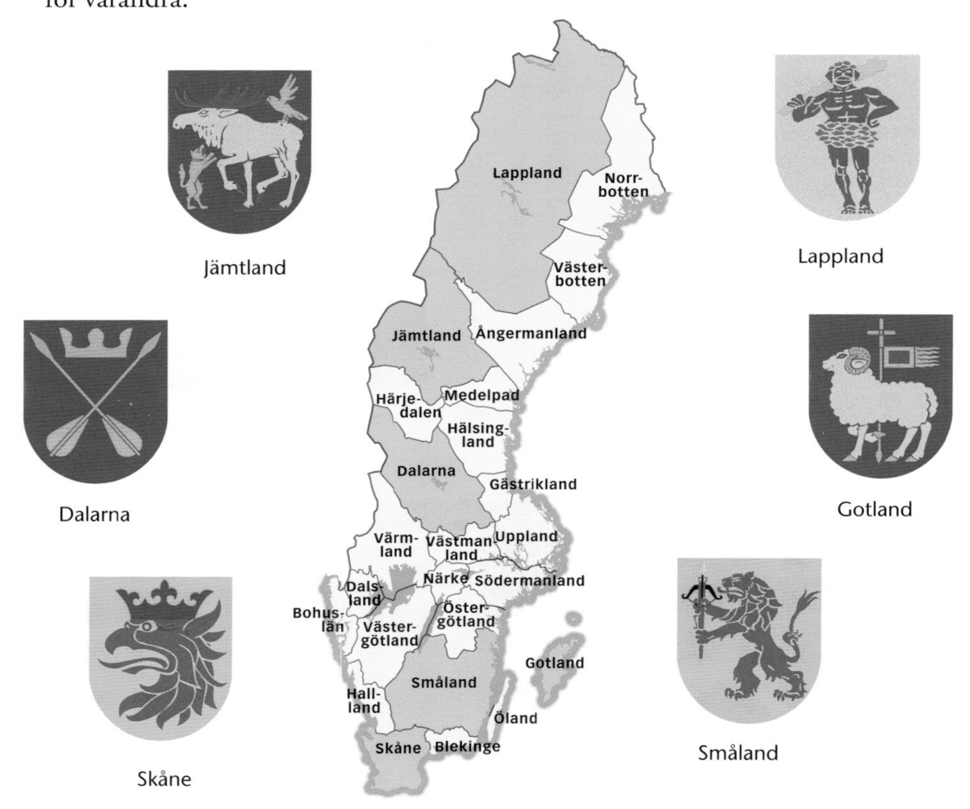

Sverige är uppdelat i län, landsting och kommuner. Men om du frågar en svensk var han eller hon är född eller var han bor så blir svaret inte t ex Jönköpings län utan Småland. Landskapet står för kulturell identitet, historia, seder och traditioner. Också inom turistnäringen talar man om landskap. För mycket länge sedan var landskapen självstyrande och hade egna lagar.

Varje landskap har olika symboler som landskapsblomma och landskapsdjur. Älgen t ex är Jämtlands landskapsdjur och kaprifolen är Bohusläns landskapsblomma. Fler och fler symboler har tillkommit. Nu har varje landskap t o m ett eget grundämne, en egen mossa och en egen stjärna på himlen.

s 57

Regional matkultur

I gamla kokböcker använde man inte uttrycket "svensk mat". Om man gjorde det så handlade det mer om dålig svensk mat i motsats till god utländsk mat. Det var på 50-talet som man började skriva om svensk mat. Ordet husmanskost, dvs traditionella svenska rätter, blev något positivt och viktigt.

Mycket av det som i dag kallas husmanskost var från början regionala rätter.

Pitepalt

är kokta bollar gjorda av riven rå potatis och vetemjöl fyllda med tärnat fläsk. Palten delas mitt itu och kallt smör får smälta i fläskgropen inuti. Lingonsylt är ett självklart tillbehör. Många dricker mjölk till palten. Som man förstår av namnet äter man mycket palt i Piteå men rätten finns också i stora delar av övriga Norrland. I Öjebyn, strax utanför Piteå, finns t o m en Paltzeria.

Ett roligt ord från norra Sverige är paltkoma. Det är den trötthet som man känner när man har ätit för mycket.

Det finns också en annan rätt, paltbröd, som många svenskar blandar ihop med palten. Men paltbrödet är något helt annat: ett bröd bakat på blod.

Kroppkakor

är potatisbollar fyllda med stekt fläsk och lök, kokta i saltat vatten. Kroppkakorna äter man med lingonsylt och smält smör. Rätten kommer från Småland och Öland. I Småland är kroppkakorna gjorda av mosad kokt potatis och på Öland av riven rå potatis.

Saffranspannkaka

är en ugnsgräddad pannkaka gjord på ris kokt* i mjölk och saffran. Den innehåller också ägg, mandel och russin. Man äter pannkakan med vispad grädde och sylt kokt på salmbär, en typ av björnbär. Rätten är från Gotland. Man kan undra varför man gjorde en rätt med så många exotiska ingredienser på Gotland. Det beror på att ön på medeltiden var ett handelscentrum i Östersjön och man handlade med kryddor och lyxvaror från hela världen.

* Kokar har två participformer: kokt och kokad.

riven potatis
fyllda med tärnat fläsk
mosad potatis

PERFEKT PARTICIP

A Stryk under alla perfekt particip i recepten på s 77. Vilka verbgrupper hör de till? Kan ni se ett system för hur man bildar perfekt particip?

B Välj bland supinum och perfekt particip ur rutan och sätt in dem där de passar. Det blir tre ord över. 

köpta	målat	rökt	skriven	sydda
målad	rökt	sjungit	skrivit	sytt

1 Man har … strömmingen. … strömming heter böckling.
2 Carl Larsson har … tavlan. Tavlan är … av Carl Larsson.
3 Min mamma har … de här byxorna. Byxorna är … av min mamma.
4 Dostojevskij har … Idioten. Idioten är … av Dostojevskij.

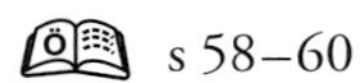

s 58–60

C Beskriv en typisk maträtt från ditt land eller din region.

D Skriv ner receptet.

Exempel:

Kroppkakor

Skala potatisen och koka den i saltat vatten …

Skrivtips

När du skriver om en film kan du tänka på de här punkterna.

- Filmens handling
- Huvudpersonerna
- Skådespelarna
- Vad var bra i filmen?
- Vad var dåligt i filmen?
- Vem kan du rekommendera filmen till?

A Skriv om din favoritfilm eller en film som du tycker var jättedålig. Skriv en disposition i punktform. 

B Skriv sedan texten och använd fraser ur rutan här nedanför.

Filmen handlar om …
Det är ett drama/en komedi/en actionfilm/en deckare/en skräckfilm.
Filmen utspelar sig i …
Filmen bygger på en bok av … /en verklig händelse.
I början …
Först/sedan/då …
I slutet …
… spelar …
Handlingen är mycket spännande/tråkig.
Skådespelarna är duktiga/dåliga.
Det här är en film för personer som gillar …
Om du tycker om … kan jag verkligen rekommendera den här filmen.

C Byt text med någon. Läs och säg två saker som du tyckte var bra eller intressanta. Ge två råd för hur texten kan bli bättre. Skriv om din egen text.

Till sist s 61–67

8

1 A Vilken tid är fotona från, tror ni?

B Välj ett årtionde och diskutera vad som hände då, i Sverige eller i världen. Titta gärna först i övningsboken.

s 68

C Välj ord ur rutan och skriv dem i rätt form där de passar in.

brist	bygger	förbud	mördar
framtidstro	rösta	arbetsgivare	

10-talet: Alla myndiga svenskar fick rätt att ________ (1). Men det första valet kom inte förrän efter nästa årtionde. Tidigare hade bara män haft rösträtt. Delvis hade rösträtten varit kopplad till inkomsten. Man ________ (2) många biografer. Franska, danska och svenska filmer var populära.

20-TALET: Radiosändningar startade och blev populära. Efter tio år hade en tredjedel av befolkningen en radio. Många artister som t ex Evert Taube slog igenom stort tack vare radion. Man folkomröstade om sprit ________ (3). Konstnären Albert Engström hade gjort en affisch med en bild på en man med ett snapsglas och texten: ”Kräftor kräva dessa drycker”. Resultatet av omröstningen blev nej till förbud.

30-talet: Socialdemokraterna regerade. De genomförde många reformer, t ex fick alla rätt till två veckors semester. Det var oroligt i landet och under en demonstration i Ådalen sköt militären fem arbetare. I slutet av årtiondet kom ________________ (4) och fack överens om att tillsammans bestämma om arbetsvillkor och löner. Det var det så kallade Saltsjöbadsavtalet.

40-talet: På grund av kriget var det ________________ (5) på en del varor. Men Sverige blev inte lika påverkat av kriget som grannländerna och resten av Europa. Astrid Lindgren debuterade med Pippi Långstrump, berättelsen om flickan som lever ensam, är jättestark, rik som ett troll och gör som hon vill.

50-talet: Teven gjorde entré i svenska vardagsrum. Ett av de första programmen var nyhetsprogrammet Aktuellt. Ungdomskulturen föddes med pop och rock och speciella ungdomskläder. Povel Ramel var en känd sångare och komiker.

60-talet: Det var stor ________________ (6). Folk fick bättre och bättre ekonomi. Under slutet av decenniet gjorde en hel del ungdomar revolt med inspiration från Europa. Vissa tog droger och provade fri sex.

70-talet: Kommunismen blev modern. Folk flyttade ut på landet och odlade egen mat. Det kallades gröna vågen. Musiken blev mycket politisk och det var många demonstrationer. Miljörörelsen startade. I slutet av årtiondet kom punkmusiken till Sverige.

80-talet: Individualismen stod i centrum. Många tjänade oerhört mycket pengar och körde fina bilar. Andra förlorade sina jobb när fabriker stängde. En statsminister blev ________________ (7) på öppen gata.

90-talet: Fler och fler människor började använda datorer och internet. Svenskarna hittade nya resmål. Det blev populärt att åka till ställen som Thailand. Från Thailand skrev man mejl hem till släkten.

D Diskutera i par eller liten grupp om hur man kan beskriva 00-talet, i Sverige eller i ett annat land. Skriv tillsammans en liten text om det.

E Berätta för en annan grupp.

F Hur tror ni nästa årtionde blir i Sverige eller i världen?

Vad vet du om svensk historia?

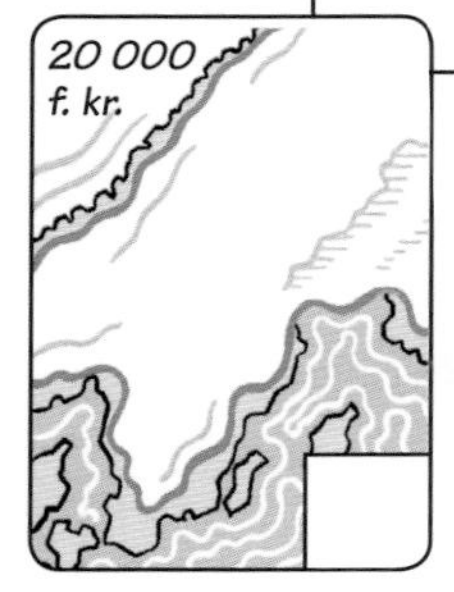

2 A Titta på serien och berätta vad ni tror händer på de olika bilderna.

B Välj verb ur rutan och sätt in dem i rätt form där de passar.

abdikerar ligger grundar jagar styr blir förlorar krigar bygger

1 Alla fick rätt att rösta och kungen … makt.
2 Gustav II Adolf … och dog i Tyskland.
3 Gustav III gjorde en statskupp, tog tillbaka makten från riksdagen och … Svenska Akademien.
4 Gustav Vasa blev kung och det moderna Sverige föddes.
5 Hans dotter Kristina blev drottning men … sedan och flyttade till Rom.
6 Karl Johan Bernadotte, en fransk general, … kung över Sverige.

7 Klimatet blev varmare och man odlade vin och ... delfiner i havet. Verktygen var av brons.
8 Vikingarna ... långbåtar och reste till England, Spanien, Ryssland, Turkiet och andra länder.
9 Många olika kungar ... olika små delar av landet.
10 Sverige ... under flera hundra meter is.

C Sätt meningarna här ovanför vid rätt teckning på föregående sida. Använd siffrorna.

1700-talet (sjuttonhundratalet) ett århundrade, ett sekel
70-talet (sjuttiotalet) ett årtionde, ett decennium
f kr före Kristus
e kr efter Kristus

Fyra regenter berättar ...

När vi talar om historia tänker vi ofta på kungar och deras krig. Sverige har haft många kungar men inte så många regerande drottningar. Här berättar de fyra kvinnorna som har varit och ska bli regenter över Sverige om sitt liv och sitt arbete.

3 A Känner du igen någon av kvinnorna på bilderna? När tror du att de levde?

B Läs texterna. Sätt in meningarna i rutan på rätt plats.

a Det var härligt att bestämma!
b Det var svårt att vinna, men till slut fick jag makten också över Sverige.
c Då skulle ingen kunna slå mig!
d Han var kung men det var jag som hade makten.
e Jag bestämde mig för att abdikera för att kunna leva mitt liv som jag ville.
f Jag lämnade makten till min man som blev Fredrik I.
g Jag var duktigt på matematik och astronomi och språk.
h Men min pappa bestämde att jag skulle uppfostras som en pojke.

Drottning Margareta (1353–1412)

Jag, Margareta, ligger på ett skepp och är mycket sjuk. Jag har blivit smittad av pesten. Kanske kommer jag att dö och jag tänker tillbaka på mitt liv.

Min far var Valdemar Atterdag, en stor och mäktig kung. Jag föddes år 1353 i Danmark. Mina föräldrar bestämde tidigt att jag skulle gifta mig med Norges kung, Håkan, och när jag bara var 10 år gammal blev det bröllop.

Jag blev uppfostrad av Märta Ulfsdotter som var dotter till den heliga Birgitta. Märta var mycket sträng och slog mig ofta. Jag tyckte inte om att bli slagen så jag bestämde mig för att bli en mäktig kvinna.

(1)__________

Jag blev mor när jag var sjutton. Min son Erik blev vald till kronprins både i Danmark och Norge. Plötsligt dog min man, Håkan och eftersom Erik inte var vuxen än, blev jag drottning över både Danmark och Norge.

I Sverige regerade den illa omtyckta kung Albrecht av Mecklenburg. Jag bestämde mig för att starta ett krig mot honom. (2)__________

En stor olycka drabbade mig plötsligt: min son dog. För att trygga min framtid på tronen adopterade jag min systerdotters son, Bogislav. Han fick byta namn till Erik och han blev krönt i Kalmar.

(3)__________

Nu är jag 59 år gammal. Jag har haft ett långt liv och hunnit med ganska mycket. Jag har varit drottning över det största landet i Europa. Många har tyckt om mig, andra har tyckt att jag var hård och hjärtlös. Albrecht kallade mig för kung Byxlös, men det brydde jag mig inte om. Det viktiga för mig var hela tiden att göra de nordiska länderna starkare mot tyskarna. Jag ändrade också flera lagar så att kvinnor fick bättre skydd mot våld från män.

Drottning Kristina (1626–1689)

Jag föddes i Stockholm men nu bor jag i Rom. Hit flyttade jag när jag hade slutat som drottning i Sverige år 1654. Ni kanske undrar varför jag abdikerade. Anledningen var att jag var trött på att vara drottning och att jag inte kunde acceptera den stränga svenska kyrkan som förbjöd alla andra religioner.

När jag föddes blev min mor mycket glad för hon och resten av hovet trodde att jag var en pojke eftersom jag var så hårig. De blev besvikna när de såg att jag var en flicka. De hade väntat på en son som skulle kunna bli kung. (4)__________

Så jag fick jaga, rida och skjuta. Jag älskade att vara ute i naturen och kunde rida många timmar utan att vila. Jag tyckte om att studera också. Studierna var viktiga för mig, eftersom jag skulle bli drottning.

(5)__________

Min kära far dog i ett religionskrig i Tyskland när jag bara var 6 år. Min mor blev mycket ledsen och deprimerad och hade svårt att ta hand om mig. Man bestämde att regeringen skulle ha ansvar för min uppfostran istället.

Jag blev drottning år 1632. Det var stora festligheter och jag åkte i en fantastisk vagn dragen av sex hästar. Jag älskade fester, musik och teater. Under min regeringstid kom många skådespelare och musiker till slottet och jag skaffade mycket konst och litteratur. Jag bjöd in kända filosofer och vetenskapsmän från hela Europa. Filosofen René Descartes, han med "Jag tänker, alltså är jag" kom också, men tyvärr dog han i Stockholm på grund av det kalla vädret.

Jag grubblade mycket på religion. Jag var inte nöjd med protestantismen och tog i smyg kontakt med katoliker trots att det var förbjudet. Men jag tröttnade snart på att gömma mina tankar. (6)__________

Direkt efter abdikationen åkte jag söderut. Mitt mål var Rom. På vägen dit gick jag officiellt över till katolicismen. Det var en stor skandal i Sverige och resten av den protestantiska världen eftersom min far hade dött för protestantismen.

I Rom fick jag ett fantastiskt mottagande. Påven och alla kardinaler ordnade stora fester för att fira min ankomst. Här har jag startat en akademi och hjälpt sångare och konstnärer. Jag har bott i flera olika palats. Jag lever ganska bra här men har ofta problem med pengar.

Några gånger har jag åkt tillbaka till Sverige, men jag har inte känt mig välkommen. Ibland har jag också längtat efter lite mer makt. Både Neapels och Polens kronor har jag försökt få, utan att lyckas. Men jag trivs bra i min stora trädgård med apelsinträden och påfåglarna. Jag brukar sitta där på kvällarna, lyssna på någon av mina musiker och titta ut över Roms kullar.

Drottning Ulrika Eleonora (1688–1741)

Förut var jag drottning, men numera är det min man som är kung. Jag, Ulrika Eleonora, är syster till Karl XII, den så kallade hjältekungen. Han krigade ofta och mycket mot många olika länder. När han var borta hjälpte jag till med att styra landet. Som ung hade jag studerat mycket så jag visste hur man gjorde.
Min käre bror blev skjuten i Norge år 1718. Denna stora sorg drabbade mig hårt.

Men jag gick genast ut och sa att jag var Sveriges drottning. Det var viktigt för det fanns andra personer som också ville ha kronan. För mig var det självklart att jag skulle bli drottning eftersom jag var syster till kungen och eftersom han inte hade några barn.

Regeringen sa till mig att jag kunde bli drottning men inte genom arv. De skulle välja mig till drottning. Jag förstod inte alls varför. Gud hade givit mig kronan, den skulle ingen människa komma och ta ifrån mig. De sa också att jag var tvungen att skriva under ett papper att regeringen skulle få mer och jag mindre makt. Det lät konstigt, tyckte jag. Min bror och kungarna före honom hade bestämt allting själva och bara lyssnat på riksdagen när de behövde hjälp.

Men det var viktigt för mig att makten stannade i familjen så jag undertecknade dokumentet. Nu började den så kallade frihetstiden i Sverige vilket betydde att regenten fick mindre makt och riksdagen och regeringen mer. År 1719 blev jag drottning.

Jag tyckte att det var svårt att regera tillsammans med riksdagen. Jag föreslog att min man Fredrik skulle regera tillsammans med mig, men riksdagen accepterade inte det. För mig blev det svårare och svårare att regera och till slut bestämde jag mig för att abdikera. (7)__________

Nu läser jag mycket. Jag håller också på mycket med välgörenhet. Ibland längtar jag tillbaka till tiden som drottning. (8)__________

Kronprinsessan Victoria (1977–)

Jag, Victoria, ska bli Sveriges första drottning sedan Ulrika Eleonora. Jag föddes som prinsessa år 1977. Då kunde bara män bli regenter. Min pappa Carl XVI Gustaf blev kung trots att han hade fyra äldre systrar. Men år 1980 ändrade riksdagen lagen och det först födda barnet blev kronprins eller kronprinsessa.

Så jag blev alltså kronprinsessa. Nu håller jag på och förbereder mig för att bli drottning. Det är mycket att lära sig. Jag har praktiserat på många olika ställen, bl a på FN i New York. Dessutom har jag gått en utbildning på Utrikesdepartementet för personer som ska bli diplomater.

Idrotts- och handikappfrågor intresserar mig mycket och min egen fond stödjer funktionshindrade som idrottar.

Jag har många fritidsintressen. Framför allt älskar jag natur och friluftsliv, precis som resten av familjen. Jag tycker också om sport, speciellt skidåkning. Djur ligger mig varmt om hjärtat och jag har en hund. Jag är också intresserad av konst och att måla. Det sägs att det ligger i släkten. Min pappas farbror, Sigvard Bernadotte, var en känd designer. Min bror Carl Philip är grafisk formgivare och fotar mycket och min syster Madeleine har också varit praktikant på ett arkitektkontor och studerat konsthistoria på universitetet.

Många tidningar är intresserade av mitt privatliv. Det tycker jag är lite jobbigt.

C Välj en text var och skriv 5–8 innehållsfrågor. Fråga varandra. 

D Välj ut 2–3 saker som du tyckte var intressanta i texterna.
Berätta för din partner vad du har valt. Motivera varför.

4 A Läs texten här nedanför och stryk under alla verb. Gör ett tidsschema och skriv in de olika verbfraserna på rätt ställe. Vad heter de olika tempusen?

Kristina:
"Jag är trött på Sverige. Jag har bjudit hit många vetenskapsmän och konstnärer men Sverige kommer aldrig att förändras. Jag har egna planer: Jag ska åka söderut till Rom. Där ska jag sitta under ett apelsinträd och filosofera och lyssna på musik."

Exempel:

FÖRE NU	NU	EFTER NU
	är trött på Sverige	

Om Kristina:
Kristina var trött på Sverige. Hon hade bjudit hit många vetenskapsmän och konstnärer men Sverige skulle aldrig förändras. Sverige var grått och trist. Hon hade egna planer: Hon skulle åka söderut till Rom. Där skulle hon sitta under ett apelsinträd och filosofera och lyssna på musik.

Preteritum perfekt och preteritum futurum

B Läs texten i fokusrutan och skriv in verbfraserna i schemat.
Finns verbformerna i texterna "Fyra regenter berättar"?

Exempel:

FÖRE DÅ	DÅ	EFTER DÅ
	var trött på Sverige	

C Ta reda på mer om någon av personerna som förekommer i texterna t ex den heliga Birgitta, Gustav II Adolf, Karl XII, Carl XVI Gustaf.
Fråga någon som vet mycket om Sverige eller sök information på internet.
Berätta för de andra i gruppen.

s 68–72

De nordiska ländernas historia och språk

Historiskt sett har de nordiska länderna starka politiska och kulturella band. Det beror på att länderna på olika sätt varit sammanbundna.
Sverige koloniserade Finland och norrmännen befolkade Island på medeltiden. Norge var ett eget land fram till 1388 då landet kom i union med Danmark. Den danska drottningen Margareta blev sedan drottning också över Sverige. Unionen mellan Norge, Danmark och Sverige kallades Kalmarunionen och varade tills Gustav Vasa tog makten i Sverige år 1521.

Under 1600-talet var Sverige som störst: Finland, en del av Norge, norra Tyskland och delar av Lettland och Estland var svenskt territorium. Även Skåne och resten av södra Sverige blev svenskt under 1600-talet. Sverige koloniserade också Norrland och man tvingade samerna som bodde där att gå över till kristendomen. Men Sverige förlorade Finland till Ryssland i början av 1800-talet. Sedan bildade Sverige och Norge en union med en svensk kung. Unionen varade till 1905 då Norge blev självständigt.

I Finland har en minoritet, finlandssvenskarna, svenska som modersmål sedan den svenska tiden. I Sverige bor en stor grupp finnar som talar svenska, sverigefinnar. De flesta av dessa invandrade till Sverige efter andra världskriget.

Finskan och samiskan bildar tillsammans med estniskan och ungerskan en egen språkgrupp, så finnar och övriga nordbor förstår inte varandra. Men eftersom svenska är obligatoriskt skolämne i Finland kan svenskar och finnar ofta kommunicera på svenska.

Svenska, norska, danska, isländska och färöiska tillhör de germanska språken i den indoeuropeiska språkfamiljen. Av språken är isländska det äldsta och det är svårt att förstå för den som inte studerat det. Norska, svenska och danska ligger ganska nära varandra.

Förstår vi våra grannspråk? Undersökningar visar att norrmän är bäst på att förstå de andra språken. De förstår danska och svenska bra. Det kan bero på att ett av de norska skriftspråken, bokmål, härstammar från den danska tiden och att det norska uttalet ligger nära svenskan. Sämst på att förstå sina nordiska grannar är danskarna. Konstigt nog har Köpenhamnare allra svårast att förstå svenska, trots att de bor så nära Sverige. Men i alla tre länder förstår man engelska bättre än något av grannspråken. Det är synd tycker många för om vi slutar att använda våra egna språk för att kommunicera så förlorar vi en del av vår identitet och det nordiska samarbetet kanske blir svårare.

Även om språken ligger nära varandra finns det många s k falska vänner, ord som ser lika ut men som betyder helt olika saker. By betyder stad på både norska och danska. Och ordet rolig har kvar sin ursprungsbetydelse av ro, alltså lugn på danska och norska. Så om en dansk säger: "Ta det roligt!" så betyder det något helt annat än vad en svensk först tror.

Sedan Gustav Vasa (1496–1560) har varje kung och drottning har haft ett s k valspråk, en fras som visar hur man vill regera. Oscar II regerade Sverige både under och efter Sveriges union med Norge. Hans valspråk ändrades så här:
"Brödrafolkens väl" (till 1905)
"Sveriges väl" (från 1905).

 A Titta på kartorna och berätta för varandra om Nordens historia och språk. 

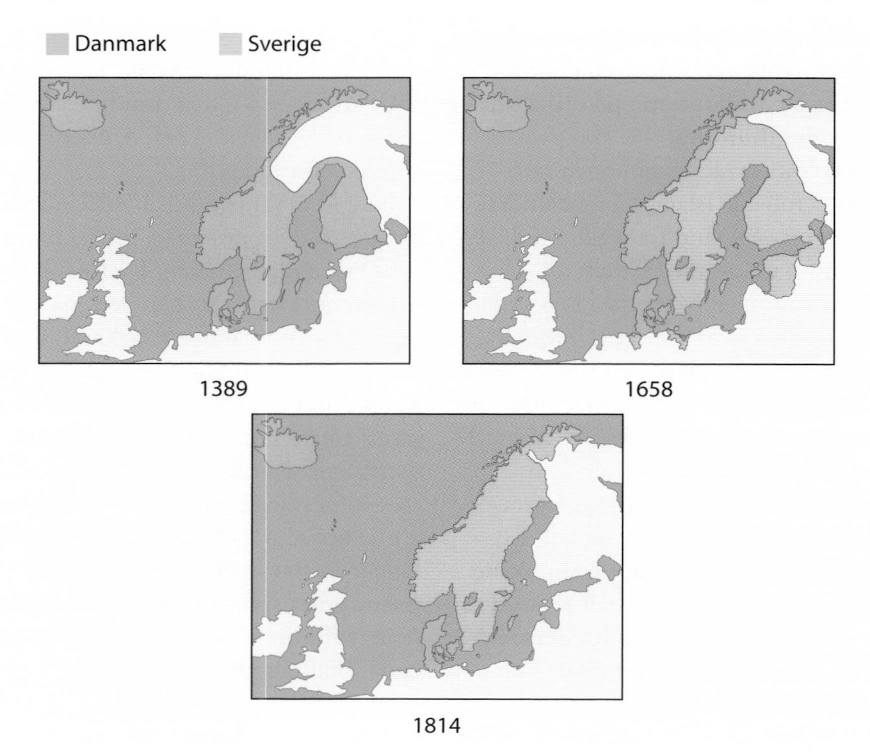

1389

1658

1814

B Ta reda på mer om Danmark, Finland, Norge, Island eller Färöarna.

Fördomar

En fördom är när man tror att man vet hur något är utan att ha kontrollerat fakta. Men ibland ligger det lite sanning i fördomen i alla fall. Ingen rök utan eld, heter det. I många länder har man fördomar om personer från olika regioner eller från grannländer.

I Sverige brukar man säga att smålänningar är snåla eller i alla fall sparsamma. Folk från Norrland tänker man ofta på som tysta men pålitliga. Göteborgare är alltid glada och skämtsamma och skåningar tycker om traditioner. Stockholmare är snobbiga och okunniga. Allt enligt fördomarna alltså.

 A Finns det liknande fördomar om olika regioner i ditt land? Vilka? 

B Vad tror du svenskar säger om sina grannar? Vad säger de om svenskar? Använd orden i rutan.

allvarliga	tråkiga	sportiga	glada i alkohol
avslappnade	ordentliga	tystlåtna	omanliga
glada	skämtsamma	punktliga	överlägsen

Tidssnack

7 A Stäng boken och lyssna några gånger på dialogerna. 
Anteckna alla ord som har med tid att göra.

Exempel:

längesedan
för tre år sedan
nu
...

B Läs dialogerna i par och leta efter fler uttryck för tid. 

1
– Hej! Det var längesedan!
– Öhh ... Jag är ledsen. Jag minns inte riktigt.
– Datakursen! På folkhögskolan utanför Västerås.
– Ja, just det. Nu kommer jag ihåg. Pelle! Hur är läget?
– Jo, det är bara bra. Själv då?

2
– Gud, vilken ful tröja!
– Ja, den är helt ute.
– Ja, verkligen. Sådana hade man ju för typ tre år sedan.
– Ja, usch. Den här gillar jag.
– Ja, den är jätteinne nu.

3
– Jag skulle beställa en tid för återbesök. Jag ska laga en tand.
– Ja, vi har en tid redan i övermorgon.
– Nja, det funkar inte så bra. Och nästa vecka är jag bortrest.
– Ja, då får vi titta på nästnästa vecka. Kan du på torsdagsmorgonen?
– Jo, det passar bra. Vilken tid?
– 8.00.
– Perfekt.

4

- Jag har inte skickat in min deklaration än …
  Jag hatar att deklarera.
- Det har jag redan gjort. Min man är ju ekonom så han brukar hjälpa mig.
- Ja, det är typiskt att man ska behöva en ekonom i familjen för att deklarera.
- Fast så svårt är det väl inte? Du behöver väl bara kolla att allt stämmer och skriva under?
- Ja, fast jag måste deklarera vinst av aktieförsäljning också. Jag får sätta mig nu i helgen och göra det.
- Kanske kan min man hjälpa dig med …
- Åh, vad fantastiskt. Jag bjuder på middag som tack!

5

- Du, har du skrivit det där dokumentet jag bad dig om för några dagar sedan?
- Nej, det har jag glömt. Vilken tur att du påminde mig! Fast jag vet inte om jag hinner den här veckan. Är det okej om du får det nästa vecka?
- Nja, jag behöver det senast på fredag.
- Okej. Jag får skynda mig.

6

- Hur ofta tränar du?
- Förut tränade jag ganska mycket, men nuförtiden nästan aldrig. Jag har faktiskt inte tränat på flera månader.
- Det är samma för mig. Jag brukade träna flera gånger i veckan men nu tränar jag inte alls längre. Förut gick jag på gym. Då hade jag studentpris, men nu har jag ju slutat plugga.
- Ja, just det. Ska vi börja träna tillsammans?
- Ja, vi kanske kan springa?
- Det låter bra. Ska vi börja nästa månad?
- Ja, den första april t ex.
- Det låter som ett skämt, men vi försöker.

7

- Vad gör du på somrarna?
- Då brukar jag åka till min släkt i Ukraina.
- Vad härligt!
- Ja, det är kul, men i somras kunde jag inte åka för jag var tvungen att jobba. Jag hoppas jag kan åka i sommar.
- Vi brukar vara på vårt lantställe i Dalarna på sommaren. Men i fjol var vi inte där för vi bodde utomlands då.

Ö s 73–75

Skrivtips

När man beskriver en historisk person kan man använda presens (nu) eller preteritum (då) som grundtempus.

- Börja med att berätta varför personen är känd.
  ”Drottning Kristina är en av de mest fascinerande personerna i svensk historia. Hon föddes som dotter till en protestantisk kung, blev drottning över Sverige och dog i Rom som katolik.”
- Berätta sedan lite om personens liv, välj de viktigaste händelserna.
  ”Kristina föddes i Stockholm år ...”
- Avsluta med att berätta vad du tror personen kan lära oss i dag.
  ”Kristina kan lära oss att makt och pengar inte alltid ger lycka och att riktiga vänner och kärlek ofta är viktigare.”

8 Skriv om en historisk person. Använd fraserna i rutan här nedanför. 

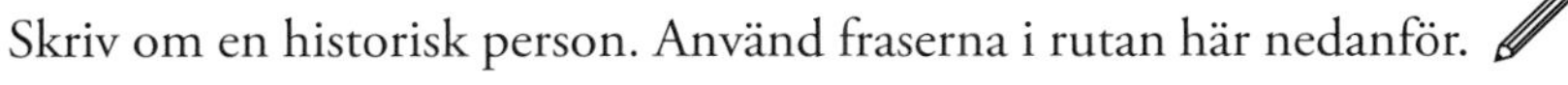

... är en fascinerande/viktig/bortglömd/spännande/skrämmande person
... är en viktig person i ...:s historia för ...
... är en person som alla i ... känner till.
... är känd för ... / för att ha ...
... uppfann, introducerade, upptäckte, regerade, krigade mot, hjälpte ...
först, sedan, därefter, efter detta, innan/före,
dessutom, ... också,
på den tiden, på XX00-talet,

Till sist s 75–77

9

FAKTOID

Ordet faktoid är bildat av 'faktum' och '-oid' (något som liknar). En faktoid är en osanning, halvsanning eller missuppfattning. Ofta är det massmedia som sprider faktoider.

Ibland kanske man inte kan bevisa att påståendet är felaktigt, men man kan inte heller bevisa att det är sant.

Exempel på faktoider är att guldfiskar inte kan minnas längre än fem sekunder tillbaka i tiden, eller att man kan få kramp och drunkna om man simmar direkt efter en måltid.

1 A Titta på bilden. Vad tror ni har hänt?

B Lyssna och anteckna stödord. Vad har hänt?

C Jämför din historia med din partners.

D Skriv en kort tidningsartikel om händelsen. Glöm inte att skriva rubrik.

E Känner ni till andra faktoider? Leta på nätet och berätta sedan för varandra. 

Vad tänker du på?

– Vad tänker du på?
– Jag tänker på vår lilla hund Ronja som dog förra veckan.
– Åh, vad tråkigt. Det visste jag inte. Tänker ni skaffa en ny hund?
– Nej, jag tror inte det. Min fru tycker att det är ganska skönt att slippa gå ut tidigt på morgonen. Nu hinner hon äta frukost i lugn och ro.
– Era barn då, är inte de ledsna?
– Jo, det är klart. Men de tror att det finns en hundhimmel där Ronja springer runt och leker med andra hundar.
– En hundhimmel, det tycker jag låter toppen!

2 **A** Stryk under alla fraser med *tycker*, *tänker* eller *tror* i ”Vad tänker du på?”.

B Vad betyder orden? Kombinera genom att dra streck.

1	tycker om	a	fokuserar tankarna på någon/något
2	tycker	b	planerar
3	tror (på)	c	vet inte säkert/har ingen erfarenhet
4	tror	d	gillar
5	tänker (på)	e	tror att någon/något finns/är sant/har rätt
6	tänker (+ infinitiv)	f	har en åsikt/värdering/erfarenhet

C Sätt in *tänker*, *tycker* eller *tror*. 

1 … du på reinkarnation?
2 Vad … du göra när du har lärt dig perfekt svenska?
3 … du om svensk mat?
4 Hur … du att världen kommer att se ut om 50 år?
5 Vad … du på just nu?
6 … du att svensk grammatik är svår?
7 … du på allt som står i tidningar?

D Svara på frågorna 1–7. Motivera och diskutera era svar. 

Ö s 78–79

SKRÖNA

En skröna är en modern vandringshistoria. Skrönor påminner om folksagor, men med den skillnaden att berättaren bestämt hävdar att skrönan är sann.

Folk har berättat skrönor för varandra i alla tider. De lever vidare därför att folk hellre berättar en historia som är bra än en som är sann.

Skrönorna är korta och underhållande historier. Huvudpersonen är ofta en bekant till berättaren och historien är vardaglig med underliga detaljer. Slutet brukar vara antingen roligt eller skrämmande. Ibland innehåller slutet en moralisk aspekt, som historien här nedanför. Det kan också ge hemska varningar, till exempel "lämna aldrig din pudel i mikron" (den kan explodera om någon råkar sätta på mikron) eller "ge aldrig damer lift" (de kan ha en yxa i handväskan).

Har du hört ...?

– Du, jag måste berätta något för dig. Det är helt otroligt. Du kommer inte att tro dina öron!
– Vi får väl se. Berätta!
– Jo, det var min kompis som jobbar i kassan på ICA som berättade en jättekonstig sak som hände hennes kollega en gång.
– Jaha, vadå?
– Jo, det var en fredag kväll och hon satt i kassan som vanligt. Klockan var väl halv åtta ungefär. Då såg hon en dam med en väldigt stor hatt komma mot kassan. Hon hade inte köpt något, utan sa bara "ursäkta" och gick igenom.
– Okej, men vad var det för konstigt med det?
– Jomen, lyssna nu. Precis när damen hade gått igenom kassan svimmade hon. Och nu kommer det som är helt sjukt ... När de skulle hjälpa henne tog de av henne hatten. Och vet du vad de hittade?
– Nej, ingen aning.
– En fryst kyckling! Hon hade snattat en fryst kyckling och lagt den i hatten!
– Äh, lägg av! Det är inte sant!
– Jo, jag lovar! Det var ju min kompis som berättade det!
– Men varför svimmade hon då?
– Fattar du inte? Hon trodde att hon var jättesmart när hon gömde kycklingen i hatten. Det var bara det att hennes hjärna blev så kall av kycklingen att hon svimmade.
– Det låter ju helt otroligt! Hur dum får man vara?

3 **A** Läs var sin skröna, "Kaninen" "eller Porschen", och återberätta den för varandra.Försök att övertyga om att historien är sann. Glöm inte att referera till någon person som har berättat historien.

Exempel:
En kollega till min pappa berättade att …

FÖRVÅNING OCH SKEPSIS	HÄVDA ATT MAN TALAR SANNING
Otroligt!	Jo, det är sant!
Lägg av!	Jo, jag lovar!
Nähä!	
Det är inte sant!	
Va?!	
Du skojar!	

Kaninen

En kvinna flyttade med sin familj till ett nytt hus. Familjen hade en hund som brukade springa lös i trädgården. En dag kom grannen in och berättade att hennes barn hade en kanin i trädgården. Kaninen satt i bur, men den kunde bli skrämd av hunden. Därför bad hon kvinnan hålla reda på sin hund. Den nyinflyttade kvinnan lovade att de skulle hålla hunden kopplad.

Men en dag, när hon kom hem från jobbet upptäckte hon att hunden hade sprungit ut. Efter en stund kom den tillbaka, mycket lycklig, med en död kanin i munnen. Kaninen såg hemsk ut, alldeles smutsig och jordig. Kvinnan vågade inte berätta för grannen vad som hade hänt. I stället tog hon in den döda kaninen och försökte göra den fin igen. Hon tvättade den noggrant och blåste den torr med hårtorken.

På natten smög hon över till grannen och la den fina, men stendöda, kaninen i buren. I flera dagar undvek hon grannen, men en dag stötte de på varandra i affären. Grannen berättade att något mycket konstigt hade hänt. Deras älskade kanin hade dött och de hade begravt den i trädgården. Men morgonen därpå hade kaninen legat i sin bur igen, alldeles skinande ren!

Porschen

En man som planerade att köpa ny bil satt och letade på nätet efter bilannonser. Han ville gärna köpa en fräsig sportbil, men problemet var att han inte hade så mycket pengar. Plötsligt såg han att någon sålde en nästan helt ny Porsche för bara 250 kronor. Han kunde inte tro sina ögon. 250 kronor! Det måste saknas några nollor, tänkte han. Men han bestämde sig i alla fall för att ringa och kolla. Han ringde och pratade med kvinnan som hade satt in annonsen och det visade sig att priset stämde. Hon sa att han var välkommen att titta på bilen.

Mannen åkte dit och där stod en snygg Porsche på gatan. Den var i perfekt skick och alldeles skinande blank. Precis en sådan bil hade han drömt om! Han betalade de 250 kronorna, men innan han åkte därifrån frågade han kvinnan varför hon sålde bilen så billigt. Då berättade hon att hennes man hade lämnat henne efter ett långt äktenskap och stuckit iväg till Argentina med sin sekreterare. Efter en tid hade han skickat henne ett kort mejl där det stod: "Sälj Porschen och skicka pengarna!"

B Kan du någon annan skröna? Berätta för din partner.

C Vad brukar man berätta för historier i ditt land?

4 **A** Läs citaten här nedanför och förklara med egna ord vad de betyder. Tycker ni att de stämmer?

Den som inte kan lita på sitt minne ska inte försöka sig på att ljuga.
Molière

Jag ljög inte,
jag sa bara sådant som senare visade sig vara osant.
Richard Nixon om Watergateskandalen

Lögnen är vackrare än sanningen, men framför allt roligare!
Tage Danielsson

En lögn är som en snöboll. Ju längre man rullar den, desto större blir den.
Martin Luther

Man bör säga sanningen, men alla sanningar bör inte sägas.
Drottning Kristina

B Diskutera.

1 Ska man alltid tala sanning?
2 I vilka situationer kan det vara acceptabelt att ljuga?
3 Är någon typ av lögn typisk för kvinnor? Är någon lögn typisk för män?
4 Vad är det för skillnad mellan att överdriva, hitta på och ljuga?

C Läs exemplen här nedanför och diskutera vilket som är en överdrift, ett påhitt och en lögn.

I går fick jag upp en enorm fisk. Den vägde säkert tio kilo!

Det var inte jag som åt upp din chokladkaka.

Min lilla dotter säger att hon har en kompis som heter Osvald, men han finns egentligen inte.

D Gör egna exempel på överdrifter, påhitt och lögner.

5 A Kombinera meningarna. Dra streck.

1 Polisen har problem att hitta mördaren.
2 Vi ska gå på restaurang i dag.
3 Min son har gjort något mycket dumt.
4 Deras dotter vill inte söka jobb, utan ligger bara hemma och spelar dataspel hela dagarna. Hon tycker att hon borde få socialbidrag.
5 Polisen tog mannen med en väska full med hundrakronorssedlar.
6 Det var inte på allvar.
7 Vi trodde inte att Experimentcirkusen skulle bli så populär.
8 Att förstå svenskans tempussystem brukar inte vara så svårt.
9 Förlåt att jag tog din smörgås.
10 En manlig anställd på företaget stal under lång tid kontorsmaterial.
11 Mikaela älskar realisationer.
12 Jag har inte gjort något fel. Du kan fråga mig vad du vill.
13 Alice tog pengar ur mammans plånbok men sa att det var hennes lillebror som hade gjort det.
14 Susanne röker inte själv.

a Vi gjorde det bara för skojs skull.
b Föräldrarna tycker att hon är en skam för familjen.
c Hon kan inte låta bli att köpa saker till extrapris.
d Men det var förvånansvärt många som köpte biljetter.
e Därför slipper vi laga mat.
f Det var helt omedvetet, jag tänkte på annat just då.
g Ändå sa han att han var oskyldig.
h Jag har inget att dölja.
i Adjektivböjning är betydligt svårare för de flesta.
j Man kan få en belöning på 50 000 kronor om man hjälper till.
k Men hon har inget emot att andra gör det.
l Hans straff är att han måste diska varje dag den här veckan.
m Det var en städare som avslöjade honom.
n Efteråt kände hon stor skuld.

B Vad betyder de understrukna orden?

Lögn

Att ljuga och luras är något de flesta människor gör då och då. Vi ljuger för att få belöning eller slippa straff, för att verka vara bättre än vi egentligen är eller för att undvika skam.

Den mest oskyldiga formen av lögn, den vita lögnen, är ibland nödvändig för det sociala livet. En person som alltid sa sanningen skulle i längden bli omöjlig i sociala sammanhang, eftersom han eller hon skulle säga otrevliga saker som till exempel: ”Usch, den här maten smakade verkligen illa.” Eller: ”Du ser inte klok ut i den där frisyren!”

En annan typ av lögn som inte heller är så allvarlig är skämtlögnen. Man ljuger för skojs skull, för att lura folk att tro på något galet. Exempel på det är aprilskämt.

Den 1 april varje år brukar även seriösa dagstidningar och nyheterna på teve publicera någon fantastisk ”nyhet”. Ett klassiskt aprilskämt är från 1962. Då berättade teve-mannen Kjell Stensson att man kunde få färgteve genom att klippa sönder en damstrumpa av nylon och dra den över teveapparaten. Förvånansvärt många svenskar provade hemma på sina teveapparater.

Betydligt allvarligare är den svarta lögnen. En person kan medvetet ta till en svart lögn för att dölja ett fel han eller hon har begått. Extra allvarlig blir den svarta lögnen om den kommer från en person många beundrar, en idrottsstjärna eller politiker till exempel.

Är det lätt att avslöja en lögnare? Svaret på den frågan måste bli nja. En mytoman, en person som inte kan låta bli att ljuga, är ofta lätt att avslöja. Deras historier kan vara helt osannolika och alla förstår att de inte är sanna. En av de mest berömda mytomanerna genom historien är Baron von Münchhausen. Det var nog knappast någon som trodde på hans fantastiska historier, som att han åkte på en kanonkula mellan olika krigsplatser.

Duktiga lögnare är snabbtänkta, har bra minne och känner sällan skuld. En psykopat har inget emot att ljuga och kan därför ljuga kontrollerat. Därmed är han eller hon också svårare att avslöja.
Ungefär en av tjugo är naturliga lögnare. Nästan lika många kan inte ljuga alls, utan är alltid ärliga och säger precis vad de tycker.

6 Läs frågorna här nedanför för varandra och svara på dem muntligt.
Försök att svara utan att titta i texten. ”Lögn”.

1. Säg fyra orsaker till att man ljuger.
2. Varför kan den vita lögnen vara nödvändig ibland?
3. Vad är en ”skämtlögn”?
4. Berätta om det klassiska aprilskämtet från 1962.
5. Vad är en svart lögn? Känner du till någon politiker, artist eller idrottsstjärna som har ljugit offentligt?
6. Varför är det ofta lätt att avslöja en mytoman?
7. Berätta om en berömd mytoman.
8. Vad är typiskt för duktiga lögnare?
9. Hur många är bra på att ljuga?
10. Tror du att de som inte kan ljuga är populära bland andra? Varför/varför inte?

7 Diskutera påståendena innan ni läser nästa text. Stämmer de, tror ni?

1. Det är lätt att se på en person att han eller hon ljuger.
2. En som ljuger flackar ofta med blicken.
3. Poliser, advokater och domare är bättre än andra på att se om en person ljuger.

Att avslöja en lögnare

Det är mycket svårt att avslöja en lögnare. Man har gjort undersökningar där försökspersoner har studerat människor på video för att sedan gissa om de ljuger eller talar sanning. De flesta gissar rätt ungefär varannan gång. Poliser, advokater och domare har i princip samma resultat. Svensk forskning har visat att kriminella är bättre än proffsen på att avslöja lögnare. Man tror att det beror på att kriminella är mer vana vid lögner, både egnas och andras.

Många tror att den som ljuger skruvar på sig och att han eller hon inte kan hålla blicken stilla. Lögnare tror också att det är så och därför gör de ofta precis tvärtom. De kan lära sig att kontrollera sitt beteende, precis som skådespelare. En person som ljuger kanske till och med sitter ovanligt stilla med händerna knäppta i knäet och möter blicken på den han eller hon pratar med.

Ibland kan man höra på rösten att han eller hon ljuger. Rösten hos den som ljuger har nämligen en tendens att bli ljusare och mer opersonlig än vanligt. En person som ljuger brukar också berätta sina historier kortfattat och utan detaljer.

Det kan synas på en person att han eller hon inte talar sanning. En person som ljuger blir ofta stressad, vilket gör att blodet strömmar snabbare, bland annat till näsan. Det kan leda till att den blir rödare och att lögnaren gärna vill klia sig på näsan. Kroppsspråket kan också avslöja en lögnare. Orden kanske säger en sak, men lögnarens kropp en annan. Eller så ler munnen, men inte resten av ansiktet.

Det finns olika knep man kan använda för att avslöja en lögnare.

- Lyssna på historien utan att titta personen i ansiktet. Då upptäcker man lättare om rösten är annorlunda.
- Ställ faktafrågor som man enkelt kan kontrollera.
- Be personen upprepa det han eller hon har sagt. Det kan vara svårt för den som ljuger att minnas exakt vad man har sagt.
- Titta på pupillerna. De brukar växa när man ljuger.
- Lyssna noga på historien. Flyter den bra? Eller flyter den för bra?
- Be personen berätta sin historia i omvänd ordning. Den som talar sanning brukar inte ha något problem med det.

8

A En i gruppen berättar tre korta historier om sig själv. En av historierna ska vara falsk, de andra ska vara sanna.

B De andra i gruppen diskuterar och kommer överens om vilken historia som är falsk. Sedan kontrollerar de om de har rätt.

C Byt roller i gruppen.

9 Välj ord ur rutan och diskutera var de passar in.

dvärgnäbbmusen
E45
Såsom i himmelen
Sigtuna
Turning Torso
älgen
-52,6
Härjedalen
Vänern
Jämtland
Balder
Kebnekaise
Göta kanal
björnen
38
Kiruna

Visste du att ...?

1 Den lägsta temperaturen man har uppmätt i Sverige är ... grader. Det var i Vouggatjålme i Lappland i februari 1966.

2 Den högsta temperaturen man har uppmätt i Sverige är ... grader. Så varmt har det varit i Sverige två gånger, 1933 och 1947.

3 Sveriges största byggnadsprojekt är ... Den är 19 mil lång och har 58 slussar.

4 I Malmö ligger Sveriges högsta byggnad, ... Huset är ritat av den spanska arkitekten Santiago Calatrava. Det är 190 meter högt.

5 Sveriges högsta fjäll heter ... och är 2 111 meter över havet (m ö h).

6 Den största kommunen till ytan i Sverige är ... Den är 20 000 kvadratkilometer stor, lika stor som Skåne, Blekinge och Halland tillsammans.

7 Sveriges längsta väg är ... Den kallas också Inlandsvägen och går från Göteborg till Karesuando i Lappland. Vägen är ungefär 170 mil lång.

8 Det näst största landskapet i Sverige är ... med sina 34 009 kvadratkilometer. Det är ungefär en tredjedel så stort som Lappland.

9 Sveriges minsta landskap om man ser till folkmängd är ... Det har lite drygt 10 000 invånare.

10 I nöjesparken Liseberg i Göteborg ligger Nordens brantaste berg- och dalbana i trä, ... Den är 1 070 meter lång och den brantaste backen har en fallvinkel på 70 grader.

11 … är Sveriges äldsta stad. Kungen Erik Segersäll grundade den år 980.

12 Den största sjön i Sverige, … , är också Europas tredje största sjö. Bara de ryska sjöarna Ladoga och Onega är större.

13 Sveriges minsta djur, … , väger bara 4 gram.

14 Det största vilda däggdjuret i Sverige är … Den kan väga upp till 800 kilo.

15 Sveriges största rovdjur, … , kan bli drygt 2 meter lång och väga 350 kilo.

16 En av de mest sedda svenska filmerna är … Över 1,1 miljoner har sett den på bio i Sverige.

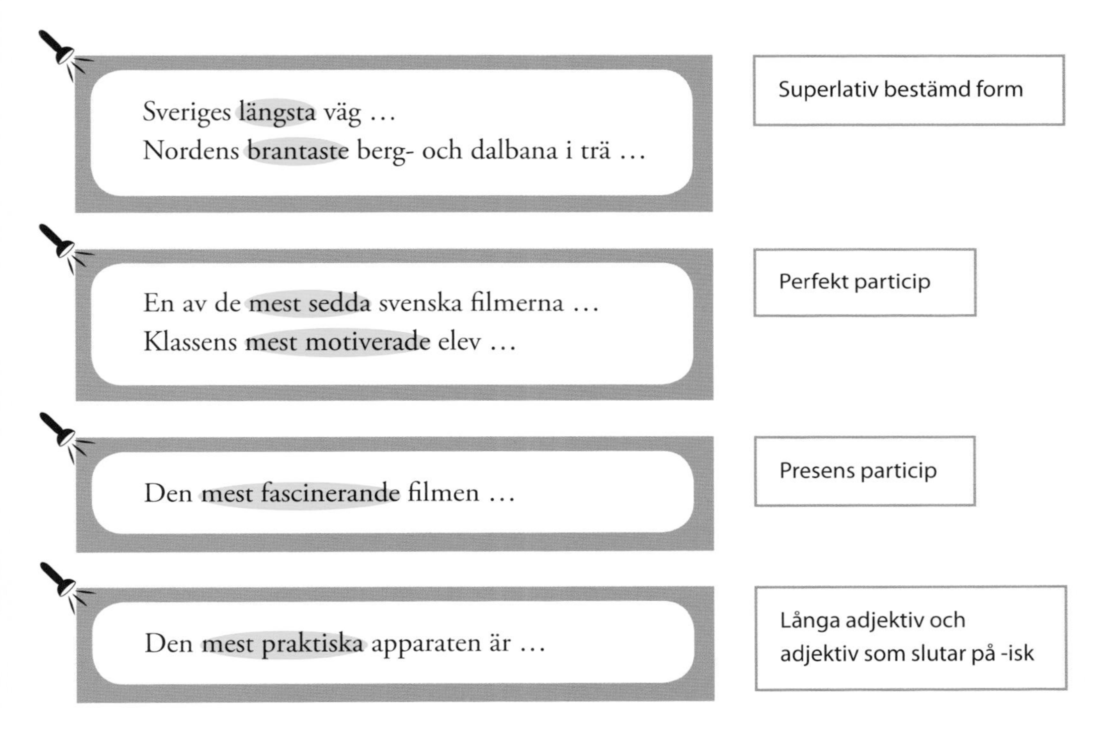

10

A Titta på meningarna här nedanför. När slutar superlativ bestämd form på -a och när slutar det på -e?

- Den dyraste kryddan jag har köpt är saffran.
- Årets kortaste dag är den 22 december.
- De har sju barn. Elsa är deras yngsta dotter.
- Vilken är Göteborgs bästa restaurang?

B Titta på de två meningarna här nedanför. Varför har man obestämt substantiv (restaurang) i den andra meningen?

Vilken är den bästa restaurangen i Göteborg?/Vilken är Göteborgs bästa restaurang?

C Formulera frågor och ställ dem till varandra. Använd orden i rutan. 

vacker/kvinna	snygg/man
konstigt/jobb	Sverige/vacker plats
bra/film	intressant/bok
god/mat	svår/fråga
äcklig/mat	

Exempel:
tråkig/film

Vilken är den tråkigaste filmen du har sett?

Eller:

Vilken är världens tråkigaste film?

D Skriv ”Visste du att- meningar” om ditt land. 

Exempel:

Kinas längsta flod heter ..., ... högsta berg är ...

E Testa de andra i gruppen. Fråga: ”Vet du vad ... längsta flod heter?” osv. 

s 79–80

Skrivtips

När man skriver om en process, en utveckling eller om orsak och konsekvens använder man vissa ord och fraser.

11 Skriv om en process eller orsak – verkan. Använd ord och fraser från rutan här nedanför. Välj bland ämnena eller ur ditt intresseområde.

- Olika sätt att minnas bättre
- Bra kondition snabbt
- Skönare sömn

Orsak	**Verkan**
nämligen	… gör att
därför	… leder till
det beror på	… orsakar
orsaken är	på så sätt
har en tendens att	på det sättet

Om människor i allmänhet

de flesta anser att …	
många anser att …	ett fåtal anser att …
en del anser att …	det finns personer som …

Till sist s 80–85

10

1

A Diskutera. Varför reser ni? Skriv en lista med 5–10 anledningar att resa. Jämför med ett annat par.

B Titta på påståendena. Vad tycker du om dem?

- Den bästa resan gör man i fantasin.
- Resande förstör bara miljön så man borde förbjuda nöjesresande.
- I framtiden kommer man att resa på semester till rymden.
- På semestern ska man bara slappa.
- Även på semestern bör man kolla jobbmejl och lyssna av jobbtelefonen.
- Det är bättre att ta bilen än att flyga på semestern.

C Välj tillsammans ett påstående och bestäm vem som ska argumentera för och emot. Förbered er genom att skriva ner en lista med argument.

FRAMFÖRA ÅSIKTER

Jag tycker/tror faktiskt att …

ARGUMENTERA EMOT

Nja, det håller jag inte riktigt med om. Jag tror/tycker att …
Nja, jag vet inte om det stämmer. Är det inte så att …?
Ja/jo, det kanske stämmer men …
Ja/jo, det har du rätt i men …
Ja/jo, men å andra sidan …
Ja/jo, men det är ju faktiskt så att …

2 A Gör sammansatta ord av de kursiverade orden.

1 En *vagn* som fungerar som ett *hus* är en …
2 En *kant* av *guld* är en …
3 När man har *vana* att *resa* har man …
4 *Turism* med många *upplevelser* heter …
5 En *gåta* i samband med ett *mord* är en …
6 En *ort* med många *turister* är en …
7 Det som en fabrik *släpper ut* heter …

B Diskutera med hjälp av de sammansatta orden vad ni tror texten 
"Trender i turism" handlar om.

C Läs texten. Sätt sedan in meningarna i rutan där de passar in.
Det finns två meningar för mycket.

a De vill gärna ha något att berätta för sina vänner efter semestern.
b Den lokala ekonomin kan också bli påverkad, t ex kan huspriserna bli så höga att den som är född på platsen inte kan skaffa sig en egen bostad där.
c Du flyter med floden och har ingen möjlighet att skynda på eller stressa.
d Ett kinesiskt företag har byggt ett stort turistcentrum där.
e Men ännu har vi inte sett arrangemang som i många andra länder där man kan gå på guidade turer i kända mördares fotspår.
f Våra grannar norrmännen kommer å andra sidan till Sverige för våra förhållandevis låga priser.
g Stadshuset är ett av Stockholms mest kända turistmål.

Trender i turism

Till Sverige kommer mest personer från våra grannländer och Tyskland. De brukar campa eller bo i husvagn. Många tyskar kommer för den svenska naturen, speciellt Smålands mörka skogar och sjöar. 1 _____

Men det kommer också turister från resten av Europa och världen. Man kan se tre grupper bland de utländska turisterna. En stor grupp är barnfamiljerna som vill ha en semester med mycket friluftsliv och aktiviteter. De går i naturen, vandrar i fjällen och besöker någon av våra storstäder. En annan grupp är medelålders par med god ekonomi och utflugna barn. De började resa med charterresor i charterturismens barndom.

Kultur och sevärdheter intresserar dem och pengar är inget problem så de sätter gärna guldkant på sin vistelse, t ex genom att besöka en exklusiv restaurang med lokal mat. Den tredje gruppen är unga par med stor resvana, som söker det annorlunda och unika. 2 ____

Den europeiska befolkningen blir allt äldre men inte mer passiv. Pensionärer är inte längre personer som sitter och matar duvor. Gruppen 65+ vill tvärtom ha aktiva semestrar. Men det är inte bara de som söker aktiviteter och upplevelser. Det som kallas upplevelseturism har blivit stort i alla åldersgrupper. Det kan handla om att bo på Ishotellet i Jukkasjärvi eller Utter Inn (under vatten!) utanför Västerås. Andra kommer för att köra hundspann eller lära sig något annorlunda hantverk, som att bygga fioler.

En stor grupp människor i dagens samhälle har hektiska yrkesliv. För denna grupp blir semestern en möjlighet att koppla av och logga ut helt och hållet. Här är det inte aktiviteter utan avkoppling som lockar. Då kan en tur på en flotte på Klarälven vara den perfekta semestern. 3 ____

För andra, både svenskar och utlänningar, är det en hjälte i en roman eller film som drar. Ystad i Skåne har fått många turister tack vare böckerna och filmerna om kommissarie Wallander. Många vallfärdar för att se Wallanders miljöer, bo på Wallanderhotell och äta på Wallanderrestauranger. Man kan också lösa en mordgåta tillsammans med andra turister. Ibland kallar man detta för morbidturism, alltså turism som är kopplad till våld och död. Den har vi ännu inte sett så mycket av i Sverige men på en del gamla slott där det har spökat, kan man gå på spökvandring. 4 ____

Effekterna av turismen är förstås många och ofta positiva. Turismen skapar arbeten och ger pengar till turistorten och landet. En annan positiv effekt är att turismen skapar kontakter mellan människor som annars inte skulle träffas.

Mer och mer talar man dock om de negativa aspekterna av turismen. Först och främst är miljökonsekvenserna stora. Utsläppen vid transporter är stora både för resan till målet och på resmålet. Dessutom skapar turismen ofta stora importbehov på destinationen eftersom turisterna inte bara vill äta det som finns lokalt. I stället flyger man in varor från hela världen. Vattenkonsumtionen ökar också ofta, som vid byggen av stora hotell eller golfbanor och reningsverk blir överbelastade. En annan konsekvens är att lokalbefolkningen blir störd av turisterna. 5 ____

Turism är ingen ny företeelse i Sverige. Under medeltiden var resor till heliga platser populära. Man vandrade gärna och längs vandringsvägen växte härbärgen, dåtidens hotell, upp. Under 1700- och 1800-talet blev industrier som Falu koppargruva populära besöksmål för svenska och utländska besökare. Och ordet turist hittar vi i svenska språket för första gången just vid Falu koppargruva år 1824. Men det var inte förrän i och med 1900-talets semesterreformer som turism i större skala blev verklighet.

D Skriv ner 2–3 saker som du tycker är konstiga eller intressanta i texten om turism. Skriv ner 5–10 nya och användbara ord från texten.

E Jämför med några andra personer.

Deckare

Den svenska deckaren (detektivromanen) föddes på 50-talet med namn som Stieg Trenter och Maria Lang. Det var klassiska pusseldeckare i Agatha Christies stil. På 70-talet blev författarparet Maj Sjöwall och Per Wahlöö kända för sina samhällskritiska deckare med Martin Beck som huvudperson. I dag är bl a Henning Mankell, Liza Marklund och Stieg Larsson lästa och omtyckta och översatta till flera andra språk. Speciellt Larssons böcker har efter hans alltför tidiga död blivit enormt populära. Personer som vanligtvis aldrig läser deckare slukar ivrigt hans böcker.

Det finns också flera kända deckare skrivna för barn, bland andra Astrid Lindgrens *Kalle Blomqvist* och Åke Holmbergs *Ture Sventon*. Ture Sventon är en speciell figur. Han heter egentligen Sture Svensson men eftersom han läspar blir det Ture Sventon. Han äter alltid "temlor" (semlor på Ture Sventon-språk) från Rosas konditori där de bakar semlor året runt. Den ständiga boven i Ture Sventon-böckerna är Ville Vessla. Ture är inte så bra på att lösa brott men det brukar ordna sig i alla fall på något sätt.

3

A Varför tror du deckare är så populära?

B Hur brukar huvudpersonen i en deckare vara? Hur är hans/hennes personlighet, matvanor och relationer? Beskriv en typisk deckare på film eller i böcker.

C I deckare finns ibland en del overkliga inslag. T ex kan man undra varför en viss polis eller privatdetektiv alltid befinner sig i närheten när det händer ett mystiskt mord. Kan ni komma på flera sådana saker?

Semlan

Semlor görs av vetedeg som smaksätts med kardemumma. Degen formas till bullar som gräddas. De delas och gröps ur. Det urgröpta brödet blandas med mandelmassa och semlan fylls med denna fyllning och mycket vispad grädde. Locket läggs på och florsocker strös över.

Att Ture Sventon äter semlor året runt är något av en skandal för många människor. Semlan äts nämligen egentligen bara under fastan, alltså från fettisdagen och fram till påsk. Men nuförtiden säljs semlor från nyår eftersom många är så sugna på dem. I Skåne och svensktalande Finland kallas semlan för fastlagsbulle.

Men ursprungligen var inte semlan något som åts under själva fastan utan före fastan. I katolska länder är de 40 dagarna före påsk fasta för att man ska påminnas om Jesus 40 dagars fasta i öknen. I det katolska Sverige påbörjades fastan på askonsdagen och kvällen innan åt och drack man så mycket som möjligt. Här hade semlan en självklar plats. Under fastan fick man bara äta torkad fisk och dricka vatten.

Att äta för många semlor är förstås inte hälsosamt. Det kan till och med vara livsfarligt. Det sägs att kung Adolf Fredrik tisdagen den 12 februari 1771 åt semlor och kort därefter dog i svåra magsmärtor. Så njut av semlorna, men med måtta!

Man lägger på locket och stör över florsocker.	Locket läggs på och florsocker strös över.

S-passiv

4 Första stycket i texten "Semlan" kan också börja så här:

- Man gör semlor av vetedeg som man smaksätter med kardemumma.

eller så här:

- Gör semlor av vetedeg och smaksätt dem med kardemumma.

A Diskutera skillnaden mellan originaltexten och de två varianterna. Vilka verbformer används i de olika varianterna? Vad händer med subjekt, verb och objekt i de olika texterna?

B Hur många verb i s-passiv hittar ni i texten "Semlan"?

C Hur bildar man s-passiv.

D Skriv färdigt varianterna: Man gör … och Gör … (bara första stycket av texten "Semlan").

s 86–87

A Arbeta med orden och fraserna i rutan. Vet ni vad de betyder? Om inte, försök dela upp sammansatta ord i sina grundord och försök gissa vad de betyder. Fråga sedan något annat par. Om de inte vet, slå upp orden i ordbok.

rymdturism	ta emot intresseanmälningar	konstgjord gravitation
betala pengar i förskott	rymdfärder är inte riskfria	alla ombordvarande omkom
förverkliga planerna	sväva i viktlöst tillstånd	

Rymdturism

För den som vill resa lite längre är rymdturismen ett alternativ. Den första rymdturistbyrån startades 1985. Då betalade flera tusen personer 5 000 dollar i förskott för att få chansen att flyga runt jorden i en rymdfärja. Det skulle kosta ytterligare 50 000 att följa med på resan. Tyvärr gick företaget i konkurs innan planerna förverkligades. Men redan 1954, alltså tre år innan Sputnik sköts upp av ryssarna, tog en amerikansk resebyrå emot intresseanmälningar för resor till månen. Trots att "månregistret" inte ens annonserades blev listan över 1 000 personer lång. När företaget bytte ägare glömde man dessvärre bort listan.

År 1986 blev det tydligt att rymdfärder inte är riskfria. Rymdfärjan Challenger från USA exploderade och alla ombord omkom. Utvecklingen av rymdturismen försenades av denna olycka.

I slutet på 80-talet presenterades idén till ett rymdhotell av ett japanskt företag. Hotellet skulle byggas som ett stort hjul för att skapa konstgjord gravitation för gästerna. Några år senare presenterade ett annat japanskt företag en idé som i stället byggde på aktiviteter *utan* gravitation. I en jättestor sportarena skulle turisterna utöva olika sporter, bl a simning och fotboll. Även om det låter spännande att sväva i viktlöst tillstånd är det kanske inte så roligt att tillbringa hela semestern på det sättet. Det är också oklart hur man hade tänkt sig att vattnet skulle hållas på plats utan gravitation.

Det skulle dröja ända till år 2001 innan drömmen om rymdturism förverkligades. Multimiljonären Dennis Tito blev den förste betalande rymdturisten när han åkte upp med en rysk raket för att tillbringa en vecka på den internationella rymdstationen ISS som hade börjat byggas några år tidigare. Omkring 20 miljoner dollar fick han betala för kalaset. Fem år senare var det dags för den första kvinnliga rymdturisten, Anousheh Ansari, också hon mångmiljonär. Med resan ville hon inspirera andra människor att följa sina drömmar och hon rapporterade kontinuerligt på internet om sitt liv på rymdstationen.

För den rymdturist som behöver förbereda sig finns numera böcker i ämnet. Här får man bland annat lära sig vad man ska tänka på inför resan: från vilket håll jorden är vackrast, hur man beter sig korrekt i viktlöst tillstånd och annat viktigt. Så nu behöver den som vill resa till rymden bara förbereda sig rätt och vänta på att priset sänks från de 25 miljoner dollar som Ansari betalade.

B Skulle ni vilja bli rymdturister? Varför? Varför inte? Gör en lista med argument för och emot rymdturism. Jämför med ett annat par. 

C Kommer du ihåg vad siffrorna i rutan står för?

1985	år 2001
5 000 dollar	år 2006
1 000 personer	år 1957

I slutet på 80-talet presenterades ett rymdhotell av ett japanskt företag.

S-passiv med agent

D Hur många verb i s-passiv hittar du i texten? Skriv om fraserna med verben i aktiv form. Agenten blir subjekt i den aktiva frasen. 

Exempel:

Ett japanskt företag presenterade ett rymdhotell i sluten på 80-talet.

 s 86–87

Tyvärr gick företaget i konkurs innan planerna förverkligades.

Bestämd form

 s 88–90

6 A Skumläs de fem texterna här nedanför under ungefär en minut. Ni kan välja på tre rubriker till varje text. Vilken rubrik tror ni är den rätta?

a Sandstrand på färjan
b Lyxkryssning till Västindien
c Färja strandad på söderhavsö

d Dataspel i museimiljö
e Besök känt museum på internet
f Virtuell guide på museet

g Skrev en guidebok utan att resa
h Skrev en guidebok om en plats som inte finns
i Guideboken var kopia av en gammal guidebok

j Världens sevärdheter samlade på ett ställe!
k Sveriges jordbrukshistoria på ett museum
l Ett Sverige i miniatyr

m Ett av antikens sju underverk finns i Sverige
n Sverige har sju underverk
o Sverige har få underverk

Att resa utan att förflytta sig

1 ____ Ett konstmuseum i Tyskland har skapat en virtuell kopia av museet där besökare kan gå runt och titta på konstverken. Man har gjort en exakt kopia av museet och besökaren rör sig runt som i ett dataspel. Besökaren kan titta närmare på varje konstverk och få fram en mängd fakta om konstnären och historien bakom verket. Än så länge har inte besökarna i det virtuella museet blivit fler än de i det riktiga museet. Wolfgang Künztle, chef för museet i cyberrymden ser dock positivt på framtiden:

– Vi förbättrar ständigt våra båda museer och de har olika fördelar. I det riktiga museet upplever du förstås atmosfären men i det virtuella har du snabb tillgång till en mängd information som du inte har i det riktiga museet.

2 ____ Om du tar en färja från Stockholm till Helsingfors kan du komma till Söderhavet! Det är faktiskt sant. Här har skapats en miljö som ska påminna turisterna om en härlig sandstrand med sol. Men det handlar förstås om ett poolområde med sollampor. Kvinnan bakom idén, Marit Hellberg, berättar att stranden har blivit så populär att man har infört ett bokningssystem och besökarna får vara max en timme på stranden. Visst låter det härligt att koppla av i värmen medan höststormen blåser utanför. Men glöm inte att ta med solkrämen för det är riktig solariebelysning.

3 ____ I slutet på 1800-talet blev en man vid namn Artur Hazelius inspirerad av ett friluftsmuseum som han hade besökt i Norge. Han ville samla essensen av Sverige på ett ställe, ett enormt friluftsmuseum som skulle visa inte bara på svensk kulturhistoria och traditioner utan även svenskt djurliv. På Skansen kan vi än i dag se gårdar och hus som flyttats från olika delar av Sverige och Norge. Husen monterades ner och byggdes upp igen på sitt nya ställe. För att fullborda illusionen att vara på en annan plats ville Hazelius att det skulle vara aktivitet i husen. Museivärdar i historiska dräkter visar husen och vissa av dem håller t o m på med klassiska hantverk som att baka eller blåsa glas. Besökarna kan se tamdjur och även vilda svenska djur från olika delar av Sverige i autentiska lantbruksmiljöer.

4 ____ En guidebooksförfattare med en mängd böcker på sin meritlista har erkänt att han för sin senaste resebok nöjde sig med att sitta hemma i sin lägenhet och prata i telefon med en flickvän som befann sig på ”rätt” ställe. Hon gav honom information om sevärdheter, restauranger och annat som är svårt att hitta på. Resten fantiserade mannen ihop.

– Jag fick för lite betalt för att skriva boken. Jag hade helt enkelt inte råd att resa till landet i fråga, säger författaren i ett uttalande. Men hittills har i alla fall ingen klagat på guideboken. Ibland verkar det som om fantasin är lika bra som verkligheten.

5 ____ Antikens sju underverk har i dag fått efterföljare. En kvällstidnings läsare har röstat fram följande byggnadsverk som Sveriges underverk.

Mer än 50% av rösterna gick till Göta kanal som byggdes på 1800-talet och som förbinder vår östkust med västkusten. På andra plats kom Visby ringmur, det enda av de sju underverken som är med på Unescos världsarvslista. Regalskeppet Vasa, som sjönk på sin första resa och i dag visas på ett museum i Stockholm tyckte många skulle vara med på listan. Övriga underverk är enligt läsarna Ishotellet i Jukkasjärvi, skyskrapan Turning Torso i Malmö, Öresundsbron och Globenarenan (som under en kort period var världens största sfäriska byggnad).

B Tycker du att det finns andra saker som borde vara med på listan över Sveriges underverk? Vilka?

C Vilka underverk finns i ditt land? Gör en lista.

7 A Tre personer talar om sina värsta semesterminnen. Lyssna först på hela samtalet.

B Lyssna igen och fokusera på en av personerna och anteckna så mycket som möjligt. Berätta för din partner om vad som hände.

C Lyssna igen och lyssna efter ord som har att göra med de fem sinnena: hörsel, syn, smak, känsel och lukt. Skriv ner de orden och jämför med din partner.

D Lyssna efter ordet *ju*. Försök att analysera hur ordet används.

E Hur återkopplar personerna till varandras berättelser (t ex Oj, Usch)?

s 91

Skrivtips

När man skriver en berättelse behöver man ofta berätta om saker som hände efter varandra. Det är lätt hänt att man använder ordet *sedan* för ofta. Här nedanför hittar du alternativ till *sedan*.

För att göra berättelsen mer målande och livfull kan det vara bra att tänka på våra fem sinnen och att berättelsen innehåller ord och uttryck som beskriver alla fem sinnena.

8 Beskriv en semester eller en resa – den värsta eller bästa du har varit med om. Använd dig av de fem sinnena i din text. Vad såg du? Vad hörde du? Vad kände du? Vad kände du för lukter? Vad smakade du? Använd så många ord som möjligt från övning 4 i övningsboken i din text.

Använd minst 5 av alternativen till *sedan* i din text för att variera dig.

Vanlig stilnivå	Formell stilnivå
Efter det att vi hade …	efter att ha + supinum
efter det	därefter
efteråt	därpå
följande (dag, vecka, månad,)	
Men då …	
När vi hade …	

Till sist s 92–94

11

1 **A** Titta på orden här nedanför. Kryssa för dem du förstår. Slå upp de andra orden i ordbok.

a) snatteri
b) stöld
c) inbrott
d) rattfylleri
e) misshandel
f) skattefusk
g) fortkörning
h) fildelning
i) smuggling
j) förfalskning
k) bedrägeri
l) våldtäkt
m) nedladdning
n) mord
o) langning
p) rån

B Välj brott ur rutan och skriv bokstaven på rätt plats.

1 _____ En mycket skicklig konstnär målar en tavla som han signerar med Picasso och som han sedan säljer till rekordpris på auktion.

2 _____ En 15-åring går in i en tobaksaffär och gömmer en påse godis under jackan och smyger ut utan att betala.

3 _____ Ett ungdomsgäng slår ner en medelålders man på gatan. Mannen dör inte, men han måste åka till sjukhus.

4 _____ En ung kvinna lägger ut en teveserie som hon gillar mycket på Internet, så att andra kan ladda ner den.

5 _____ Två unga män går på natten in i en villa och tar bland annat en platteve och två datorer.

6 _____ En man vill ligga med en kvinna. Hon säger nej, man han tvingar sig på henne ändå.

7 _____ Ett gäng bryter sig en natt in i en exklusiv affär och tar varor för 20 000 kronor.

8 _____ Ett par reser utomlands och köper ett halvt kilo kokain. De gömmer narkotikan i väskan och reser tillbaka till Sverige.

9 _____ En dam säljer aktier med vinst och ”glömmer” sedan att betala skatt för vinsten.

10 _____ En man lägger ut en annons på internet att han säljer en ny bärbar dator. En kvinna vill köpa datorn och skickar pengarna, men får aldrig någon vara.

11 _____ En kvinna går till Systembolaget och köper två flaskor vodka som hon sedan ger till sin 17-åriga brorsdotter.

12 _____ En ung man kör 60 km/h utanför en skola, där hastighetsgränsen är 30 km/h.

13 _____ Tre personer går in med leksakspistoler på en bank. De hotar personalen och skriker att de vill ha alla pengar i kassorna. De försvinner snabbt därifrån med pengarna.

14 _____ En man upptäcker att hans fru har en älskare. Efter en tids planering tar han en pistol, söker upp mannen och dödar honom.

15 _____ Ett par går på restaurang och firar mannens födelsedag. De äter gott och delar på en flaska vin. Till kaffet dricker de varsin konjak. Kvinnan kör deras bil hem.

16 _____ En tonåring har fått en mp3-spelare i julklapp. Han letar musik på nätet och laddar sedan ner 30 låtar utan att betala för dem.

C Prata om de olika fallen (1–16) här ovanför. Vilka är allvarligast? Är några av fallen inte så allvarliga brott?

2 A Läs påståendena här nedanför och bestäm hur mycket du håller med. Skriv en siffra bredvid varje påstående.

1 = håller inte alls med
2 = håller delvis med
3 = håller med helt och hållet
0 = vet inte/har ingen åsikt

- Det är föräldrarnas fel att unga blir kriminella.
- Det är bättre att ge kriminella vård och terapi än att sätta dem i fängelse.
- Strängare straff leder till minskad kriminalitet.
- Man borde publicera namn och bild på vissa kriminella, så att folk vet vilka de är.
- Öga för öga, tand för tand.
- Man ska vända andra kinden till.
- Att jobba svart ibland eller att anlita svart arbetskraft är inte så allvarligt.

B Diskutera era svar. 

Personligen tycker/anser jag att …
Jag tycker att det är helt fel …
Det är svårt att svara på. Å ena sidan … men å andra sidan …
Det beror på situationen. I vissa fall kan det vara så, men …

C Berätta för de andra i hela gruppen om era åsikter.

Alla/de flesta/en majoritet/några/ett fåtal/bara en av oss anser …

D Skriv verb och person till orden i rutan. Använd ordbok.

smuggling	bedrägeri	mord
förfalskning	våldtäkt	langning
~~snatteri~~	~~stöld~~	rån

Exempel:

BROTT	AKTIVITET (VERB)	PERSON
snatteri	snatta	en snattare
stöld	stjäla	en tjuv

3 **A** Lyssna på dialogen. Gå igenom nya ord och fraser.

B Lyssna igen och anteckna.

1 Vilka brott har Sonja och Hasse begått?
2 När gjorde de det?
3 Hur gick det till?
4 Vad hände efteråt?

C Jämför dina anteckningar med din partners.

D Berätta för varandra: Har ni gjort något olagligt? (Det går bra att hitta på.)

A Titta på diagrammet här nedanför och diskutera siffrorna. Hur tror du resultatet av en liknande undersökning skulle bli i ditt land? 

Fusk på jobbet

De allra flesta människor är hederliga och begår inte några allvarliga brott. Men hur ser det ut med småfuskandet på jobbet? En undersökning bland 12 000 svenskar gav följande resultat:

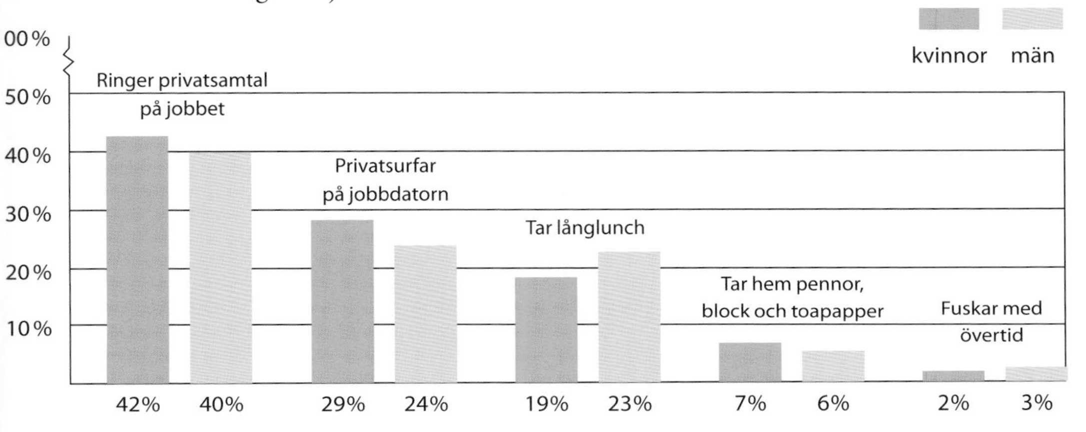

B Läs de fyra dilemmana här nedanför. Diskutera hur ni skulle göra i de olika fallen.

1 Chefen är bortrest på semester. Det är fredag och alla har jobbat hårt hela veckan. Vid lunch föreslår en kollega att ni ska passa på att sluta ett par timmar tidigare.

a Självklart säger man nej till sin kollegas förslag. Ens chef ska alltid kunna lita på en, även när han eller hon inte är på jobbet.

b Ett par timmar kan man väl tänka sig någon gång. Man jobbar ju ofta över utan att få betalt.

c Nja, man kanske inte går flera timmar tidigare, men en kvart kan väl gå bra.

2 En släkting utomlands är sjuk. Tidsskillnaden gör att den bästa tiden att ringa är under arbetstid.

a Inget att diskutera, man ringer så klart från arbetstelefonen. Då behöver man ju inte betala en massa dyra telefonsamtal själv för sin låga lön.

b Man måste ju ringa sin sjuka släkting, men man gör det naturligtvis från sin egen mobil. Sedan kan det inte hjälpas att det måste bli under arbetstid.

c Ens arbetstid ska inte gå åt till privata telefonsamtal. Man får ringa från den egna mobilen under lunchen.

3 Det är dags att planera semestern. Just nu är det lugnt på kontoret eftersom de flesta kollegerna är på kurs.

a Semesterplaner och annat sköter man utanför sin arbetstid. Hur skulle det se ut om alla planerade sin semester när man ska jobba?

b Någon timme eller två kan man surfa runt för att hitta bra resmål och hotell. Herregud, kontoret går inte under för att man har lite trevligt på arbetstid.

c Man kan prata med sina kolleger under lunchen och fikarasterna och höra om de kan ge en några bra semestertips.

4 Alla papper till skrivaren hemma är slut. I kväll måste flera viktiga dokument skrivas ut. Klockan är mycket, så du hinner inte åka och köpa papper.

a Dokumenten får vänta till nästa dag.

b Man kan låna några papper från jobbet om man lämnar tillbaka dem nästa dag förstås.

c Det finns ju massor av papper på jobbet. Det gör väl inget om man plockar med sig papper och pennor hem.

C Berätta för paret bredvid hur ni skulle göra och varför.

Självklart säger man nej till sin kollegas förslag. Ens chef ska alltid kunna lita på en …

INDEFINIT PRONOMEN:
man – ens/sin – en

5 A Titta på de meningarna som innehåller *man*, *ens*, *sin* och *en* i texten "Hur ska man göra". Vilken form är objekt, subjekt och genitiv?

B Titta på meningarna här nedanför. Bestäm först om luckorna är subjekt, objekt eller genitiv. Skriv sedan *man*, *ens* eller *en* på rätt plats.

1 … blir orolig när … barn är ute sent på kvällarna. Då vill … gärna att de ringer … då och då.

2 … bör ha ett antivirusprogram för att … dator inte ska gå sönder.

3 Om någon säger till … att … är trevlig, blir … glad.

Ö s 95–96

6 A Titta på rubrikerna här nedanför. Välj en av rubrikerna och diskutera. 
Vad tror ni har hänt?

ⓐ Dyr haschkaka

ⓑ **Sömnig biltjuv**

ⓒ **Väldokumenterat rån – för polisen**

ⓓ Kameran snabbare än tjuven

ⓔ **Pengarna från rånet fick skjuts till polisen**

B Berätta för paret bredvid vad ni tror ligger bakom er rubrik.

C Skumma snabbt igenom tidningsnotiserna här nedanför.
Skriv rubrikerna vid rätt notis.

Det blir inte alltid som man tänkt sig

Många brott är noga planerade och kan verka som de perfekta brotten på pappret. Men allt går inte som tjuvarna har tänkt sig.

1 _____ En man i 20-årsåldern bröt sig in i en bil för att stjäla den, men bilstölden blev aldrig det perfekta brottet. Mannen var nämligen så trött och drogpåverkad att han somnade i bilen innan han hann köra iväg. Tjuven satt fortfarande och sov när bilens ägare dök upp.

Ägaren låste bilen och ringde sedan polisen. Biltjuven anhölls senare som misstänkt för både bilstöld och narkotikabrott.

2 _____ En man med yxa rånade kassan på ett varuhus på 10 000 kronor. Med pengarna i en plastpåse rusade han ut och stoppade den första bilen som dök upp. Tjuven bankade på biltaket och rutan för att få föraren att släppa in honom. Till slut lyckades tjuven få upp bildörren.

Föraren blev naturligtvis livrädd och smällde igen bildörren och trampade gasen i botten. Han styrde mot polishuset och på väg dit upptäckte han att rånarens plastpåse satt fast i bildörren. Hos polisen kunde man konstatera att pengarna fanns kvar i påsen.

3 ____ En 28-åring som gjorde sin sista dag som praktikant på en botanisk trädgård bjöd sina arbetskamrater på en hembakad kaka. 13 av kollegerna blev akut förgiftade och måste uppsöka sjukhus. Det visade sig sedan att kakan innehöll cannabis. Mannen sa efteråt att han bara ville skämta med sina arbetskamrater. Han sa att det var ett misstag att baka en cheesecake eftersom den kakan innehåller så mycket fett. Fettet i kakan binder nämligen ämnet THC, som är den aktiva substansen i cannabis. Mannen dömdes till 44 000 kronor i skadestånd och 100 dagars samhällstjänst.

4 ____ En 84-årig dam skulle fotografera sig i en fotoautomat. Hon hade precis lagt i sina mynt när en ung man lutade sig in och snodde åt sig damens väska. Tyvärr var den fräcka tjuven lite för långsam. Ett foto togs när han var inne i kuren och han fastnade på bild.

Bilden publicerades i tidningarna och den unga tjuven kunde strax därefter gripas.

5 ____ Två män drömde i månader om det välplanerade, perfekta brottet. De skulle råna en postbil som transporterade mer än 10 miljoner kronor. Vad rånarna inte visste var att polisen kände till deras planer.

När den stora dagen kom och rånet skulle ske blev de överraskade av poliser som väntade på dem med polishelikopter. Det visade sig att männen ett halvår tidigare hade glömt en väska på flygplatsen. Polisen hade tagit hand om väskan som innehöll en nedskriven, detaljerad plan över hur rånet skulle gå till.

D Leta i tidningar efter notiser som handlar om brott. Berätta för varandra.

Chefen är bortrest på semester.
13 av kollegerna blev förgiftade och måste uppsöka sjukhus.

Är + perfekt particip
Blir + perfekt particip

7 A Läs exempelmeningarna här nedanför.

- Jag måste promenera till jobbet för min cykel är stulen.
- Min cykel blev stulen medan jag var inne i affären och handlade.
- Farfar är nyopererad och måste stanna i sängen i en vecka.
- Han blev opererad av doktor Lundman för en vecka sedan.

B Diskutera: Vad är det för skillnad i betydelse mellan är + perfekt particip och blir + perfekt particip?

Ö s 97

8 Meningarna här nedanför beskriver hur en process från det att någon planerar ett brott tills brottslingen eventuellt får sitt straff kan gå till.

A Läs meningarna och kontrollera att ni förstår orden.

1 ______ En rättegång börjar.
2 ______ Någon begår ett brott.
3 ______ Han arresteras.
4 ______ Han blir eventuellt dömd till ett straff, fängelse till exempel.
5 ______ Han blir åtalad.
6 __a__ Ett brott planeras.
7 ______ Polisen utreder brottet.
8 ______ Polisen skuggar den misstänkta.
9 ______ Han häktas.
10 ______ Polisen misstänker någon.
11 ______ Den misstänkta erkänner eller förnekar brott.
12 ______ Han förhörs av polisen.

B Placera meningarna i rätt kronologisk ordning.

9 A Läs om de tre fallen här nedanför och på nästa sida och diskutera.

1 Vad är brottet?
2 Vilket straff bör personerna få, tycker ni?
3 Finns det några förmildrande omständigheter?

1 Två ungdomsgäng träffas ute på stan. Loke, ledaren för det ena gänget förolämpar Kristian, den andra ledaren. De två börjar slåss. En ur Kristians gäng drar fram en kniv och sticker ner Loke. Loke blöder kraftigt och slutar andas. Han avlider ett par timmar senare på sjukhus. Killen med kniven säger efteråt att han bara ville skrämmas.

2 Maritza slutar lite tidigare på jobbet en fredag. Hon har fått en ny stor kund och köper en flaska champagne som hon tänker överraska sin man med. När hon kommer hem får hon en chock. Hennes man och hennes bästa väninna sitter och pussas! Maritza blir rasande och slår väninnan i huvudet med en ljusstake. Väninnan får svåra skador i huvudet, men hon överlever. Maritza hävdar sedan att hon inte minns något av händelsen.

3 Linus är på semester utomlands. På semestern lär han känna och umgås mycket med en trevlig kille, Anton. Anton är svensk, men bor utomlands sedan ett par år. När Linus ska resa hem ber Anton honom att ta med en keramikelefant till Sverige. Elefanten är en present till Antons mamma som fyller 70 år. På flygplatsen blir Linus stoppad av polisen. Det visar sig att ett kilo kokain ligger gömt i elefanten.

B Berätta för paret bredvid eller för hela gruppen vad ni har kommit fram till.

Reciproka verb

Två ungdomsgäng träffas ute på stan. (= De träffar varandra.)
De två börjar slåss. (=De slår varandra.)
Hennes man och hennes bästa väninna sitter och pussas!
(=De pussar varandra.)

Deponens

Loke blöder kraftigt och slutar andas.
... att hon inte minns något av händelsen.
Han umgås mycket med en mycket trevlig kille

Ö s 98–99

10 **A** Läs snabbt igenom texten om Lasse-Maja. Titta inte i ordbok. Anteckna stödord medan du läser.

B Titta på stödorden och återberätta det viktigaste ur Lasse-Majas liv.

LASSE-MAJA

På 1800-talet var biografin *Lasse-Majas äventyr* den mest lästa boken i Sverige vid sidan av Bibeln. I boken berättar tjuven och transvestiten Lars Molin själv om sina öden och äventyr. Lars Molin föddes som Lars Larsson, men bytte efter en tid efternamn. Namnet Lasse-Maja kommer av att Lars oftast gick klädd i kvinnokläder.

Lars Larsson föddes 1785 i närheten av Arboga, i södra Bergslagen. Han var en busig pojke som tyckte mer om att snatta pengar, spela kort och lata sig än att arbeta. En bit ifrån Lasse bodde Maja som blev hans första fästmö. Lasse var en smal och söt pojke och en dag provade han sin fästmös kläder. Maja tyckte att Lasse var mycket fin i kvinnokläder och även hennes föräldrar blev imponerade.

Från den dagen gick Lasse oftast klädd i kvinnokläder och han övade sig på allt som en kvinna förväntades kunna. Han arbetade klädd som bondpiga på gårdar, ibland tillsammans med Maja, och lärde sig att mjölka, laga mat, baka, städa, tvätta och annat. Det verkade som om kvinnojobb passade honom bättre än mansjobb, som lätt tråkade ut honom.

Lasse-Maja blev en duktig kock och han lärde sig att sy och dansa. Många trodde att han var en fin fröken och han fick enkelt tjänst på olika fina gårdar med hjälp av förfalskade betyg. På gårdarna blev han ofta omtyckt för sitt glada humör och sin goda mat. Det hände att männen på gårdarna blev förälskade i Lasse-Maja. När risken att han skulle bli avslöjad blev för stor brukade han dra vidare, oftast med en del av gårdens värdesaker i väskan.

Snart började ryktet om den kvinnoklädda tjuven sprida sig. Lasse-Maja blev gripen och dömd flera gånger mellan 1805 och 1811 men lyckades alltid rymma på väg till fängelset.

1812 vände lyckan för Lasse-Maja. Han hade tillsammans med en kumpan brutit sig in i Järfälla kyrka, strax utanför Stockholm, och stulit kyrksilvret. Nu greps han och dömdes för såväl kyrkstölden som andra, tidigare brott. Domen blev 40 spörapp och sedan livstids straffarbete på Carlstens fästning. Efter att ha blivit piskad på Barkarby torg i Järfälla fördes Lasse-Maja den långa vägen till ön Marstrand, strax utanför Göteborg, där Carlstens fästning låg. Den här gången var Lasse-Maja strängt bevakad. Han var 28 år när portarna stängdes bakom honom på Carlstens fästning. En livstidsdom på den tiden innebar verkligen livstid. I sin bok berättar han att *"... en kall rysning övergick mig vid tanken på att detta var min grav!"*

Livet på fängelset var oerhört hårt och det var många fångar som dog under sin fängelsetid. Lasse-Maja fick arbeta i köket, tack vare sin fina kokkonst. Förmodligen var det en syssla som var betydligt lättare än de vanliga fängelsearbetena. Så småningom kunde han röra sig ganska fritt på Marstrand och han försökte aldrig rymma. På söndagarna kom folk på besök till fästningen. Fångarna kunde tjäna en extra slant genom att berätta historier för besökarna. Lasse-Maja var en charmerande och verbal person och det var många som ville lyssna på hans historier. En besökare tyckte att Lasse-Majas berättelser var så spännande att han skrev ner dem. Det blev bästsäljaren *Lasse-Majas äventyr.*

Efter 25 år på Carlstens fästning blev Lasse-Maja benådad och han kunde resa till Stockholm som en fri man. Åren efter frigivningen gav han sig ut på små turnéer till olika gästgiverier. Klädd som kvinna berättade han sina historier för gästerna. Han lockade stor publik, det var många som ville se och lyssna på den berömda tjuven som gick klädd som kvinna. Tiden på Carlstens fästning hade emellertid gjort Lasse-Maja sjuklig och den 4 juni 1845 dog han.

Lasse-Maja trivdes bäst i kvinnokläder. Det var bara när han gjorde inbrott som han klädde sig i manskläder av praktiska skäl. Han skämdes inte över att han helst tog på sig kvinnokläder. Tvärtom tycks han ha varit stolt över hur skicklig han var som kvinna. Ingen verkade bli upprörd över att en man klädde sig som kvinna. Enligt Lasse-Majas egna historier blev kvinnorna förtjusta och lånade gärna ut sina kläder till honom. När männen förstod att Lasse-Maja var man blev de flesta fascinerade. En man sa ungefär så här om Lasse-Maja: "Om han inte hade varit man, skulle jag ha givit honom en kyss. Så vacker var han".

C Skriv 7–10 frågor till texten om Lasse-Maja.

D Ställ frågorna till din partner, som svarar utan att titta i texten.

E Välj ut två saker ur texten om Lasse-Maja som du tyckte var intressanta. Berätta för din partner vad du har valt.

F Gör en lista på 10–15 nya ord eller fraser från texten som du vill lära dig. Skriv egna meningar eller en historia med dem.

Om han inte hade varit man,
skulle jag ha givit honom en kyss ...

KONDITIONALIS
Konstatera efteråt

11 A Gör meningar där man "konstaterar efteråt".  

Exempel:
Lasse/inte/klä sig i kvinnokläder/inte kallas/Lasse-Maja

Om inte Lasse hade klätt sig i kvinnokläder, skulle han inte ha kallats Lasse-Maja.

1 Lasse-Maja/inte arbeta på gårdar/inte kunna stjäla värdesaker
2 Lasse-Maja/inte stjäla kyrksilvret/inte komma till Carlstens fästning
3 Lasse-Maja/inte laga god mat/inte få arbeta i köket
4 Lasse-Maja/inte sitta på Carlstens fästning/inte bli sjuk

B Tänk på era liv och gör egna exempel.

Exempel:

Om jag inte hade träffat XX skulle jag inte ha ...
Om jag hade tagit jobbet som ... skulle jag ha ...
Om jag inte hade lärt mig svenska ...

s 100

Skrivtips

Korta nyhetsnotiser är oftast uppbyggda efter formeln: intresseväckande rubrik + en första mening som beskriver vad som har hänt + kortfattad bakgrund eller mer detaljerad information av händelsen. Typiskt för nyhetsspråk är bland annat att man använder mycket passivformer (s-passiv eller blir/är + perfekt particip).

12 A Läs olika nyhetsnotiser i tidningen och studera språket i dem.

B Skriv en kort notis till en av rubrikerna här nedanför. 

Besviken tjuv lämnade klagobrev

Jultomte gripen – misstänkt för snatteri

Äldre dam åtalad för bedrägeri – lurade till sig miljoner

Till sist s 101–103

12

1 Vad skulle vara den största utmaningen för dig? Varför?
Använd gärna orden i rutan.

svårt lätt misslyckas klara rädd vågar läskig skrämmande lyckas för jobbigt försöka modig

Snack om små och stora utmaningar

1

– Min fru vill att vi ska flytta till Kina för hon har fått jobb där.
– Vad spännande! Då är du väl glad?
– Nja, jag tycker att det verkar svårt. Jag kommer nog inte att trivas. Det är så annorlunda där.
– Men, tänk på alla nya saker du kommer att få se. Det är väl spännande?!
– Hmm, vi får se hur det blir, när vi har flyttat dit. Det blir nog bra …

2

– Jag skulle verkligen vilja bli advokat.
– Men du har väl inte tillräckligt bra betyg för att börja på juristlinjen?
– Nej, men jag kan ju göra högskoleprovet.
– Det är klart. Men när du har kommit in på juristlinjen måste du väl plugga jättemycket?
– Ja, och?
– Du har väl aldrig tyckt om att plugga?
– Nej, det förstås. Visst, det låter svårt, men man ska väl försöka i alla fall?!
– Ja, det är klart. Det går nog bra!

3

– Jag läste i tidningen om en kille som ska bestiga sju berg på sju kontinenter på sju månader. När han har gjort det ska han paddla kajak jorden runt sju varv på sju år.
– Men herregud! Det låter ju inte klokt. Tror du att han klarar det?
– Jag vet faktiskt inte … Han har nog förberett sig noga.
– Ja, det får vi verkligen hoppas.

4

– Du kommer väl ihåg när vi hoppade bungy-jump första gången?!
– Ja, det glömmer jag aldrig. Usch, vad jag var rädd. Du var också ganska rädd, va?!
– Ja, verkligen. Jag har nog aldrig varit så rädd i hela mitt liv. Jag trodde aldrig jag skulle våga. Men det gick ju bra.
– Ja, gud vad modiga vi var!

5

– Jag är så stolt över mig själv!
– Varför då? Vad har hänt?
– I dag sa jag äntligen till min kollega att jag är så trött på hennes ständiga gnäll. Hon sitter alltid och klagar på allt och skapar dålig stämning.
– Då blev hon väl arg?
– Ja, det blev hon faktiskt. Hon sade att jag inte hade med det att göra och att jag inte behövde lyssna på henne om jag inte ville.
– Du fick ju i alla fall sagt det du ville och det var jättebra att du vågade.
– Ja, det var det nog.

Då är du väl glad?
Jag kommer nog inte att trivas.

Satsadverb

2 A Titta på hur orden *väl* och *nog* används i fraserna här nedanför. Prata med din partner.

- Peter kommer nog på festen. Han ska bara ordna barnvakt, men det är troligtvis inga problem.
- Peter kommer väl på festen? Jag hoppas verkligen det för det skulle bli tråkigt utan honom.
- Maria är nog sjuk i dag också. Hon är inte på sin plats och hon var hemma i går.
- Maria är väl sjuk i dag också? Hon var i alla fall jättedålig i går när jag pratade med henne.

B Försök att analysera vad orden *väl* och *nog* betyder i dialogerna ”Snack om små och stora utmaningar”? Titta också på hur ordet *ju* används.

ÖB s 104–105

Hmm, vi får se hur det blir, när vi har flyttat dit.

Presens perfekt om framtid

C Gör fraser enligt modellen:
När jag har … ska jag …
Innan jag har … kan jag inte …
Jag kan inte … förrän jag har …

s 106

D I dialogerna ”Små och stora utmaningar” finns exempel på utmaningar för olika personer: att komma in på en utbildning, att bli äventyrare, att flytta till ett nytt land eller att ta en konflikt med någon. En utmaning kan förstås vara många andra saker.

- Vilken har varit din största utmaning i livet hittills?
- Vad tror du kommer att bli en utmaning för dig i framtiden?

3 A Har du själv erfarenhet av att flytta till ett nytt land?

- Vilka saker upplevde du som positiva respektive negativa?
- Skriv en lista med 3–5 positiva och 3–5 negativa saker.

B Berätta för några andra personer i gruppen.

s 106–107

Kulturchock

Att flytta till ett nytt land med en annorlunda kultur än den man är van vid är en mycket stor utmaning för många människor. Det är vanligt att man efter en tid i en ny kultur upplever vad man ibland kallar en kulturchock. Det är ofta mycket jobbigt men helt normalt och en del i en större process som innehåller tre faser: turistfasen, chockfasen och anpassningsfasen.

Turistfasen

I den första fasen, turistfasen, ser man på den nya kulturen med en turists ögon och det mesta är nytt och spännande. I denna fas är det vanligt att man har en förlåtande attityd till det som är nytt och annorlunda eftersom man känner att de egna kulturella värderingarna är de absolut rätta. Vi kan ta Petra som exempel. Hon flyttar från Sverige, där det är "rätt" att komma precis i tid, till Spanien, där det är rätt att komma "ungefär i tid". När hon har bestämt träff med sina spanska vänner klockan åtta på en bar står hon själv och väntar från klockan åtta (ibland fem i åtta) medan hennes vänner inte kommer förrän halv nio eller nio (ibland senare). Men eftersom Petra är i turistfasen, skrattar hon mest åt det hela och tycker att hennes spanska vänner är lite lustiga som inte kan hålla reda på tider.

Chockfasen

Sedan kommer många in i chockfasen. Det nya som tidigare var konstigt och lustigt blir nu jobbigt i stället. Petra i exemplet börjar irritera sig på sina vänner. Varför kan de aldrig passa tider? Och varför ringer de inte när de är sena? Kanske vill de egentligen inte träffa henne? Men Petra börjar undra om det kanske finns ett system i det hela. Kanske "ska" man komma för sent i Spanien? Hon börjar ifrågasätta sina egna värderingar. Varför är det så viktigt att komma i tid? Och varför kan hon inte slappna av och läsa en bok eller dricka en kopp kaffe medan hon väntar på sina vänner? Petra tänker mycket på Sverige och känner hemlängtan. I Sverige är allt så enkelt och självklart, tänker hon.

I den här chockfasen har man ännu inte accepterat eller förstått det nya landets värderingar och man blir osäker på om de egna värderingarna är de rätta. Det är lätt att känna sig nedstämd och man kan till och med bli deprimerad.

Anpassningsfasen

Efter den här fasen följer för många den så kallade anpassningsfasen där man kan lära in och förstå de nya kulturella normerna och på så sätt undvika misstag. Petra har gradvis accepterat och förstått vad som gäller i Spanien. Om man bestämmer att träffas klockan åtta betyder inte det "prick åtta". När hon har förstått det kan hon i lugn och ro vänta på sina vänner och börjar till och med själv komma efter den bestämda tiden.

Ulf Frövi är psykolog och arbetar som konsult med personer som ska flytta utomlands. Här ger han några råd som kan underlätta processen:

- När det känns jobbigt, tänk på att livet till stor del består av små och stora problem som ska lösas, även i ditt hemland.
- Försök lära dig så mycket som möjligt om den nya kulturens historia, politik, geografi, konsthistoria osv. Ju mer du vet desto mer förstår du.
- Glöm inte bort dina intressen och hobbyer. Om du förut var medlem i någon klubb, försök då att hitta motsvarande klubb i ditt nya land. Det kan vara svårt att få nya vänner, men ett bra sätt är garanterat att försöka hitta personer som har samma intressen som du.
- Värdera inte och jämför inte olika länder. Konstatera bara att man gör på olika sätt i olika länder.
- Om du är frustrerad över hur dina nya landsmän beter sig, tänk då på att du inte kan ändra på ett helt folk. De är ganska nöjda med sakernas tillstånd. Du kan bara ändra på din egen attityd och ditt eget beteende.
- Om du har en partner från ett annat land, försök då att vara flexibel utan att glömma bort värderingar och principer som är viktiga för dig. Välj dina krig. Ta bara upp diskussioner om sådant som du tycker är extra viktigt. Det är kanske viktigare t ex att vara överens om hur barnen ska uppfostras, än exakt vilka jultraditioner ni ska ha.

C Känner ni igen er i de olika faserna i processen som beskrivs i texten Kulturchock?

D Vad tycker ni om Ulf Frövis tips? Är de användbara? Kan ni komma på fler tips för den som ska flytta till ett nytt land?

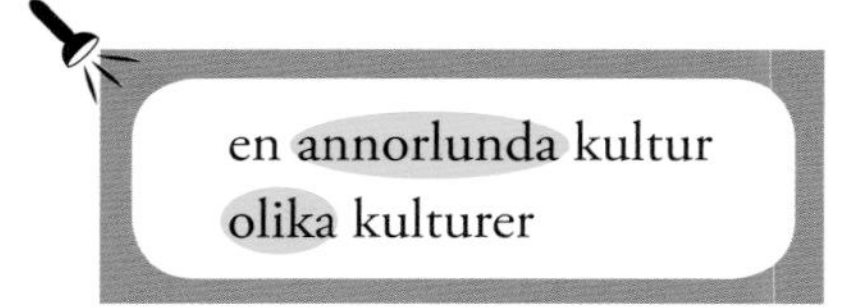

Jämförelse

s 107–108

4 A Diskutera.
Vad tror du att en svensk skulle få problem med om han eller hon flyttade till ditt land?

B Välj varsin person från texten "Tre utlandssvenskar ..." att läsa.
Hjälp varandra med nya ord och använd ordbok för de ord ni inte kan.

C Skriv upp stödord. Återberätta sedan era texter för varandra. Den som lyssnar skriver ner nyckelord och summerar efteråt.

Tre utlandssvenskar berättar om sina erfarenheter av att bo utanför Sverige.

Tilda har bott 8 år i Nederländerna och jobbar som psykolog.

– I början tyckte jag det mesta var likadant i Nederländerna som i Sverige. Mycket energi gick åt till att lära sig språket och klara av praktiska saker som att ordna med bankärenden och köpa mat, så jag hann inte tänka så mycket på kulturskillnader.

En sak som jag la märke till efter en tid är att man som svensk i många situationer är för försiktig. Till exempel i ostdisken i snabbköpet ställer man sig och väntar på att försäljaren ska komma fram och fråga om man vill ha något. Man kanske hostar lite för att visa att man står där. Men försäljaren undrar mest vad det är för mystisk typ som bara står och stirrar och inte säger vad hon vill.

I Sverige säger vi ju du till alla, men i Nederländerna måste man alltid välja mellan "du" och "ni". Det tar lång tid att lära sig vad som passar i olika situationer. Till lärare säger man t ex alltid ni. Det kändes ovant och alldeles för formellt för mig. Och i brev är det viktigt att börja med något i stil med "Ärade herr X" i stället för det svenska "Hej!" som ju fungerar i nästan alla sammanhang.

Jonas är 35 år och har jobbat som sjuksköterska i Norge i 3 år.
– Jag flyttade hit för lönen. Här i Norge ligger lönerna rejält över de svenska, för en del är de nästan dubbelt så höga. På jobbet tycker jag inte att det är så stora skillnader mellan de två länderna. Kanske är det lite mindre datoriserat här och mer hierarkiskt.

Norge är ganska likt Sverige men det finns ändå många saker som är annorlunda här. Det svåraste tycker jag är de kulturella referenserna. Man känner sig utanför på många sätt. Till exempel när jag och mina norska kompisar har frågesport, kan jag ju inga frågor om norska stadsministrar eller populärkultur. Och när norrmännen skrattar åt gamla barnprogram som de såg på teve när de var små, är jag helt borta. Min humor fattar de inte mycket av heller – den bygger ju ofta på referenser från svenska humorprogram på radio och teve.

Jag kan säga att jag känner mig mer svensk här än i Sverige. Och det är inte bara positivt, tycker jag. Jag känner mig ofta lite utanför och annorlunda.

Emma 43, bor i London sedan 20 år tillbaka.
– Jag har bott i London så länge nu att allt känns ganska normalt. I början blev jag väldigt stressad när främlingar började prata med mig. De kunde säga: "Vilken snygg väska du har!" Jag undrade vad de ville, blev nervös och förstod inte att det bara var småprat.

Och i början var jag nog också hemskt oartig. Jag tänkte aldrig på att säga "please" när jag bad om något. Jag kunde säga: "Kan jag få en tidning?" på engelska. Det låter normalt på svenska men på engelska blir det ungefär: "Ge mig en tidning!!!"

Sedan jag fick barn har jag börjat känna mig mer och mer svensk faktiskt. Jag och några andra mammor har en öppen förskola hemma hos mig. Vi tittar på svenska barnprogram tillsammans och diskuterar barnuppfostran och sådant. Självklart finns det stora skillnader. Svensk barnuppfostran är nog mer resonerande. Man försöker ofta diskutera med barnen om vad som är rätt och fel. Här är det mer klara och tydliga regler och att det är självklart att det är föräldrarna som bestämmer. Jag tycker ofta att min man är för sträng mot barnen. Det är jobbigt när vi har helt olika idéer om barnuppfostran.

D Vad tycker ni om de olika fallen? Har ni själva upplevt något liknande? Berätta för varandra om era egna upplevelser.

Gör ordövningen i övningsboken innan du börjar med nästa övning.

s 109

5 A Arbeta 3–4 stycken. Fråga varandra.

1 Vad är det längsta du har sprungit/cyklat/simmat/åkt skidor?
2 Vilken är din jobbigaste/roligaste/bästa idrottsupplevelse?
3 Finns det någon tävling du skulle vilja vara med i eller något speciellt mål du skulle vilja nå i någon idrott?
4 Om du måste välja att delta i en av följande tävlingar, vilken skulle du välja? Vilken skulle du absolut inte vilja delta i? Varför?

- åka skidor 9 mil
- cykla 30 mil
- simma 3 kilometer i en älv
- springa 3 mil i terräng

EN SVENSK KLASSIKER

Tycker du att det verkar kul att åka 9 mil på skidor från Sälen till Mora i Dalarna? Skulle du orka sitta 20 timmar på en cykel för att köra runt Vättern, Sveriges näst största sjö? Eller vad sägs om att simma 3 kilometer i en kall älv? Hur låter 3 mils löpning i kuperad terräng? Om du tycker att de här sakerna låter lockande, borde du göra En svensk klassiker.

Det är en tävling där man gör Vasaloppet, Vätternrundan, Vansbrosimningen och Lidingöloppet under ett år. Hittills har ungefär 30 000 personer accepterat utmaningen. Man började med En svensk klassiker 1971 och sedan dess har 8 personer hunnit göra den 25 gånger. Det finns också en tjejklassiker med lite kortare distanser.

Vasaloppet hålls alltid den första söndagen i mars, men den som inte vill tävla kan åka i Öppet spår några dagar innan, alltså samma bana men utan tävlingsmomentet. Utefter banan finns kontrollstationer där man får blåbärsoppa att dricka för att få energi. Det går åt mängder av blåbärssoppa, 5 500 liter ungefär. I Vasaloppet deltar både amatörer och professionella skidåkare. Den mest kända vinnaren hittills, är Nils "Mora-Nisse" Karlsson som vann Vasaloppet 9 gånger mellan 1943 och 1953. Loppet har blivit känt i hela världen och Vasalopp har anordnats utanför Sverige i Minnesota i USA, i Changkun i Kina och i Ashikawa i Japan.

Vätternrundan är ett 300 kilometer långt cykellopp. Det är Nordens största motionslopp på cykel och hålls alltid fredag och lördag helgen före midsommar. Start och mål är i Motala. Att cykla så långt tar förstås olika lång tid för olika personer och de långsammaste kommer i mål efter 30 timmar. Det är inte tillåtet att köra bil direkt efter Vätternrundan eftersom de flesta är ganska yra i huvudet efter att ha cyklat så länge.

Vansbrosimningen är världens största simtävling och äger alltid rum andra söndagen i juli. Man simmar 2 000 meter medströms i Vanån och 1 000 meter motströms i Västerdalälven, totalt 3 000 meter alltså. Många använder våtdräkt för vattnet är ofta ganska kallt, men torrdräkt är inte tillåtet att använda.

Lidingöloppet är världens största terränglopp och går alltid sista lördagen i september. Sedan 1965 har 500 000 personer sprungit de 30 kilometerna. Många säger att det nästan är lika jobbigt som ett maraton eftersom man springer så mycket uppför och nedför. Terrängen är nämligen mycket kuperad.

Det finns faktiskt personer som tycker att En svensk klassiker inte räcker och letar efter en större utmaning. En man bestämde sig för att göra En svensk klassiker fyra gånger på ett år. Han gjorde en hel klassiker vid varje lopp. Direkt efter Vätternrundan t ex åkte han rullskidor (skidor med hjul), simmade och sprang motsvarande distanser som i de andra loppen.

Gustav Vasa

I början av 1500-talet styrde den danske unionskungen Christian Sverige och han var ganska impopulär. Flera svenska adelsmän försökte ta makten i Sverige och en av dem hette Gustav Vasa. Enligt en kanske inte helt sann historia, reste han till Dalarna för att samla ihop en armé av dalkarlar för att kriga mot den danska kungen. Men de var svåra att övertala så till slut gav Gustav upp och lämnade Sälen på skidor. Då ändrade sig dalkarlarna och åkte efter och de hann ikapp honom i Mora. Gustav marscherade med sin lilla armé mot Stockholm och besegrade den danske kungen.

Han blev själv kung den 6 juni 1523 och samma dag firar vi numera nationaldag. Man kan säga att Gustav Vasa var det moderna Sveriges första kung. Han tog ifrån den katolska kyrkan allt land och alla pengar och införde en lutheransk statskyrka. Man översatte också Bibeln till svenska för första gången. Denna process kallas reformationen. När han dog blev hans söner kungar, en efter en, för Gustav Vasa hade infört en arvsmonarki, där kronan ärvdes. Tidigare hade man valt kungar.

Det första Vasaloppet ordnades år 1922 till minne av hans skidfärd.

B Hitta motsatserna till orden i texten ”En svensk klassiker”.

1 stå upp
2 platt
3 start
4 första
5 efteråt
6 exakt
7 en förlorare
8 förbjudet
9 med
10 nedför

C Finns det några ”klassiska” sportevenemang i andra länder? Berätta för varandra. 

D Maria har gjort ”En svensk klassiker”. Diskutera vad ni tror att Maria har svarat på frågorna här nedanför.

- Varför gjorde du det?
- Vad var jobbigast?
- Vad var roligast?
- Kommer du att göra det igen? Varför? Varför inte?

E Läs sedan texten högt i par. En person är journalist den andra är Maria. Byt roller.

Maria, 37, barnpsykiater

Maria

– Varför gjorde du det?
– För att det är en fysisk och psykisk utmaning, men inte för att bevisa något för andra. Några kompisar som hade gjort klassikern före mig peppade mig att också göra det.

– Vad var jobbigast?
– Vätternrundan var psykiskt och fysiskt jobbigast. Att sitta på en cykel i 16 timmar är påfrestande. Jag försökte att inte tänka på hur långt det var kvar för att undvika en ångestattack. I stället tittade jag på omgivningarna, terrängen och medtävlarna. Jag försökte fokusera på ”här och nu”.

Lidingöloppet var också jobbigt.

För att orka hade jag bilden från filmen ”Sagan om ringen” i huvudet, där Aragon och de andra springer hela tiden. I filmen ser det så lätt ut!

– Vad var roligast?

– Trots att det var så jobbigt var Vätternrundan roligast. Det är vackert runt Vättern och det är en riktig prestation att klara av den. Det var trevligt och folk som cyklade var vänliga. Många olika typer av personer deltog, allt från elitcyklister till tanter med cykelkorgar med kaffe och bullar.

– Kommer du att göra det igen? Varför? Varför inte?

– Jag kanske gör det igen. Det är bra att ha något att träna för, ett mål. Kanske inte, förresten. Vasaloppet och Vätternrundan deltar jag gärna i igen, men de två andra loppen vill jag nog inte göra om.

F Skulle du vilja göra ”En svensk klassiker”? Varför? Varför inte? Diskutera med din partner.

6 Fyra personer berättar om hur de förberedde sig för olika lopp i ”En svensk klassiker”.

A Lyssna utan att titta på texten på s 135–136. Till vilka lopp i ”En svensk klassiker” hör orden, tror du?

	SKIDÅKNING	CYKLING	SIMNING	LÖPNING
1 sadel				
2 valla				
3 bassäng				
4 nysnö				
5 våtdräkt				
6 skador i knäna				

B Lyssna sedan och kolla om du hade rätt.

C Lyssna igen och fyll i rätt svar.

	1 TJEJ-VASAN	2 VÄTTERN-RUNDAN	3 VANSBRO-SIMNINGEN	4 LIDINGÖ-LOPPET
1 Hur länge tränade han/hon före tävlingen?				
2 Hur ofta tränade han/hon?				
3 Hur snabbt körde de loppet?				

D Jobba två eller tre. Välj en av de fyra texterna att läsa. Hjälp varandra med nya ord och använd ordbok för de ord ni inte kan. 

E Skriv upp stödord. Återberätta sedan era texter för varandra.

Tjejvasan

Charlotte

Snön föll i Stockholm på annandag jul och låg fram till Tjejvasan sista helgen i februari så vi hade bra träningsmöjligheter. Vi åkte skidor varje helg och ofta en till två kvällar i veckan. Vår skidcoach lärde oss att valla vilket tog mycket tid. Det var faktiskt jättespännande. Valla är ett vax som du sätter under skidorna. Du måste veta hur du ska valla vid olika temperaturer och snötyper. Är snön blöt eller torr, ny eller gammal? Det är svårast att valla när det är nysnö.

När vi tränade åkte vi ofta 2 mil. Två mil körde vi på cirka 2 timmar och 20 minuter. Men vi körde också korta snabba lopp för att förbättra tempo och kondition. Varje gång tränade vi i 2–3 timmar. Vi övade också teknik genom att stå stilla på skidorna och dra oss fram med armarna för att träna rygg- och armmuskler. Vi gick ofta på gym för att bli starkare.

Jag körde Tjejvasan på 3:29:40. Det tyckte jag var ett bra resultat för att bara ha tränat i två månader.

Vätternrundan

Maria

Det första jag gjorde var att köpa en ny cykel, en racer. Det var ca tre månader innan loppet. Jag cyklade pass på 2–4 mil så ofta jag hann, ofta fyra gånger i veckan. När loppet närmade sig tog vi en långtur Östersund – Åre, ca 10 mil. Totalt cyklade jag ungefär 50 mil. Strax innan loppet köpte jag en ny sadel, en delad sadel som jag inte hade provat ut. Det är lite som att springa ett maratonlopp med helt nya skor. Lite riskabelt, men det gick bra. Jag körde Vätterrundan på 15 timmar och 40 minuter.

Vansbrosimningen

Ungefär 2 månader innan loppet började vi simma i simhall (i en 25-metersbassäng) bland en massa barn. Vi simmade en till två gånger i veckan, ca en kilometer per gång. Som mest simmade jag två kilometer på en gång.

Niklas

Jag gillar inte att simma, så det var urtråkigt. Det enda som var roligt var att se att jag förbättrade mina tider successivt.

Innan själva loppet drack jag en särskild kolhydratdryck eftersom jag var rädd att energin inte skulle räcka hela vägen. Jag blev väldigt tung i magen av den och mådde illa under loppet. Jag var nära att kräkas.

Jag var rädd att jag skulle frysa också, så jag smorde in mig med ullfett (i stället för att använda våtdräkt, som de flesta andra gör). Det var ovanligt varmt i vattnet (21 grader) så ullfettet var helt onödigt. Det var nästan omöjligt att tvätta bort med tvål – jag luktade ull i en hel vecka, äckligt! Jag simmade Vansbrosimningen på 1 timme och 9 minuter.

Lidingöloppet

Jag började träna ca 11 mån innan Lidingöloppet, först med korta rundor på 3–4 kilometer för att långsamt bygga upp till en nivå på 10 kilometer som jag sprang 2–3 gånger i veckan. Jag sprang också med några kollegor på lunchen en gång i veckan. Det var väldigt inspirerande för de visste mycket om tempo och andra viktiga saker. ”Skynda långsamt” är ett bra motto. Det är lätt hänt att man anstränger sig för mycket och därför får skador. Jag fick också en del skador i knäna och fötterna p g a dåliga skor.

Magnus

När jag började springa längre än tio kilometer blev det jobbigt. På längre distanser kan man inte springa lika snabbt och man blir trött. Man måste veta hur man ska planera sin träning. En gång i veckan sprang jag 15–20 kilometer. Man behöver faktiskt inte träna på att springa 30 kilometer för att springa Lidingöloppet. Men man behöver prova att vara ute och springa i två timmar. Det är svårt att träna längre pass än två timmar för då behöver man ha med så mycket vatten.

Loppet gick bra och jag sprang på 3 timmar och 13 minuter.

Fraser med 'gå'

s 110

Skrivtips

De flesta tidningar och tidskrifter har en insändarsida där läsarnas brev publiceras. En insändare handlar ofta om ett aktuellt problem.

Till alla snusare

Jag är så trött på alla snusare. Det är inte så trevligt att sitta på bussen när någon tar upp en snusdosa och börjar gräva i den. Snus luktar illa. Och att spotta ut sitt snus på gatan är verkligen ofräscht. Går man på krogen och börjar prata med någon som man tycker ser trevlig ut, blir man verkligen äcklad och besviken när personen ler och man ser en påse snus under läppen. Att kyssa en snusare, vill jag inte ens tänka på. Kort sagt, snus är äckligt. Och i dag när rökarna har förstått att det inte är okej att röka överallt tycker jag det är dags för snusarna att förstå att det inte passar att snusa överallt. Jag tycker att vi ska införa snusfria zoner. Och varför inte börja i kollektivtrafiken? Då slipper vi ickesnusare lida av denna illaluktande och oaptitliga drog i alla fall på väg till och från jobbet.

/En fräschare vardag

PS. Jag tror att vi skulle få flera sammanboende och gifta om svenska män och kvinnor snusade mindre.

Kära ”en fräschare vardag”.

Du skriver att man borde förbjuda snus i kollektivtrafiken. Jag är inte säker på att det är rätt …

7 A Svara på insändaren om snus.
När du svarar på en insändare kan du göra så här.

- Börja med att referera till den insändare du svarar på.
- Återkoppla till vad som står i insändaren och ge dina egna kommentarer.
- Sammanfatta.

Inleda
Signaturen X skriver att ...
Du [signatur], som skrev om ...

Argumentera
X skriver att ... men det kan jag inte riktigt hålla med om.
X har rätt i att ... men ...

Avsluta
En bättre idé vore att ...
Skulle det inte vara bättre att ...

B Skriv en egen insändare om ett valfritt ämne.
När du skriver en insändare kan du göra så här.

- Börja med att introducera ditt ämne.
- Beskriv så livfullt som möjligt vad du upplever som bra eller dåligt.
- Presentera din åtgärd, gärna med något argument.

Introducera ämnet
Varför ...?
Jag är så trött på ...
Har ni också undrat varför ...
Jag blev så glad när ...

Beskriva problemet
Det är/dåligt/hemskt/oacceptabelt/ inte så bra att ...

Föreslå lösningar
Därför bör vi/man ...
Jag tycker/anser att man bör ...
Varför kan vi inte ...?

C Svara på en partners insändare.

Till sist s 111–112

13

1 A Vilka fraser har att göra med jul, påsk och midsommar?
Prata med din partner.

klä en gran	äta skinka och doppa bröd i skinkbuljong
ha en bock av halm inomhus	ta in ett björkris med fjädrar
äta sill, färskpotatis och jordgubbar	dansa runt en stång med blommor
ha en krans av blommor på huvudet	vara uppe hela natten tills solen går upp

B Vad vet ni mer om de här högtiderna och hur de firas i Sverige?

C Läs texterna och se om ni hade rätt.

Jul

Julen är årets största högtid i Sverige. De flesta svenskar tar ganska lätt på julens kristna bakgrund och ser juldagarna mer som ett tillfälle att under den mörka årstiden fira med levande ljus och god mat. För barnen är julklapparna viktigast. De vuxna tänker nog mer på maten och samvaron med släktingar.

Redan fyra söndagar före julafton, börjar julfirandet så smått med första advent, när man tänder det första av fyra ljus, äter pepparkakor och saffransbullar (som på lucia kallas lussebullar) och dricker glögg eller kaffe. Kakor och saffransbullar och godis fortsätter man att frossa i hela julperioden.

Vid lucia börjar många känna sig stressade, för det är mycket som ska ordnas till julafton den 24 december. Julmaten ska lagas och huset ska julpyntas, sedan ska alla julklappar köpas (även om de minsta barnen tror att de kommer från tomten). På den stora dagen är många ganska slutkörda av alla förberedelser. Därför har en del familjer i dag börjat fira i mindre skala, kanske med färre släktingar, med färre rätter på julbordet och utan lika många julklappar till barnen och kanske inga julklappar alls till de vuxna. Men det finns många som i stället firar mer och mer varje år. Och julhandeln som börjar redan före advent brukar faktiskt slå nya rekord, år efter år.

Julgranen brukar man ta in dagen före julafton och klä med elektriska ljus och prydnader av t ex halm. Under granen lägger man julklapparna om det inte är tomten som kommer med dem. Bredvid granen står ofta en bock av halm, en julbock. Detta är en rest från det urgamla julfirandet som fanns före den kristna julen. Bocken var symbol för guden Tor.

Maten på julafton är mycket traditionsbunden för de flesta. Julmaten är en variant av smörgåsbordet, alltså en buffé med varma och kalla rätter. Viktiga inslag är sill i olika former, kokt skinka och ofta dopp i grytan. Detta dopp går till så att man doppar skivor av ett sött bröd i grytan med buljongen från skinkan. Till julbordet dricks det öl och snaps och till snapsen sjunger man snapsvisor.

Efter julafton kommer juldagen och annandagen, när man träffar de släktingar och vänner som man inte firade julafton med. Både juldagen och annandag jul är röda dagar. Har man tur ligger de i anslutning till en helg. Då blir det fem lediga dagar inklusive julafton som alltid är ledig.

I mellandagarna, mellan jul och nyår, har många affärer rea och för vissa är det en riktig sport att göra så många fynd som möjligt.

rödkål

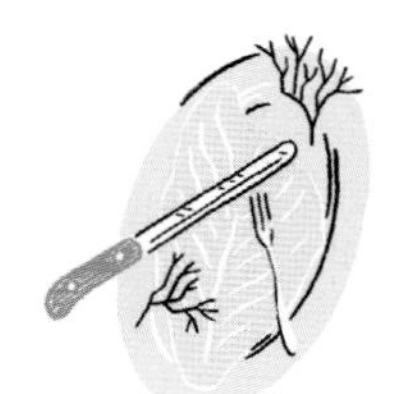

gravad lax

inlagd sill

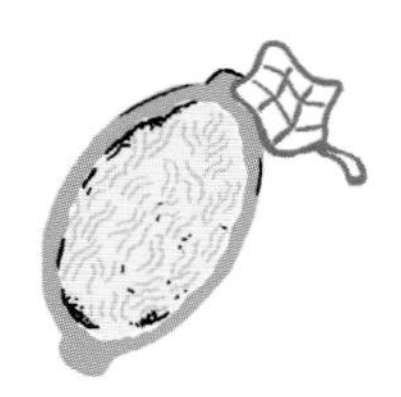

Janssons frestelse

D I vilken ordning tror du att man äter följande rätter på julbordet?
Man kan dela in rätterna i förrätter och huvudrätter.
Det finns *en* efterrätt.

lutfisk

sillsallad

julkorv

julskinka

revbensspjäll

risgrynsgröt

grönkål

köttbullar

Påsk

Påsken har inte lika många fasta ritualer och traditioner som julen och är inte heller en lika stor högtid. Egentligen inleds påsken med fastlagen, de tre dagarna före den 40 dagar långa fasta som man hade före påsk i det katolska Sverige, det vill säga fram till Gustav Vasas reformation.

Under fastlagen skulle man äta så mycket som möjligt, bland annat semlor, för att förbereda sig för fastan. Under fastan fick man inte äta kött eller ägg. Men medan folk avstod från ägg, la hönorna förstås lika många ägg som vanligt, så det fanns ovanligt mycket ägg just till påsk. Därför är det inte så konstigt att äggätande har blivit synonymt med påsk.

En gammal sed är att ta in ett björkris till påsk. Förr i tiden slog man varandra med riset, mest på skoj. I dag dekorerar vi riset med färgade fjädrar och njuter av de små björklöven som slår ut efter ett tag och påminner om att våren är på väg.

Torsdagen före påsk heter skärtorsdagen och då klär många barn ut sig till påskkärringar och går runt och knackar på hos grannar och hoppas på att få lite godis eller en slant. Som tack delar de ut påskkort som de ofta har ritat själva. På vissa ställen kommer påskkärringarna på påskdagen i stället.

Att påsken firas till minne av Jesus död och uppståndelse känner inte alla till i dag. Men för inte så länge sedan var speciellt långfredagen en viktig religiös dag. Det var den dag då Jesus dog och därför skulle man vara tyst och lugn. Man fick inte arbeta och barn fick inte leka. Fram till 70-talet var alla nöjeslokaler stängda och på radio hördes bara religiös musik.

Själva påskafton firas med familj eller vänner. Många målar ägg som sedan äts upp. Annan omtyckt mat på påsken, är olika sorters sill, strömming och böckling och till huvudrätt äter man gärna en lammstek.

Midsommar

Denna högtid har firats mycket länge i Sverige, längre än kristendomen funnits i landet. I dag firas midsommar alltid på fredagen som infaller mellan den 20 och 26 juni. Men från början firades den vid sommarsolståndet, den 21 juni, årets kortaste natt. Denna natt var förr i tiden en mystisk natt, när mycket kunde hända. Flickor plockade sju sorters blommor och la under huvudkudden för att drömma om den som de skulle gifta sig med. De kunde också äta salt för att drömma om att deras framtida man skulle komma med vatten.

På midsommarafton roade man sig med dans runt en lövad stång dekorerad med blommor. Man brukade också klä ut sig till lövgubbe genom att täcka sig helt och hållet med blommor och blad. I dag dansar vi fortfarande runt midsommarstången, men lövgubben har nästan helt försvunnit. Kanske är de blomkransar som vi sätter på huvudet på midsommarafton en rest av lövgubbetraditionen?

Till midsommar äts mycket sill, faktiskt mer än under andra högtider. För det mesta finns den första svenska färskpotatisen i affärerna då. Vi kokar den med dill och äter den med en klick smör, en högtid för alla potatisälskare. Och de första svenska jordgubbarna brukar snabbt ta slut i affärerna och på torgen. Jordgubbar med lättvispad grädde är en självklar dessert på midsommarafton.

dricker glögg och kaffe
julhandeln slår rekord

Obestämd form av substantiv utan artikel

s 113–114

E Vad finns det för viktiga högtider i andra länder? Berätta om dem. Skriv först ner stödord. Den som lyssnar antecknar viktiga ord och återberättar sedan det viktigaste.

Högtidsångest

Många älskar högtider och helgdagar. För andra är det mest jobbigt och besvärligt. Att många tycker att högtider är en plåga kan bero på att man känner sig tvungen att träffa släktingar som man egentligen inte gillar, att man inte har tillräckligt med pengar för att fira, eller att man inte har någon att fira med.

2 A På ett internetforum om högtider skriver folk om sina problem med att fira olika dagar. Ett virus har tyvärr blandat ihop olika inlägg med varandra. Pussla ihop de fyra inläggen.

a Dans runt stången, hej och hå! Snart närmar sig årets största ångesthögtid för mig. Vi ska fira ute på landet hos mina svärföräldrar. Det blir allt det vanliga med sillunch ute trots regn och dans runt stången som tyvärr alltid ramlar omkull för att ingen i släkten är tillräckligt mycket ingenjör för att resa en stång ordentligt.

b Eftersom vi inte fått någon inbjudan i år, tänkte jag och min sambo att vi skulle ordna en fest själva. Jag skickade ut inbjudan i god tid.

c Jag vill helst fira med någon fräsch sallad. Men min familj och min släkt är helt traditionsfixerade. De bara måste ha dopp i grytan och allt det där. Vad ska jag göra? Tacksam för svar/ Paula

d Jag är rädd att det blir för mycket ... Både magen och tänderna mår dåligt, och de vägrar att äta vanlig mat under hela helgen. "Oroliga mamman ..."

e Hittills har jag inte fått några svar alls. Ingen kan bestämma sig. De väntar väl på att något roligare ska dyka upp? Det känns inte så kul att planera för fest om man inte vet om någon kommer...
/Ledsen värdinna

f Julmat = problem
Hej alla julhatare och julälskare. Nu närmar sig julen och de flesta förbereder all julmat.

g Men det stora problemet för mig är att min fru dricker lite för mycket. Det börjar redan vid lunchen med öl och snaps och sedan fortsätter det till grillningen med vin. Sedan sitter hon med släkten och dricker hela natten.

h Gott nytt år?
Och snart är året slut, det måste firas, eller hur? Härligt med en trevlig middag hemma hos någon god vän, med fyrverkerier till midnatt.

i Tandläkarakuten nästa?!
Finns det någon där ute med samma problem som jag? Eftersom jag är frånskild, får mina tre barn påskägg från mig och mina föräldrar, från min nya sambos familj, från min exmans familj och från hans nya frus familj.

j Tyvärr gillar jag inte någon av alla dessa rätter. Faktum är att jag tycker att allting är jätteäckligt och jag kan inte tänka mig att laga eller äta en enda liten julkorv eller skinkbit.

k Vad ska jag göra? Jag vill ju att midsommar ska bli ett fint minne för våra barn. Det är lite svårt med en mamma som alltid blir full på midsommar. I vanliga fall brukar hon dricka "lagom", men det är alla snapsarna som skapar problem.
/En pappa som bryr sig

En sökning på ångest på internet gav följande träffar:
jul + ångest 239 000
nyår + ångest 108 000
påsk + ångest 109 000
midsommar + ångest 306 000

B Jobba 3–4 personer. Välj varsitt inlägg och skriv ett svar. Ge era svar till den person som sitter bredvid er, och svara på det svar som du fått.

Exempel:

Svar till Oroliga mamman
Jag tycker att du ska …
Hälsningar Petra

Svar till Petra
Petra! Det tycker jag var en jättedålig idé. Varför ska Oroliga mamman …?

C Titta i en svensk almanacka. Vilka dagar är röda?
Vad står de för? Vad gör man på de olika dagarna?

Gör gärna övningen i övningsboken innan ni börjar med nästa övning. 

3 **A** Jobba 2–3 personer. Titta tillsammans på illustrationerna på nästa sida, innan ni läser texterna. Berätta för varandra vad ni vet om figurerna.

OSÄKER
Jag är inte säker men jag tror att …
Jag vet faktiskt inte men kanske …
Jag är lite osäker men jag skulle tro att …

B Läs sedan en text var och berätta för varandra. Den/de som lyssnar antecknar. Svara sedan tillsammans på frågorna i C.

Tre svenska högtidsfigurer

Lucia

Tidigt på morgonen den 13 december kommer Lucia vitklädd med en krona av ljus på huvudet. Hon och hennes följe, som består av tärnor, stjärngossar och en tomte, sjunger och bjuder på lussebullar.

Det är inte helt lätt att reda ut varifrån luciatraditionen som den ser ut i dag kommer. Den är ett resultat av en blandning av olika traditioner från olika delar av Sverige och från utlandet. Lucia var en martyr som dog på Sicilien år 304. Den 13 december var hennes dag och lucianatten var tidigare årets längsta. Den natten hände många konstiga saker, bland annat kunde djuren tala och troll och andra figurer som vanligtvis var osynliga blev synliga. Man blandade ihop namnen Lucia och Lucifer, alltså djävulen, så många var lite rädda för henne. Eftersom så mycket konstiga saker hände på lucianatten var det bäst att hålla sig vaken. Ungdomar gick också runt och sjöng och tiggde bland gårdarna.

Lucian med ljus i håret som bjuder på lussebullar och kaffe dök upp på 1700-talet i västra Sverige, kanske med inspiration från Tyskland där det var ett Jesusbarn med ljus som bjöd på saffransbröd. Det moderna offentliga luciafirandet och sångerna är ett 1900-talsfenomen. Det var Stockholmstidningen som år 1927 ordnade ett luciatåg genom stan. Luciasångens melodi är tagen från en italiensk visa. Texten skrevs under 1900-talet, men författaren använde många gamla ord så att sången skulle verka äldre. Sången börjar: ”Natten går tunga fjät runt gård och stuva”. Fjät betyder steg och stuva betyder stuga.

I dag har man luciatåg på dagis, i skolor och på arbetsplatser och ofta också i kyrkor, trots att luciatraditionen egentligen inte har så mycket att göra med kristendomen. Men många njuter i alla fall av de vackra sångerna och alla levande ljus som lyser upp den mörka decembermorgonen.

Påskkärringen

Förr i tiden trodde man på häxor. Det var kvinnor som kunde trolla och som man trodde samarbetade med djävulen. På påsken flög häxorna till en stor fest hos djävulen på Blåkulla. De red oftast på något djur (en ko eller en get) men ibland tog de också kvastar eller andra redskap. Därför var det viktigt att gömma undan allt som en häxa kunde rida på, natten mellan skärtorsdagen och långfredagen.

Tron på häxor fick tyvärr en tragisk konsekvens under 1600-talet. Mer än 200 kvinnor anklagades för att vara häxor och dödades genom att brännas på bål, ofta efter hemsk tortyr. Inte förrän i början på 1700-talet dömdes den sista häxan, men lagen om dödsstraff för trolldom fanns kvar fram till slutet av samma århundrade.

Påskkärringtraditionen började på 1800-talet. Då var det ungdomar och vuxna som klädde ut sig till häxor med skrämmande masker och en kvast. De kunde slänga ner stenar i skorstenen eller lägga en glasskiva över den så att huset blev fullt av rök. Dagens påskkärringar är snälla, som tur är.

Tomten

Jultomten har faktiskt två släktingar: den ena är den snälla tomten från Tyskland som är lång, vitskäggig och rödklädd och den andra är den svenska urtomten. Den svenska urtomten är mycket liten och gråklädd för att inte väcka uppmärksamhet. Han bor på bondgårdar hos djuren och hjälper till med det mesta som behöver skötas på en bondgård. Som tack ställer man ut en tallrik gröt på trappen på julaftonskvällen. Det är viktigt att vara snäll mot tomten för annars flyttar han till granngården. Han är nämligen ganska tjurig och inte alltid helt snäll.

Dagens svenska jultomte ser ut som sin tyska förebild, men han vill gärna ha lite gröt på trappen som sin svenska släkting.

Pappan i familjen eller någon manlig släkting brukar få uppdraget att vara tomte på julafton. Det gäller förstås att ha en bra utklädnad så att barnen inte ser vem det är. För att kunna gå iväg och klä om brukar man säga att man ska gå ut och köpa tidningen. Tomten bankar på dörren och kommer in och frågar:

– Finns det några snälla barn här?

En av de mest kända svenska dikterna är ”Tomten” av Viktor Rydberg (1828–1895). Man brukar läsa den på julen men den handlar egentligen inte om jultomten utan om den svenska urtomten och hur han nattetid kontrollerar att djur och människor mår bra på gården där han bor. Han funderar också på varifrån människorna kommer.

C Svara på frågorna.

1 Vad hände på lucianatten?
2 Vad hade Lucia med djävulen att göra?
3 När började man fira lucia som vi gör i dag?
4 Berätta om Luciasången.
5 Vad är häxor för något och vad trodde man att de gjorde på påsken?
6 Vad hände med kvinnor som man trodde var häxor på 1600-talet?
7 Vad gjorde påskkärringarna på 1800-talet?
8 Vilka två ”släktingar” har jultomten?
9 Berätta om den svenska urtomten.
10 Vad handlar dikten ”Tomten” om?

Tomten

Midvinternattens köld är hård,
stjärnorna gnistra* och glimma*.
Alla sova* i enslig gård
djupt under midnattstimma.
– – –

* Gammal pluralform av verbet = infinitiv.

Småord i talspråk

I talspråk använder vi ofta småord för att signalera olika saker: Om du känner till de här småorden blir det lättare att förstå talad svenska, men du bör vara försiktig med att använda dem själv. Det är ofta yngre personer som använder de här småorden.

'Alltså' används för att inleda eller avsluta en fras. 'Typ' och 'liksom' används för att ge rytm eller emfas åt det man säger. 'Typ' betyder också "ungefär". "Så här" har liknande betydelse och funktion. De kan sättas framför ord som man vill betona eller i slutet av en fras.

Exempel:
Alltså, farsan var typ sjuk och min brorsa typ vägrade.
Vad pinsamt det var, liksom.

Ordet 'ba' som från början är en förkortning av ordet 'bara' används i talspråk med betydelsen "sa", "frågade", "tänkte", "gjorde" ofta tillsammans med att man visar med kroppsspråk hur man själv eller en annan person gjorde.

Exempel:
Jag ba: Har ni varit snälla i år? De ba: öhhh.

I talspråk används ofta 'då' (uttalas [rå] efter vokal) eller 'då då' [dårå] i slutet av en fras.

Exempel:
Var var ungarna, då?

Gör övningen i övningsboken innan ni börjar med nästa övning.

Ö s 116

4 Lyssna på tre personer som pratar om när de var påskkärring, Lucia och tomte. Vad hände i de tre olika episoderna? Hur gamla är personerna, tror du?

Hallå! Vilken pinsam jul det var!
Å gud vad gulliga ni är!

Utrop

Ö s 117

Årets största högtid för mig!

Det är inte bara de traditionella helgdagarna som är viktiga.
Många personer har sina egna högtider.

5 A Vilka citat hör ihop med vilka personer och högtider? Prata med din partner. 

a Alla hjälps åt och det är en härlig stämning.
b Jag får för det mesta vad jag önskar mig!
c Jag äter en specialkomponerad middag framför teven. Det känns nästan som att jag är med själv.
d Konkurrensen är stenhård och domaren bestämmer allt. Men det gäller att förbereda sig själv och fixa till sin fyrfota vän ordentligt.
e Vi sätter egna poäng och hejar på våra favoriter.

1 Albert, 10 år

Min födelsedag så klart!

2 Bertil, 59 år

Hundutställningen i Älvsjö i november.

3 Gunilla, 62 år

Nobeldagen. Fest och flärd!

4 Gunnar och Barbro, 66 år

När vi fått henne i sjön börjar sommaren.

5 Marie, 32 år

Melodifestivalen är årets händelse.

B Läs igenom texterna snabbt och skriv rätt namn på linjen.

1 ______________________

När tidningarna börjar skriva om det läser vi allt! Vi lär oss allt om alla som deltar och personerna bakom varje låt. Min flickvän brukar komponera en speciell festivalmiddag för den stora dagen. Till den bjuder vi in massa kompisar. Först äter vi middag och sedan sätter vi oss framför teven … Jag älskar allt med festivalen: musiken, kläderna och spänningen. Vi brukar ha en ganska komplicerad röstning där vi röstar på låtarna både före, under och efter finalen. Sedan ser vi vem som kommer närmast det riktiga resultatet. Vem som brukar vinna? Jag förstås!

2 ______________________

Flera veckor innan årets största dag måste vi sätta igång och jobba. Vi måste skrapa och måla båten med en speciell färg. Vi städar och kollar att allt är helt. Vår båtklubb hyr en lyftkran, för då går det mycket lättare. Alla måste hjälpas åt att få båtarna i sjön eftersom alla 150 båtarna i vår båtklubb ska komma i vattnet samma dag. När vi är färdiga brukar vi ha ett knytkalas för att fira.

3 ________________

Långt i förväg skriver jag en önskelista till mina föräldrar. Först på listan brukar jag skriva "en häst" men jag har inte fått någon än. Mamma och pappa säger att de inte har råd. Kvällen före födelsedagen är det svårt att somna. Jag brukar vakna tidigt och ligger och lyssnar efter steg i trappan. När jag hör dem blundar jag och låtsas att jag sover. Mina föräldrar och mina systrar kommer in sjungande "Ja må han leva." Min lillasyster bär en stor tårta med ljus på. Jag blåser ut alla ljus och sedan är det dags att öppna presenterna.

På kvällen har vi middag för släkten och då äter vi tårta igen. Någon helg före eller efter födelsedagen har jag kalas för alla kompisar. Då får jag ännu fler presenter! Vi leker lekar som min pappa har organiserat (fiskdamm t ex när alla får fiska upp varsin stor påse med godis med ett metspö) och springer runt och skriker och busar. Mina föräldrar brukar vara väldigt trötta efter kalaset.

4 ________________

Tyvärr är jag ju inte bjuden vare sig på prisutdelningen eller på festen så jag tittar på allt på teve. Fast prisutdelningen tycker jag inte är så intressant, utan för mig är det festen som är det viktiga. Jag har köpt samma servis som de har i Stadshuset och jag brukar försöka laga lika festlig mat som de äter där. Sedan sitter jag och myser framför teven och njuter av att se kungen och drottningen och alla andra kända människor uppklädda och fina. Så drömmer jag förstås lite om att jag också var bjuden. Vad jag har på mig? Mina bästa finkläder så klart!

5 ________________

Min guldklimp har vunnit nästan allt som man kan vinna. Men jag fortsätter ändå för det är så roligt! De flesta av mina vänner håller också på. Och min före detta fru. Det var på förra utställningen som hon träffade en ny man. Hur som helst så måste man förbereda hunden ordentligt. Det är viktigt att den kan stå och gå snyggt och man måste verkligen borsta och kamma den ordentligt och se till att den är i toppform. Själva uppvisningen av ens egen hund går fort, men det är egentligen allt runt omkring som är roligt, att snacka med de andra hundägarna och se deras hundar. Det är förstås roligt om man vinner också men det är inte det viktigaste.

C Läs 2–3 texter var och berätta för varandra. 

D Vilken är årets största högtid för dig? Varför?

E Om du fick göra en helt ny helgdag, vilken dag skulle det då vara? Varför?

F Skriv en text om D eller E. 

6 A Stäng boken och lyssna. Vilka årstider talar de om?

Årstidssnack

1 ______________________

–Åh, jag älskar den här årstiden. Luften är klar och ren. Solen skiner och färgerna är underbara.

– Nja. Det är inte min favoritårstid direkt. Jag känner mig stressad av att komma tillbaka från semestern. Det är så många måsten. Allt ska hända nu.

–Ja, det är mycket som händer nu med skolstart och nya projekt på jobbet. Men på kvällarna är det så härligt att sitta inomhus och tända ett ljus och bara mysa.

–Nej, usch. Jag sitter bara och tänker: Nu går vi mot mörkare tider. Huh.

2 ______________________

– Gud vad jag är trött! Ingenting känns kul längre. Och jag orkar ingenting.

– Du kanske har fått en årstidsbunden depression. Det är vanligt den här årstiden när ljuset kommer tillbaka. Andra blir deprimerade när ljuset håller på att försvinna eller när det är mörkt. Men många är som du. Hjärnan har anpassat sig till mörkret och sedan när ljuset kommer blir man deprimerad.

– Så du menar att det finns höstdepression, vinterdepression och vårdepression? Ja, jag får väl gå till doktorn om det inte blir bättre.

3 ______________________

–Hur är läget?

–Så där. Jag kan inte sova. Fåglarna börjar kvittra klockan fyra på morgonen när solen går upp.

–Ja, men jag tycker det är härligt med fågelsång. Jag går ofta upp jättetidigt och sätter mig på balkongen och tittar på soluppgången.

4 ______________________

– Jag tycker att mörkret är tungt, speciellt när det inte finns någon snö.

– Jo, men de säger att det ska komma snö nu.

– Åh, äntligen! Snön lyser verkligen upp.

B Vilken tycker du är den bästa årstiden i Sverige eller i andra länder? Varför?

C Lyssna igen på dialogerna 1–4. Från vilken stad kommer personerna i dialogerna? Pricka in på kartan.

Ett grönt blad på marken

Grönt! Gott,
friskt, skönt vått!
Rik luft, mark!
Ljuvt stark,
rik saft,
stor kraft!
Friskt skönt
grönt!

Gustaf Fröding (1910)

Gustaf Fröding (1860–1911) är en av de mest folkkära svenska poeterna. Han skrev ofta om ensamhet och olycklig kärlek. Hans dikter var ibland mycket sorgliga men de kunde också vara mycket roliga. Ibland skrev han på Värmlandsdialekt. Gustaf Fröding var periodvis psykiskt sjuk. Dikten "Ett grönt blad" skrev han i slutet av sitt liv när han var intagen på mentalsjukhus. Den publicerades efter hans död.

7

A Vad handlar dikten om? Vilken är årstiden som Fröding beskriver i dikten? 

B Vilka rim finns i dikten?

Skrivtips

När man skriver en dikt kan man använda olika metoder.

Fri vers följer inga regler. Man kan använda sig av repetition och kontraster för att få struktur på dikten.

Exempel:

Vintern är en grå trasa.
Vintern är en skidfärd på gnistrande snö.
Vintern är storm och ensamhet.
Vintern är en middag med vänner
med tända ljus och en brasa som värmer.

I en dikt med **bokstavsrim** rimmar ord som börjar på samma ljud.

Exempel:

Hösten är här med hosta
gula glada glansiga blad
och jag jagar gärna min jakthund
genom parken.

I en mer **traditionell dikt** låter man sista orden på varje rad rimma. Man kan låta dem rimma på lite olika sätt: ABAB eller AABB eller på något annat sätt.

Exempel rim ABAB:

Sommaren är grön
och luften mycket frisk.
Jag har fått min lön
och ska köpa fisk.

Exempel rim AABB:

Sommaren är grön
och jag åker till ön.
Jag ska köpa fisk
av den blir jag så frisk.

8 Skriv en egen liten dikt om din favoritårstid. Använd någon av modellerna i rutan. 

Till sist s 118–120

14

1 A Hur är du?/Vilken personlighetstyp är du?
Titta på adjektiven här nedanför och sätt ett kryss där du tycker att det passar bäst in på dig själv.

	100%	50%	0	50%	100%	
lugn						temperamentsfull
självsäker						osäker
impulsiv						eftertänksam
ordentlig						slarvig
pessimistisk						optimistisk
praktisk						opraktisk

B Berätta för varandra om hur ni är. 

Det är lite olika i olika situationer, men oftast är jag …
Jag är inte ett dugg …, däremot är jag …
Andra tycker nog att jag är …, men personligen/själv tycker jag …
När jag var yngre var jag …, men numera är jag …
Jag har förändrats en hel del sedan …
Tyvärr är jag rätt så …

C Skriv en text om dig själv med inspiration av orden i tabellen. 

2 A Läs texten ”När tekniken och annat krånglar”. Diskutera vilka länder och nationaliteter som är bortplockade ur texten. Välj ur rutan.

Spanien spanjorerna	Sverige svenskarna	Schweiz schweizarna
Tyskland tyskarna	Frankrike fransmännen	Nederländerna holländarna

När tekniken och annat krånglar

De flesta av oss blir då och då rasande på teknik som inte fungerar. Vi förstår inte vad som är fel och vi känner oss totalt maktlösa. Raseriet kommer framför allt när vi inte klarar att lösa problemet. Vad gör vi? Ringer support? Eller skriker eller till och med misshandlar datorn?

Ett IT-företag gjorde en undersökning i nio europeiska länder, bland chefer i företag med fler än 200 anställda. Frågan var vad de gör när datorerna inte fungerar som de ska. Antalet tillfrågade i undersökningen var inte tillräckligt stort för att man ska kunna dra några säkra slutsatser, men vissa tendenser blev i alla fall tydliga.

Det visade sig att 63% av de tillfrågade cheferna i 1 ___________ var helt beroende av ett fungerande IT-system. I inget annat av de undersökta länderna var siffran lika hög. Därför var det naturligt att det var 2 ___________ som blev mest frustrerade när datorerna strejkade. Trots frustrationen reagerade de inte så aggressivt. Bara var femte angrep tangentbordet, var sjunde skrek och ungefär lika många kunde tänka sig att gå hem.

I 3 ___________ fann man de mest våldsamma reaktionerna. Där skrek och bråkade en klar majoritet. I 4 ___________ var reaktionerna liknande. I 5 ___________ och 6 ___________ packade däremot 25% av cheferna helt enkelt ihop och lämnade kontoret för dagen. 7 ___________ påverkades minst av alla av datorstopp. De flesta arbetade på som vanligt, men med andra arbetsuppgifter som inte krävde dator.

B Diskutera.

1 Hur reagerar du när datorer kraschar eller när annan teknik krånglar?

2 Hur reagerar du på oordning på jobbet?

Kontorskaos

På ITEK har man mycket att göra. Vaktmästaren har varit sjuk i två veckor och det börjar bli kaos på kontoret. Personalen är mycket irriterad och överallt hittar man olika lappar:

Avdelningschefen bestämmer sig för att det är dags att omedelbart ha ett möte och diskutera trivselfrågor. Han kallar alla till möte samma eftermiddag. Kollegerna är arga på varandra och för första gången i ITEK:s historia blir det ett öppet gräl.

Chefen: Vad fint att alla kunde komma med så kort varsel. Som ni säkert har märkt finns det en viss irritation här på kontoret vad gäller ordningen. Eller oordningen, kanske man skulle kunna säga.

Maggan: Ja, det vill jag lova. Så här rörigt har det inte varit på flera år. Och det är inte bara jag som är störd över det. Varför är det ingen som fyller på kopieringspapper till exempel?

Chefen: Ja, jag är medveten om att det är mycket som behöver göras. Just nu är situationen extra stressad eftersom vaktis är sjuk och alla har fullt upp …

Bengt: Ja, jag är fortfarande förbannad över att någon åt upp min kanelbulle. Och förrförra veckan var det någon som tog min frukt. Jag har faktiskt problem med blodsockret på eftermiddagarna. Så jag skulle vara tacksam om …

David: Det var ett himla tjat om din bulle. Om du vill kan jag gå ner och köpa en ny åt dig.

Bengt: Jaha, så det var du som tog den!?

David: Skyll inte på mig, det var inte jag som åt upp den. Men jag är bara så trött på ditt tjat. Det kanske finns något viktigare att diskutera än dina kanelbullar.

Chefen: Hörni, kan vi återgå till ordningen? Som jag sa så har vi problem med …

Elin: Och min mjölk! Vem är det som dricker upp den hela tiden? Jag blir galen när jag ska ta en kaffe och mjölken är borta!

David: Herregud, ska vi börja med mjölken nu också …

Elin: Men vadå, jag vill faktiskt ha min mjölk!

Chefen: Okej, jag hör vad ni säger, men nu måste vi faktiskt lösa den här situationen …

3

A I texten ”Kontorskaos” finns fraser som är typiska för talspråk. Hur kan man säga de understrukna fraserna på mer formell svenska?

- Alla <u>har fullt upp</u>.
- Jag är fortfarande <u>förbannad</u> över att …
- Det var ett <u>himla</u> tjat om din bulle.
- <u>Skyll inte på</u> mig.
- Jag <u>blir galen</u> …!

B Fortsätt dialogen muntligt eller skriv ett slut på dialogen. Försök att komma överens om några regler de ska ha på kontoret.

C Spela upp er dialog för de andra i gruppen.

D Diskutera.
Finns det något som irriterar er på arbetsplatsen eller på skolan/universitet?

Vem är det som har ätit upp min kanelbulle? (<u>Vem</u> har ätit upp …?)
Det är jag som har köpt den … (<u>Jag</u> har köpt den.)
Är det någon som har sett mina nycklar? (Har <u>någon</u> sett mina nycklar?)
… det var i måndags jag glömde dem. (Jag glömde dem <u>i måndags</u>.)

Emfatisk omskrivning (fokus på någon eller något).

4 Titta på meningarna här nedanför. Ändra dem till ”vanlig struktur”. 

Exempel:
Vem är det som inte diskar efter sig?

Vem diskar inte efter sig?

1 Är det någon som tror att disken diskar sig själv?
2 Vem är det som alltid dricker upp min mjölk?
3 Varför är det ingen som har fyllt på kopieringspapper?
4 Är det bara jag som gör det?

När man borde veta

Var är det du bor nu igen?
Eller: Var var det du bodde (nu igen)?

5 Ställ frågor till varandra om sådant ni borde veta.
Välj frågor från listan eller hitta på egna.

Exempel:
Varifrån är det du kommer (nu igen)?

- Varifrån kommer du?
- Vad heter din sambo?
- Var bor du?
- När fyller du år?
- Vad heter du i efternamn?
- När började du läsa svenska?
- Hur kommer du till kursen?
- Vilka språk talar du?

s 121–124

6 Kombinera ord och fraser.

Olika sätt att gå sönder

1 Skjortan kanske	a kraschar eller hänger sig.
2 Datorn	b hackar om den får fel bensin.
3 Spegeln	c torrfäller innan man tvättar dem.
4 En del otvättade jeans	d går av om du åker över en stor, vass sten i backen.
5 Någonting som är av dålig kvalitet	e spricker om du tappar den i golvet.
6 Motorn	f håller inte måttet.
7 Hjärtat	g krymper om du tvättar den i för hög temperatur.
8 Skidan	h brister när ens älskade lämnar en.

Trasig mobil

A: Hej. Kan jag hjälpa dig med något?

B: Ja. Jag köpte den här mobilen för två veckor sedan och den har redan gått sönder.

A: Aj, då, det var inte bra. Vad är det som har hänt?

B: Jag vet inte varför, men den stänger av sig hela tiden.

A: Du har inte tappat den i marken eller i vattnet eller något sådant?

B: Absolut inte. Jag har varit jätterädd om telefonen.

A: Hmm. Vi får ta in din telefon och titta närmare på den.

B: Men, jag behöver ju min telefon! Kan jag inte få en ny direkt i stället?

A: Nja. Vi måste som sagt undersöka telefonen för att se om det är ett fabrikationsfel. Men vi skulle kunna låna ut en annan telefon till dig under tiden. Det blir en enklare variant, men den har de viktigaste funktionerna. Har du kvittot med dig?

B: Javisst. Här är det.

A: Okej, då gör vi så här. Vi tar in din telefon och ser om vi kan laga den. Om det inte går får du en ny. Det går naturligtvis på garantin, så det kostar dig ingenting. Om jag får namn och telefonnummer så hör vi av oss så fort telefonen är klar. Vi sätter i sim-kortet i lånetelefonen så kan du börja använda den direkt.

7 **A** Diskutera hur ni skulle reagera i de olika situationerna.

1. Du har bokat rum på ett hotell i en vecka. På hotellets hemsida står det att hotellet har pool, men när du kommer till platsen visar det sig att poolen är stängd i tre dagar på grund av reparation.
2. Du bjuder en vän på restaurang för att fira hans eller hennes födelsedag. Du har bokat bord långt i förväg. Ni blir placerade i en mörk hörna av restaurangen och ni får vänta länge på maten.
3. Du köper ett par exklusiva jeans som du använder en månad innan du tvättar dem. Trots att du följer tvättråden krymper jeansen mer än en storlek i första tvätten.

B Välj en av situationerna (1–3) och skriv en dialog där ni klagar på det som är fel. 

FRASER FÖR ATT KLAGA

Ursäkta, men den här … var alldeles …
Jag har bara haft den/det/de här … i …, och den/det/de har redan …
Jag skulle vilja reklamera den/det/de här …
Det här var faktiskt inte vad jag hade väntat mig.
Jag har beställt … men …

FRASER FÖR ATT TA EMOT KLAGOMÅL

Det var tråkigt att höra.
Aj då, det var inte bra.
Vi/Jag ska genast …
Jag är hemskt ledsen, men …
Vi ska se vad vi kan göra åt saken.
Vi kanske kan …
som kompensation.
Tyvärr är det ingenting vi kan göra.

C Spela upp er dialog för de andra i gruppen.

D Välj en av situationerna (1–3) och skriv ett brev där du klagar på det du är missnöjd med.

MALL FÖR FORMELLT BREV SOM HANDLAR OM KLAGOMÅL:

Företagets namn Datum
Företagets adress

1) Rubrik
2) Skriv vad ärendet gäller.
   Exempel:
   Den ... köpte jag ett par jeans av märket ... hos er.
3) Skriv vad du är missnöjd med.
4) Uppge om du vill ha någon form av kompensation.

Underskrift
Namn och kontaktuppgifter
Adress

8

A Lyssna på dialogen och anteckna vad Gittan klagar på.

B Lyssna igen och anteckna hur Märta bemöter klagomålen.

C Jämför dina svar med din partners svar.

D Diskutera med din partner.

1 Hur bemöter man klagomål på bästa sätt, i jobbet och i privatlivet?
2 Hur klagar man på bästa sätt?

9

A Sök svaret på frågorna i texten ”Konsumentregler” utan att läsa hela texten. Svara kort på frågorna.

1 Hur länge gäller ett tillgodokvitto?
2 Ge två exempel på vad du har rätt att kräva om en vara går sönder under garantitiden.
3 När finns det risk att ett presentkort blir värdelöst?
4 Vad betyder ”öppet köp”?
5 Vad heter lagen som gäller om säljaren inte har gett dig någon garanti?
6 Vilka två saker måste man tänka på om man vill lämna tillbaka en vara och få pengarna tillbaka (öppet köp)?
7 Brukar man kunna få pengar för ett tillgodokvitto?
8 Hur måste informationen om garanti vara?
9 Hur länge gäller normalt ett presentkort?
10 Vad betyder bytesrätt?

Konsumentregler

Öppet köp

Öppet köp betyder att du kan återlämna en vara och få pengarna tillbaka om du ångrar ett köp. Det finns ingen lag som automatiskt ger dig rätt till öppet köp, men de flesta varuhus och affärer brukar erbjuda öppet köp utan att du behöver be om det.

Du bör kontrollera om affären tillämpar öppet köp innan du betalar en vara. Det är viktigt att det står på kvittot att öppet köp gäller. Spara alltid kvittot och om du ångrar ditt köp måste du lämna tillbaka varan innan öppet-köp-tiden går ut. Återlämna varan i samma skick som när du köpte den.

Bytesrätt

En del affärer som inte erbjuder öppet köp kan i stället ge dig bytesrätt. Det betyder att du kan lämna tillbaka varan och välja en annan i stället. När det är rea i affärer står det ofta: ”Reavaror bytes ej”, vilket är lätt att missförstå. Du har naturligtvis rätt att klaga på en reavara om det är något fel på den.

Tillgodokvitto

Om du vill byta en vara du har köpt, men affären inte har något som du vill ha, kan du få ett tillgodokvitto. Du kan använda tillgodokvittot att handla för vid ett annat tillfälle. Ett tillgodokvitto kan vanligtvis inte växlas till pengar och du kan inte heller få kontanter i växel om du handlar för en mindre summa än vad tillgodokvittot är utställt på. Ett tillgodokvitto gäller i tio år om det inte står något annat på det. Vänta dock inte för länge med att använda tillgodokvittot. Om affären byter ägare kan det bli värdelöst.

Presentkort

Ett presentkort gäller i tio år om det inte står något annat på det. Du kan vanligtvis inte lösa in ett presentkort i pengar och inte heller få kontanter i växel om du handlar för mindre än vad presentkortet är värt. Om butiken byter ägare, upphör eller går i konkurs kan du inte räkna med att kunna använda presentkortet.

Garanti

Garanti betyder att säljaren ansvarar för att en vara fungerar och behåller kvaliteten under en bestämd tid. Det är frivilligt för säljaren att lämna garanti.

Normalt brukar garantin gälla för en viss tid, till exempel ett år. Säljaren måste ge tydlig information om vad garantin innehåller. Informationen ska vara skriftlig. Om varan försämras eller går sönder under garantitiden har du rätt att kräva

- att varan repareras
- att du får en annan vara i stället
- att du får avdrag på priset
- att köpet går tillbaka.

I allmänhet är det reparation eller ny vara som gäller.

Garantin gäller inte om felet beror på till exempel

- att du har misskött varan
- att du inte har följt skötsel- och serviceinstruktionerna
- att varan har blivit skadad i en olyckshändelse efter att du har fått varan.

Om du inte har fått någon garanti eller om garantitiden har gått ut så gäller **konsumentköplagen**. Enligt den lagen har du tre år på dig att reklamera ett ursprungligt fel på en vara. Därför kan det vara bra att spara kvitton i tre år. Tänk på att ta en kopia på kvittot, det finns nämligen risk att texten på ett kvitto bleknar bort.

B Leta i texten efter ord eller fraser som betyder detsamma eller ungefär detsamma som orden i rutan. 

lämna tillbaka	inte obligatoriskt, inget tvång
ändra sig	bli sämre
en gång	pengar som dras bort
självklart	som fanns från början
förstå fel	blir vitare/ljusare
pengar (sedlar och mynt)	sköta dåligt
sluta att finnas	affärerna går så dåligt att man måste
oftast/för det mesta	lägga ner företaget
en produkt man köper	

… det finns nämligen risk att texten på ett kvitto **bleknar** bort.
Spegeln **spricker** om du tappar den i golvet.

Intransitiva verb

 s 124–126

10 **A** Ser du glaset som halvtomt eller halvfullt? Tror du att allt kommer att gå bra eller förväntar du dig att allt ska sluta i katastrof?

1 Tycker ni att Murphys lagar stämmer? Har ni egna exempel från verkligheten?

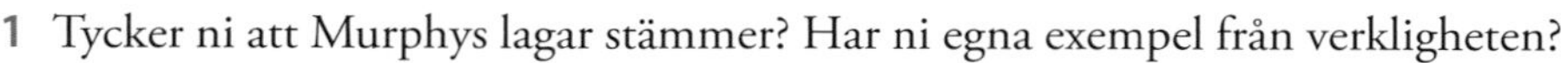

2 Välj tre av lagarna som ni tycker är bäst.

3 Kan ni komma på fler exempel på lagar om ”alltings jävlighet”?

Murphys lagar och andra lagar om alltings jävlighet

Allting som kan gå fel, går fel.

Ingenting är så enkelt som man tror.

Allting tar längre tid än man tror.

En sak behöver inte nödvändigtvis falla rakt ner, utan faller där den kan göra störst skada.

En smörgås faller alltid med smörsidan neråt.

Den andra kön går alltid fortare. Konsekvens: om du byter kö går den första fortare.

B Kombinera fraserna.

1 När något 'går åt skogen' eller 'åt pepparn'
2 När man har 'framgång'
3 Den som 'gnäller'
4 Att något 'ständigt' händer
5 En person som 'grubblar'
6 I stället för 'innebära'
7 Om man 'förutsätter' någonting
8 När man 'föreställer sig' något
9 Ett annat ord för 'någorlunda'
10 En person som 'ältar'
11 En som har 'ångest'

a är ofta på dåligt humör och klagar på allt möjligt.
b kan man använda 'betyda' eller 'medföra'.
c går det väldigt bra för en.
d tycker man att det är självklart.
e är 'ganska'.
f tänker på något negativt om och om igen.
g känner sig mycket orolig och mår psykiskt dåligt.
h går det riktigt dåligt.
i tänker och funderar mycket.
j målar man upp en bild av det för sig själv.
k betyder att det händer mycket ofta eller till och med hela tiden.

C Vad tror du att man kan lära sig av texten "Lär av pessimisterna"?

LÄR AV PESSIMISTERNA

Är du säker på att en presentation eller anställningsintervju ska gå åt pepparn? Hur många gånger har du hört från andra: "Tänk positivt – sluta gnälla!"?

Under de senaste årtiondena har medierna varit fulla av tips om hur man ska se positivt på livet. Budskapet har varit att optimism är nyckeln till framgång. För de mer pessimistiskt lagda människorna har det säkert varit jobbigt att ständigt höra dessa uppmuntrande ord.

På senare tid har man dock börjat se annorlunda på pessimisterna. En del forskare och psykologer menar att pessimister i vissa fall faktiskt är lyckligare än optimister. Pessimisten tar det onda i världen för givet och gläds över de ljusa stunder som trots allt finns, medan optimisten sitter och grubblar över klimatfrågor, krig och världens orättvisor.

En amerikansk psykologiprofessor, Julie K Norem, menar att det till och med kan vara en fördel för vissa att tänka negativt. Hon kallar en typ av negativt tänkande för defensiv pessimism. Den innebär i princip att man förutsätter att alla ens prestationer kommer att sluta i katastrof. Tester har visat att defensiva pessimister presterar sämre om de tvingas att tänka positivt. Om de får vara ifred med sin pessimism klarar de sig däremot minst lika bra som optimisterna.

Det som fick professorn intresserad av pessimismen var att hon gång på gång såg att mycket framgångsrika människor faktiskt var pessimistiskt lagda. Om de skulle hålla en föreläsning, gå på jobbintervju eller affärsmöte gick de runt och förberedde sig på ett stort misslyckande. Kanske hade det gått bra tidigare, men den här gången skulle det garanterat gå åt skogen. Trots de här negativa tankarna lyckades dessa personer nästan alltid, både socialt och i karriären.

Enligt Norem är de negativa tankarna ett sätt att hantera olika utmaningar i livet. En defensiv pessimist spelar för sig själv upp allt som kan gå fel: Datorn kanske hänger sig under föreläsningen, jag kanske glömmer vad jag ska säga eller föreläsningssalen kanske är dubbelbokad. Men en defensiv pessimist ger inte upp på grund av de negativa tankarna. Tvärtom kanske han eller hon arbetar extra hårt för att lyckas.

Med "vanliga" pessimister är det annorlunda. De ser ofta negativt på hela sin livssituation, ältar misslyckanden och undviker helst ångestskapande situationer. De vanliga pessimisterna skulle kunna lära sig att använda de defensiva pessimisternas strategier, att faktiskt föreställa sig värsta tänkbara scenario i olika obehagliga situationer.

Kan ett samarbete mellan en optimist och en defensiv pessimist fungera bra i arbetslivet? Enligt Norem är det svårt, men hon påpekar att det är mycket viktigt att den defensiva pessimisten förklarar vilka strategier han eller hon använder för att klara sig i livet. På så sätt kan förståelsen mellan dem bli större.

D Svara på frågorna. Försök att svara utan att titta i texten.

1 Hur kan, enligt texten, en pessimist ibland vara lyckligare än en optimist?
2 Vad är typiskt för en defensiv pessimist?
3 Varför blev professor Norem intresserad av att studera pessimister?
4 Vad är typiskt för "vanliga pessimister"?
5 Vad säger Norem om möjligheterna för optimister och defensiva pessimister att samarbeta bra?

E Diskutera.

1 Vad tyckte ni om texten?
2 Känner ni igen personlighetstyperna som beskrivs i texten? Berätta om några personer ni känner.

Skrivtips

Ett referat är en kortare version av en längre text (25–30% av ursprungstexten).

Innan man skriver ett referat måste man läsa ursprungstexten noga, så att man verkligen förstår den och kan återge den med egna ord. I början av referatet anger man källa, varifrån och när ursprungstexten är hämtad och vem som har skrivit den.

Första gången man nämner en person bör man ange personens titel. När man skriver vad en person har sagt eller tyckt använder man ofta referatmarkörer, till exempel: Julie K Norem, menar att ... /Enligt Norem är de negativa tankarna ... /men hon påpekar att ...

Ett referat som är fullt av citat blir ansträngande att läsa. Därför bör man citera så lite som möjligt. Det man citerar måste vara exakt som ursprunget och det ska stå inom citattecken.

Det är viktigt att man är helt objektiv i referatet, man får alltså inte framföra några egna synpunkter på textens innehåll.

11 Välj en artikel och skriv ett referat av den. 

I [tidning] den [datum] skriver XX om ...
Enligt XX ...
XX anser/betonar/förklarar/menar/påpekar att ...
XX varnar för ...
XX kommer in på frågan ...
XX avslutar med att ...

Till sist s 127–130

15

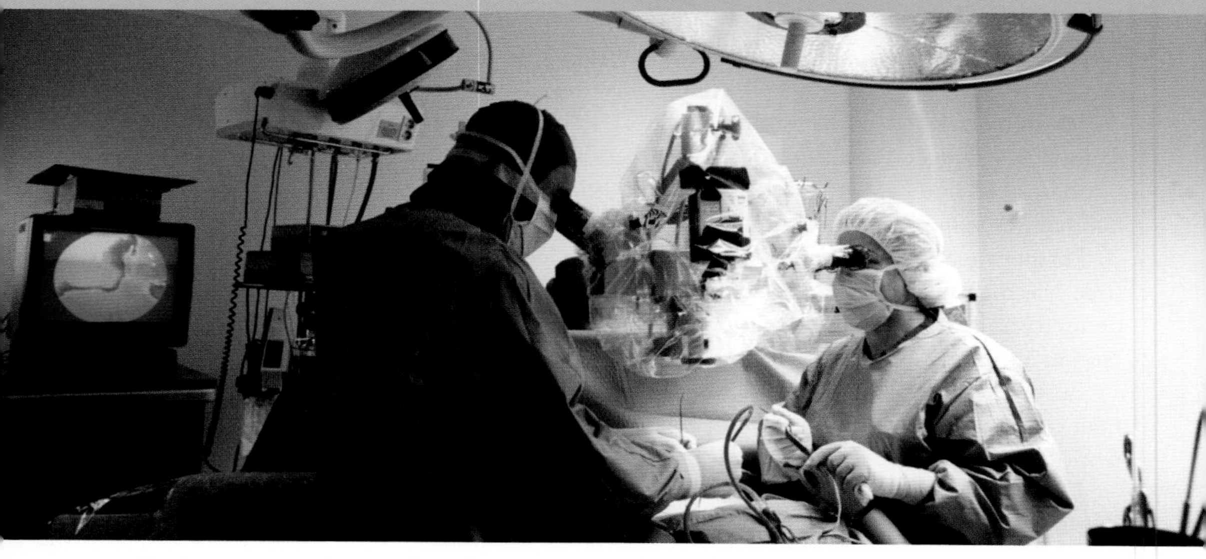

Ett bemanningsföretag frågade 20 000 svenskar vad som lockar dem mest hos drömjobbet. De tillfrågade fick välja mellan dessa svarsalternativ:

- Mitt drömjobb ger hög status.
- Det ger möjlighet till stor personlig frihet.
- Det är säkert och tryggt.
- Det ger mig möjlighet att hjälpa andra.
- Det ger möjlighet till hög lön.
- Det är spännande och personligt utvecklande.
- Det ger mig möjlighet att förbättra/förändra samhället.

1 A Gissa hur många procent av svenskarna som uppgav de olika alternativen. Välj ur rutan.

54% 17% 12% 7% 5% 3% 2%

B Kontrollera era svar i facit. Diskutera.

1 Var det något ni blev förvånade över?

2 Hur skulle svaren se ut i andra länder, tror du?

3 Vilket alternativ skulle du välja? Jämför med andra i gruppen och motivera ditt val.

De tillfrågade fick välja mellan **dessa** svarsalternativ …

Demonstrativa pronomen

ÖB s 131

2 A Lyssna på Anna som berättar om sitt jobb som flygvärdinna. Gör en lista på vad hon tycker är positivt och vad hon tycker är negativt med sitt yrke. Jämför din lista med din partners lista.

B Lyssna igen. Varför funderar Anna på att byta jobb?

C Diskutera frågorna.

1 När bör man byta arbetsplats?

2 När är det för sent att starta en helt ny karriär?

Ska du söka jobb i Sverige?

Missa inte chansen att få ditt drömjobb. Magnus Netterblad jobbar som karriärcoach och rekryterare. Här delar han med sig av sina kunskaper och knep.

» Det är inte så svårt som det kan verka. Med rätt förberedelser blir jobbet ditt! «

Testa dig själv!

1 Vad är skillnaden mellan en meritförteckning och ett CV?

a En meritförteckning är utförligare och mer detaljerad än ett CV.

b En meritförteckning är bara ett annat ord för CV.

c En meritförteckning är en mycket kort sammanfattning av det man har gjort. Ett CV är utförligare.

2 Hur långt bör ett CV vara?

a Max en sida.

b Max två sidor.

c Ju längre desto bättre.

3 Hur långt bör ett ansökningsbrev vara?

a Max en sida.

b En halv sida.

c Två till tre sidor.

4 Vilka är de två viktigaste frågorna du ska behandla i ditt personliga brev?

a "Vad har jag för erfarenheter?" och "Vilka är mina starkaste egenskaper?"

b "Vad har jag för mål med min karriär?" och "Varför vill jag ha jobbet?"

c "Vad är det som lockar mig att söka det här jobbet?" och "Vad kan jag bidra med?"

5 Du ska lämna referenser för ett jobb du söker. Du känner på dig att din senaste chef inte har så mycket positivt att säga om dig. Vad gör du?

a Du lämnar honom/henne som referens i alla fall.

b Du lämnar andra referenser i stället.

c Du struntar i att lämna referenser.

6 Du ska bli intervjuad av en av cheferna på ett företag där du har sökt jobb. Hur tilltalar du honom/henne?

a Du duar (säger du till) honom/henne.

b Du niar (säger ni till) honom/henne.

c Du säger herr/fru + efternamn.

7 Under intervjun får du som väntat frågan om dina svagheter. Hur svarar du?

a Du säger att du inte har några svagheter.

b Du berättar om någon svaghet, men talar samtidigt om hur du kan utnyttja dina styrkor för att kompensera den.

c Du pratar om någon svaghet som inte är så allvarlig, att du är lite morgontrött till exempel.

8 Företaget vill att du ska ange löneanspråk under intervjun. Du vill ha 28 000 kronor i månaden (före skatt) och tror att det är rimligt. Vad bör du lämna för anspråk?

a 28 000

b 30 000

c 35 000

Att skriva CV

Ditt CV ska vara en lättöverskådlig uppställning av dina erfarenheter och kunskaper. På ett par sekunder bör ditt CV kunna fånga en rekryterares uppmärksamhet. Därför ska ett CV ha en tydlig grafisk formgivning som gör det lätt att överblicka och lätt att läsa. Ett foto av dig själv på CV:t ger ett trevligt och personligt intryck.

Försök att skapa ett CV som visar det du själv vill framhäva och det du är duktig på. Men var försiktig med dina formuleringar, så att du inte framstår som "skrytig". Hoppa över erfarenheter som du själv inte är stolt över, eller erfarenheter långt tillbaka i tiden som inte alls är relevanta för jobbet du söker.

Skriv tydliga rubriker och lista under dem dina meriter i omvänd kronologisk ordning, d v s du börjar med det du gjort senast och går bakåt i tiden. Undvik att blanda typsnitt. Det ser bara rörigt ut. Ett CV kan innehålla följande rubriker:

Person- och kontaktuppgifter

Skriv ut namn, adress, telefonnummer, mejladress (inte till ditt nuvarande arbete, om du har ett sådant) samt det datum du är född (inte hela personnumret).

Utbildning

Skriv ner de utbildningar du har. Ange utbildningens namn och eventuell inriktning, var du läste den, vilken tidsperiod du gick utbildningen samt namnet på utbildningen/examen.

Kurser/fortbildning

Ange kursinnehåll och kursbeteckning. Sålla bland de kurser du har gått om det är många. Presentera bara dem som är intressanta med tanke på tjänsten du söker.

Arbetslivserfarenhet

Gör en lista över de arbeten du har haft och under vilken tidsperiod. Ange vilket slags tjänst det var och i vilket företag eller i vilken organisation. Berätta kort vilka arbetsuppgifter tjänsten innebar och vilka eventuella framgångar du hade. Skriv gärna något om företaget, storlek, inriktning, antal anställda, företagets större kunder osv.

Språkkunskaper

Lista de språk du har kunskaper i. Börja med det språk du kan bäst. Uppge vilken din nivå i respektive språk är samt eventuell utbildning i de olika språken. Använd gärna Europarådets nivåskala (CEFR) för att beskriva dina kunskaper i de olika språken (A1–C2). Om det är relevant för tjänsten du söker kan du ange dina färdigheter inom de olika områdena muntlig och skriftlig färdighet, samt färdighet inom hörförståelse respektive läsförståelse. Bifoga eventuellt länk till CEFR.

IT-kunskaper eller datakunskaper

Ange vilka program du behärskar och på vilken nivå. Använd termer som ”grundläggande kunskaper”, ”goda kunskaper” och ”mycket goda kunskaper” eller ”avancerade kunskaper”. Skriv eventuellt något om din utbildning inom data eller hur du har använt dig av din datakompetens, i arbetslivet eller privat.

Övriga kunskaper och erfarenheter

Skriv övriga uppgifter som kan vara av intresse för arbetsgivaren, t ex körkort, stipendier, längre utlandsvistelser och ideellt arbete. Ideellt arbete kan handla om oavlönat arbete inom exempelvis idrottsföreningar eller politiska organisationer. Ange föreningens eller organisationens namn, tidsperiod för uppdraget, samt namnet på din funktion eller ditt uppdrag. Skriv exempel på dina uppgifter och eventuella framgångar du har haft.

Referenser

Hänvisa till några olika referenspersoner som rekryteraren/arbetsgivaren kan ringa för att få lite mer information om dig. Referenspersoner kan vara före detta arbetsgivare, handledare, lärare eller kolleger. Glöm inte att fråga personerna innan du ger ut deras namn och telefonnummer.

… du börjar med det du gjort senast …

Presens perfekt eller preteritum perfekt utan 'har' eller 'hade'.

s 132

Presentera bara dem som är intressanta med tanke på tjänsten du söker.

Relativa 'som' eller inte

s 132

Språkferieskolan söker ungdomsledare till Hastings, England

Språkferieskolan är ett välrenommerat utbildningsföretag som har 20 års erfarenhet av att anordna språkresor för ungdomar mellan 14 och 17 år.

Som ungdomsledare ska du ta hand om ungdomarna och bo tillsammans med dem på vårt campus. Du ska se till att resan blir trivsam och minnesvärd för ungdomarna, planera och genomföra olika aktiviteter. Aktiviteter vi erbjuder är segling, paddling, vandring och utflykter till stadens sevärdheter.

Erfarenhet av arbete med ungdomar och mycket goda kunskaper i engelska är ett krav. Du måste ha lätt för att kommunicera och samarbeta, då mycket av arbetet sker i grupp, både med de andra ungdomsledarna och med språklärarna. Du förväntas tjänstgöra minst sex veckor under juli – augusti.

Skicka din ansökan med CV till:
Linda Lundgren
Språkferieskolan
Box 2211
110 00 Storstad

3 A Pernilla Svensson tänker söka jobbet som ungdomsledare på språkskolan i England. Hjälp henne att sätta ihop ett CV. Här är hennes levnadshistoria i korta drag.

Pernilla föddes den 25 maj 1985. Hon gick ut det samhällsvetenskapliga programmet på Hagaskolan i juni 2003. Hon var mycket intresserad av språk och läste engelska, franska och spanska. Under gymnasietiden jobbade hon extra en vinter (vintern 2002/2003) som skidlärare i Hagas slalomklubb. Innan dess hade hon gått Friluftsfrämjandets skidlärarutbildningar, steg 1 och 2 (Vintern 2001/2002). Hon tränade barn i 14-årsåldern som tävlade i slalom.

I september 2003 reste hon till London och jobbade som barnflicka i en engelsk familj. Två kvällar i veckan gick hon på kurs i engelska och avslutade med att ta Cambridgeexamen på B2-nivå. Hon stannade i familjen till juni 2004.

Hösten 2004 började hon på Lärarhögskolan i Stockholm. Hennes inriktning var engelska och franska. Vid sidan av studierna vikarierade hon på olika skolor i Stockholm (mest årskurs 7–9). Hon gillade att jobba med ungdomar i den åldern och tyckte att hon hade lätt att få kontakt med eleverna.

Innan Pernilla söker fast anställning som lärare skulle hon vilja pröva att göra något annat en sommar.

B Jämför det CV ni har skrivit åt Pernilla med ett annat pars CV. Har ni löst uppgiften på samma sätt?

Ansökningsbrev/personligt brev

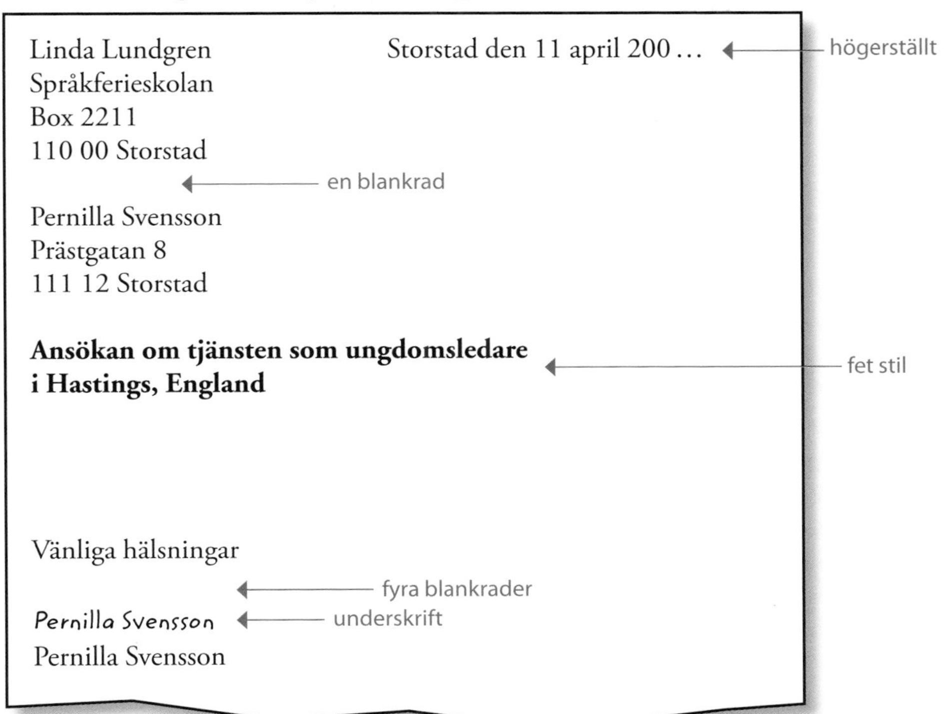
Linda Lundgren
Språkferieskolan
Box 2211
110 00 Storstad

Storstad den 11 april 200…

Pernilla Svensson
Prästgatan 8
111 12 Storstad

Ansökan om tjänsten som ungdomsledare i Hastings, England

Vänliga hälsningar

Pernilla Svensson
Pernilla Svensson

Innan du börjar skriva ansökningsbrevet kan det vara bra att ta reda på så mycket som möjligt om både tjänsten och företaget. Skriv ett nytt personligt brev till varje jobb du söker. Om du skriver samma brev till olika arbetsgivare finns risken att du blir lite för allmän i dina formuleringar.

Ansökningsbrevet ska vara välstrukturerat och lättöverskådligt. Det får inte vara längre än en A4-sida. Gör brevet lättläst genom att bara använda ett typsnitt och lämna marginaler på minst 3,5 centimeter både till höger och vänster. Då kan rekryteraren också göra anteckningar i ditt brev.

Anpassa innehållet och tonen i brevet efter företagets kultur. Tilltalet kan vara olika beroende på om du söker jobb på en reklamfirma eller en advokatbyrå. Försök att skriva enkelt och personligt, utan att för den skull bli alltför privat. Undvik långa och tunga meningar. Skriv bara om sådant som är viktigt för jobbet du söker.

Det viktigaste med brevet är att få fram varför du är intresserad av jobbet och vad det är som gör att just du passar för det. Försök att sätta dig in i arbetsgivarens situation; varför ska han eller hon anställa just dig?

Lyft fram dina starka sidor och kvalifikationer, men utan att överdriva. Glöm inte att exemplifiera dina starka sidor genom att beskriva erfarenheter och egenskaper som kan vara relevanta för jobbet du söker. Du kan även skriva om dina fritidsintressen för att lyfta fram dina erfarenheter och starka egenskaper.

Undvik klyschor i brevet, även om platsannonsen är full av dem. Skriv inte ”Jag är en driftig, flexibel, kreativ, stresstålig lagspelare som gillar att ha många bollar i luften”. Försök att visa dina starka sidor med konkreta exempel i stället. Berätta till exempel om projekt du drev vid sidan av dina studier eller om parallella projekt i ett tidigare jobb.

Skicka alltid brevet i original med underskrift.

Så här kan du disponera ditt personliga brev.

Första stycket

Det här stycket ska göra läsaren nyfiken och locka denne att läsa vidare. Skriv varför du söker tjänsten och varför just du ska anställas. Beskriv i några korta meningar dina egenskaper och drivkrafter som är relevanta för den aktuella tjänsten.

Tänk på att rekryteraren kanske får hundratals ansökningsbrev att läsa. Försök att redan i öppningsfrasen få in hur du passar in i profilen arbetsgivaren söker.

Andra och tredje stycket

Utgå från exempel från ditt CV på arbeten och egenskaper (som är relevanta för jobbet du söker) och utveckla dem. Berätta om vad du har lärt dig av dina erfarenheter. Var ärlig och överdriv inte, men skriv inte om erfarenheter och kunskaper du saknar.

Berätta i de här styckena om fritidsintressen och andra engagemang som kan vara intressanta för arbetsgivaren att veta något om.

Skriv även något om din familjesituation, till exempel om du är flyttbar (ifall tjänsten kräver det).

Fjärde stycket

Avsluta brevet. Beskriv eventuellt mycket kort din arbetssituation just nu, till exempel: ”Just nu arbetar jag som … Nu söker jag nya utmaningar och jag tror att arbetet som … är en utmaning som passar mig.”

Skriv någon mening om att du gärna berättar mer om dig själv vid en anställningsintervju. Påpeka att du bifogar CV (”Bifogat: CV”).

Avsluta med ”Med vänlig hälsning” eller ”Vänliga hälsningar”. Undvik förkortningen M V H, den ger ett opersonligt intryck.

4 Läs de olika inledningarna här nedanför och diskutera frågorna. 

1 Vilka inledningar väcker mest intresse?
2 Innehåller inledningarna nödvändig information (varför söker personen tjänsten och varför ska han eller hon anställas)?
3 Ska någon information strykas?

> ”Jag heter Per Persson och är mycket intresserad av ovan nämnda tjänst. Just nu arbetar jag på …”

> ”12 års erfarenhet av … där det har ställts höga krav på … gör nu att jag med stort intresse söker arbetet som … hos er. Jag har förstått att ni vill/söker … och jag tror att mina meriter och egenskaper …”

”Jag heter Juan Molino och kommer från Spanien. Jag har bott i Sverige i åtta år och pratar flytande svenska.”

”Efter ett trevligt telefonsamtal med Dig i går, vill jag nu med detta brev söka tjänsten som … hos Er. Arbetsuppgifterna låter mycket intressanta och överensstämmer med mina tidigare erfarenheter och meriter.”

”Mitt namn är Alf Bengtsson. Jag har varit arbetslös ganska länge men vill komma ut i arbetslivet igen. Mitt senaste jobb var på …”

”Här har ni mig! En kreativ projektledare med lång erfarenhet av … som jag tror kan matcha ert företags behov på ett bra sätt.”

”Det som fångade mitt intresse i er annons var … Jag har alltid velat … och har erfarenhet från …”

5

Serveringspersonal till Restaurang Lyxlaxen

RESTAURANG LYXLAXEN söker serveringspersonal inför sommarsäsongen. Du måste vara beredd på att ge varje gäst ypperlig service och ett trevligt och professionellt bemötande. Vi har en internationell kundkrets, varför goda kunskaper i framför allt engelska är nödvändiga. Övriga språkkunskaper är meriterande.

Eftersom restaurangen är mycket välbesökt krävs det att du är stresstålig. Gedigen erfarenhet av servering på högklassig restaurang samt dokumenterade mat- och vinkunskaper är ett krav.

SKICKA DIN ANSÖKAN med bifogat CV till personalchef Klara Svensson, Restaurang Lyxlaxen, Box 5050, 112 12 Storstad.

A Läs Sten Nilssons ansökningsbrev här nedanför. Diskutera vad som är bra och dåligt i brevet. Skriv sedan om det så att det blir bättre.  

Storstad den 11 maj 200...

Klara Svensson
Restaurang Lyxlaxen
Box 5050
112 12 Storstad

Sten Nilsson
Lillvägen 5
112 10 Storstad

Ansökan om tjänsten som servitör på Restaurang Lyxlaxen

Jag blev mycket glad då jag såg att Restaurang Lyxlaxen söker serveringspersonal inför sommarsäsongen. Min dröm har alltid varit att få arbeta på en prestigefull restaurang som Lyxlaxen. Jag är en 37-årig, ogift man med oerhört lång erfarenhet av restaurangbranschen.

Redan som liten grabb brukade jag glädja min mormor och morfar med egenhändigt lagade middagar då och då. Jag serverade och passade upp på dem när de hade gäster ute på vårt sommarställe. Ända sedan dess har jag ägnat mig åt service på olika sätt. Efter gymnasiet tillbringade jag till exempel en vintersäsong i franska alperna, där jag städade på ett mycket exklusivt hotell. Under den perioden bättrade jag också på min skolfranska.

En sommar arbetade jag på en hamburgerkedja. Där lärde jag mig vad stress vill säga. Hamburgarna skulle stekas, pommes fritesen friteras och sedan skulle man betjäna kunderna med ett glatt leende på läpparna.

För två år sedan började jag arbeta som diskplockare på Restaurang Gyllene Fasanen. En arbetsplats som passar mig som hand i handske. Och för två veckor sedan började jag servera. Det går väldigt bra för mig.

Folk säger att jag är en trevlig kille med hjärtat på rätta stället. Jag är väldigt bra på språk. Förutom svenska pratar jag engelska ganska bra och min franska är inte heller så dum. På fritiden tycker jag om att titta på DVD-filmer tillsammans med mina kompisar. Att gå på krogen är ett annat intresse jag har och jag älskar vin. Det finns inget bättre än att öppna ett härligt lådvin och dricka tillsammans med polarna.

Jag är arbetsam och kvick och nu känner jag mig redo att pröva mina vingar hos er. Jag tror att Restaurang Lyxlaxen skulle ha stor glädje av mina erfarenheter.
Ring mig och boka tid för intervju så berättar jag gärna mer.

Tjingeling!
Sten Nilsson

B Skriv ett ansökningsbrev där Pernilla söker jobbet på Språkferieskolan, s 168. 
Eller välj en platsannons själv och skriv ett ansökningsbrev.

C Läs upp ansökningsbreven för varandra. Diskutera likheter och skillnader.

Anställningsintervjun

Att bli kallad till intervju är ett kvitto på att du har lyckats med din ansökan. För att även intervjun ska bli framgångsrik är det viktigt att du förbereder dig noga.

Förberedelser

Läs på i förväg om företaget/arbetsplatsen och dess verksamhet, t ex på nätet.

Tänk igenom vilka frågor du kan få. Fundera på hur du ska svara på frågorna, men undvik att träna in helt färdiga svar. Risken finns att det ger ett stelt intryck. Be gärna en kompis att öva med dig ifall du inte är så van vid intervjusituationer. Annars kan du öva själv framför spegeln. Fundera också på ett par frågor du kan ställa om företaget och tjänsten.

Första intrycket

Tänk på att det första intrycket är viktigt. Man brukar säga att man har 30 sekunder på sig att göra ett bra första intryck. Glöm inte att din klädsel säger något om dig som person. Försök att ta reda på vilken klädkod som gäller inom den aktuella branschen. Se till att du varken är för nerklädd eller för uppklädd.

Kom i tid, ta i hand med ett fast grepp (ingen gillar att hälsa på en död fisk, men man vill heller inte få sin hand sönderkramad). Titta personen i ögonen, le och presentera dig med för- och efternamn. Uppträd vänligt, småprata och försök att inte visa eventuell nervositet.

Intervjun

Var dig själv under intervjun och svara så ärligt och naturligt du kan på frågorna. Lyssna aktivt på de frågor du får och håll dig till ämnet. Det är bättre att ta en stund för att tänka igenom svaren än att börja pladdra. Låt din samtalspartner tala till punkt. Risken finns att man blir för ivrig och vill leverera svar så snabbt som möjligt. Ställ gärna frågor om arbetsplatsen som visar att du är uppriktigt intresserad av att jobba just där och att du samtidigt vet något om företaget.

Tänk på ditt kroppsspråk. Ha ögonkontakt och skapa kontakt med alla som deltar i intervjun. En flackande blick kan vara tecken på osäkerhet. Sitt inte och sväng med benen och pilla inte med håret och peta dig inte i ansiktet. Lägg inte heller armarna i kors över bröstet. Det kan se arrogant ut. Lägg händerna i knät så ger du ett mer samlat intryck.

Här följer en lista på vanliga frågor och några tips om vad du ska tänka på.

Vanliga frågor

- Kan du berätta lite om dig själv? (Börja inte rabbla ditt livs historia.)
- Varför har du sökt det här jobbet?/Varför vill du arbeta just hos oss? (Är du seriöst intresserad av jobbet?)
- Vilka är dina starka sidor? (Tänk igenom att de egenskaper du nämner är relevanta för jobbet du söker.)
- Vilka är dina begränsningar eller svaga sidor? (Har du någon svag sida som du kan uppväga med hjälp av en av dina starka sidor?)
- Vad har du att erbjuda oss? (Vad får arbetsgivaren om de anställer dig?)
- Vad har du lyckats bra med/mindre bra med på dina tidigare arbeten? (Berätta framför allt om någon framgång du har haft, men nämn även någon mindre motgång.)
- Varför vill du lämna ditt nuvarande jobb? (Prata inte illa om dina tidigare chefer och kolleger.)
- Var ser du dig själv om fem år? (Finns det till exempel någon högre befattning inom företaget som du skulle kunna tänka dig?)
- Hur klarar du av pressande situationer? (Försök att vara konkret.)

6 Välj någon platsannons från en tidning eller från internet och intervjua varandra. Låt en tredje person lyssna på intervjun och ge kommentarer efteråt. Vad gick bra? Vad gick inte så bra?

Jag är noggrann men inte petig

Det finns många adjektiv som betyder ungefär samma sak men där det ena kan ha en positiv klang, medan det andra har negativ klang.

7 Para ihop adjektiv ur rutan här nedanför och diskutera vilka som har en positiv och vilka som har en negativ klang. 

social underlig ~~noggrann~~ dumdristig ~~petig~~
ekonomisk orealistisk slösaktig fantasilös
saklig pedagogisk mångsidig tanklös ovanlig
fantasifull sällskapssjuk mästrande framåt
modig splittrad framfusig spontan
snål generös

Exempel:
noggrann (positiv) – petig (negativ)

Tummen mitt i handen?

I många idiomatiska uttryck förekommer namn på olika kroppsdelar. Om en person som är mycket opraktisk kan man säga att han har tummen mitt i handen.

8 Välj ord ur rutan och skriv dem i rätt form där de passar in. Några av orden ska användas mer än en gång.

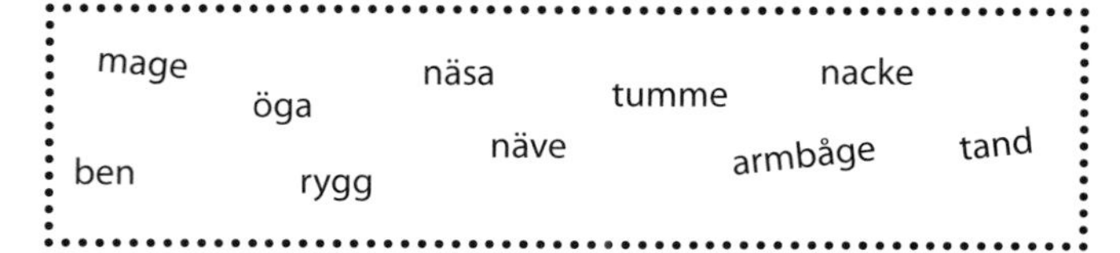

1 Vi håller … för dig på intervjun i morgon.
2 Jag tycker att Mona får ta förhandlingarna. Hon har skinn på … .
3 En penningplacerare måste ha is i … . Det gäller att han eller hon inte blir nervös när börsen går ner.
4 Se upp för Melinda. Hon är en riktig karriärist med vassa … .

5 Kan du hålla … på de här papperen medan jag hämtar kaffe?
6 Nu är det bråttom! Mötet börjar om fem minuter i en annan byggnad. Nu får vi lägga … på …!
7 Nu tycker jag att vi slår … i bordet och sätter stopp för de här idiotierna!
8 Hon är så glad för sitt nya jobb och längtar efter att sätta … i alla utmanande arbetsuppgifter.
9 Försök inte göra något i hemlighet här på kontoret. Vår chef har … i … . Hon ser allt!

9

A Lyssna på uppläsningen av texten här nedanför.
Markera vilka verb som är partikelverb.

För fem år sedan bläddrade jag igenom tidningen och av en slump slog jag upp sidorna med platsannonser. Jag hoppade till när jag såg att Bio Rio sökte extrapersonal. På den tiden var jag tokig i film. Jag kunde se om en film jag gillade hur många gånger som helst. När jag såg annonsen kände jag på mig att det var mitt öde att jobba inom filmbranschen. Jag hade för mig att jag hade pratat om att bli filmregissör redan när jag var fyra år.

Jag kastade mig över telefonen och bad att få komma på intervju redan samma eftermiddag. Hela dagen gick jag runt och försökte komma på fantastiska saker jag skulle säga under intervjun. Jag var rädd att jag skulle komma av mig om de bad mig berätta något så jag höll på länge och övade på vad jag skulle säga.

När jag kom till Bio Rio var det totalt kaos. Ingen visste var personalchefen höll hus. Datasystemet hade gått sönder och de hade ingen pop corn-personal som kunde hoppa in till kvällen. Och sekreteraren hade tagit en Medelhavskryssning för att vila ut. Det var visst nerverna som krånglade. Jag beklagade röran, men sa samtidigt att jag kunde ställa upp och jobba samma kväll. Det blev startskottet för en intressant karriär inom filmbranschen, men jag ska inte trötta ut er med fortsättningen på historien just nu.

B Jämför med din partner om ni har strukit under samma ord.
Vad betyder de partikelverb som ni har strukit under?

C Spåna om hur den här personens karriär inom filmbranschen utvecklade sig och skriv sedan en historia.

s 132–134

Till sist s 135–137

16

1 A Vad tänker du när du ser fotot? Skriv en lista med positiva och negativa adjektiv. Jämför med några andra personer.

B Skriv ner så många ord ni kan som har att göra med familjeliv.

2 A Läs citaten tillsammans och försök förstå vad de betyder. Förklara vad citaten betyder med egna ord.

B Vilka citat tycker ni bäst och sämst om? Jämför med ett annat par.

Citat om släkt och familj

Barndomen är en lycklig tid – efteråt.
Svenskt ordspråk

Den främsta orsaken till alla skilsmässor är äktenskapet.
Anonym

Barnen av i dag är tyranner. De säger emot sina föräldrar, glufsar i sig maten, och tyranniserar sina lärare.
Sokrates, grekisk filosof

> Det är ofta fel att behandla barn
> som små vuxna
> men rätt att behandla vuxna
> som små barn.
>
> *Mikal Rode, dansk humorist*

> *Det är klart att jag tror på äktenskapet,*
> *eftersom jag har varit gift tre gånger.*
>
> *Joan Collins,*
> *brittisk skådespelerska*

> Släkten är värst.
>
> *Svenskt ordspråk*

C Vad betyder släkt, förhållanden, familj och barn för er? 

D Kan ni andra ordspråk på samma tema?

3 **A** Vilken av följande aktiviteter tycker du är tråkigast och respektive roligast?
Berätta för din partner. Jämför med ett annat par.

städa, putsa fönster, diska, laga mat, tvätta, stryka

B Till vilken aktivitet hör dessa ord?

- en mopp
- en dammsugare
- en kastrull
- ett rengöringsmedel
- sopar
- sköljer
- ett blekmedel
- ett skåp
- en torktumlare
- en fönsterskrapa
- sorterar
- en garderob
- plockar undan
- steker
- fräser
- hackar
- skurar
- dammar
- hänger
- våttorkar
- en trasa
- putsar
- viker ihop

C Välj en av aktiviteterna från övning A och kom på fler ord som har att göra med aktiviteten.

D Lyssna på de tre dialogerna om hemmaliv, utan att titta på nästa sida.

E Lyssna igen på dialog 1. Lyssna efter fraser med ligger–lägger, står–ställer.
Diskutera hur man använder dessa verb.

F Lyssna på dialog 2 eller 3 och skriv ner alla ord som handlar om städning respektive mat och matlagning.

G Läs dialogerna i par. 

Snack om hemmaliv

1 En pappa som tröttnar ...

– Hör ni ungar! Jag blir galen på er. Varför ligger det alltid en massa skor i hallen? Skorna ska stå ordentligt i skohyllan. Är det så svårt?
– Jaja ... Vi vet ...
– Ja, men om ni vet det, varför är det då så svårt att ställa skorna på rätt ställe?!
– Och här i badrummet hänger det en massa blöta kläder på tork. Nu kan jag inte duscha. Kan någon ta bort dem?
– De är mina. De måste torka.
– Ja, men då får du hänga dem någon annanstans.
– Jaja ... Jag ska.
– Nu! Och när de har torkat måste du vika ihop dem och lägga in dem i garderoben. Jag är så trött på att det ligger kläder precis överallt.
– Du Mia! Är det inte din tur att sköta köket?! Här står det ju en massa disk överallt. Kan du sätta in den i diskmaskinen? Och när den är klar kan du väl ställa in allt porslin i skåpen och lägga besticken i rätt lådor!!! Och du! Du har inte gått ut med soporna heller ...
– Jaja ... Jag ska.

Varför ligger det en massa skor i hallen?
Skorna ska stå ordentligt i skohyllan.

Ligger och står

 s 138

2 Maria har just flyttat hemifrån ...

– Du, det ser verkligen för hemskt ut här!
– Vad då, då?
– Det är ju alldeles dammigt över allt. Fönstren är smutsiga och toaletten är minst sagt ofräsch.
– Ja, jag är urdålig på att städa. Hur gör man egentligen?
– Du kan ju börja med att plocka undan alla grejer som ligger och skräpar överallt. Sedan kan du torka bort allt damm med en trasa. Efter det är det dags för dammsugning. När du har dammsugit kan du våttorka golven med en mopp för att få bort gammal smuts.
– Oj, då. Det låter jobbigt. Fönstren, då? Vad kan man göra åt dem?
– Ja, de behöver putsas helt enkelt. Man köper en fönsterskrapa och putsar fönstren med fönsterputs-medel och vatten på en tvättsvamp. Sedan skrapar man bort vattnet med skrapan.
– Huu.
– Om man inte orkar kan man ju ringa en fönsterputsare också.
– Ja, det är klart. Men det har jag nog inte råd med ... Toaletten då?
– Där behöver du nog skura ordentligt med ett ganska effektivt rengöringsmedel ...

3 Magnus har problem med maten ...

- Alltså, matlagning är det tråkigaste jag vet. Jag kan knappt koka ägg ...
- Nej, men det är både lätt och roligt om man bara kan några grundrecept ...
- Hur menar du?
- Jo, men t ex om man vet hur man gör en tomatsås kan man ju sedan variera den hur mycket som helst.
- Hur gör man en tomatsås då?
- Man hackar en lök, en morot och en liten bit selleri fint. Det fräser man sedan i olja i en kastrull på spisen tills det blir mjukt. Sedan tillsätter man en burk tomater och salt och peppar och en nypa socker. Såsen får koka i minst en halvtimme på svag värme.
- Ja, det låter ju inte så jobbigt.
- Om du sedan vill variera, kan du använda vitlök, olika sorters lök och krydda med örtkryddor eller annat. Om du steker köttfärs med löken blir det köttfärssås och om du tillsätter chili och en burk bönor blir det en mexikansk chili. Jag är galen i chili! Det går att variera hur mycket som helst. Så genom att lära sig att laga en rätt, kan man lära sig laga massor av rätter!
- Vad bra!

Jag blir galen på er.
Jag är galen i chili.

Prepositioner för känslor

s 139–140

H Skriv en instruktion för något som man gör i hemmet. Tänk dig att den som ska få instruktionen inte vet någonting om ämnet. Läs upp för varandra. 

4

A Diskutera frågorna innan ni läser texten. 

1. Vad betyder ordet familj på ditt språk? Vilka personer ingår i en familj?
2. Hur tror ni familjen såg ut i Sverige på den tiden när de flesta bodde på landet?
3. När kom familjen med ”mamma, pappa, barn”, tror ni?
4. Tror ni att det fanns familjer där föräldrarna inte var gifta förr i tiden?
5. Vad tror ni att låtsassyskon, bonusmamma och plastmormor är för något?

s 140–142

B Läs texten och försök hitta svaret på frågorna i övning A. 

Familjens historia i Sverige

Ordet familj betyder enligt ordboken "föräldrar och barn". Men i andra kulturer och historiskt även i Sverige är familjen något mycket större, som inkluderar den äldre generationen och andra släktingar som bor under samma tak. I det gamla bondesamhället räknades även alla anställda på gården in i familjegemenskapen.

I dagens Sverige ser vi det som självklart att man lever tillsammans eller gifter sig av kärlek, men så har det inte alltid varit. I bondesamhället var äktenskapet i första hand en arbetsgemenskap. Man arbetade hårt tillsammans för att få mat på bordet och för att gården skulle överleva till nästa generation. Kärlek var något som kanske växte fram mellan makarna under livet, men inte en anledning till att gifta sig. Viktiga egenskaper när föräldrar valde en man eller fru till sina barn (för det var ofta föräldrarna som valde) var arbetskapacitet och fysisk styrka både för män och kvinnor.

Kvinnan hade huvudansvaret för barnen, men till vardags tog ofta släktingar och anställda på gården hand om dem, för kvinnan hade mycket arbete att sköta. Hon hade ansvar för djuren och gårdens alla matförråd. Symbolen för hennes makt var nyckelknippan som hon alltid bar med sig. Men det var mannen som bestämde i familjen, enligt lagen. Han hade rätt att slå sina barn och sin fru. Enligt en gotländsk lag från 1300-talet hade mannen till och med rätt att bestämma om nyfödda barn skulle bli del av familjen eller sättas ut i skogen.

Det var på 1700-talet som idén om en familj som bara bestod av "mamma, pappa, barn" växte fram och det var i städerna bland medelklassen. Man ville skilja sig från de "primitiva" bönderna och arbetarna, som man tyckte levde lite hur som helst. Nu kom också idéerna att kvinnan skulle stanna hemma med barnen istället för att arbeta. Det växte fram en tydlig skillnad mellan det privata och det offentliga. Kvinnan skulle hålla sig i den privata sfären med barnen.

I bondesamhället hade inte alla rätt att gifta sig, bara personer som hade en egen gård och som därmed kunde försörja en familj. Under 1800-talet var det allt fler som flyttade in till städerna för att slippa det hårda arbetet i jordbruket. Kvinnor tog jobb som hembiträde i någon familj eller jobbade på en fabrik. I städerna var det många som bodde tillsammans och fick barn utan att vara gifta. Denna typ av sammanboende kallades Stockholmsäktenskap.

Många kvinnor valde att fortsätta vara ogifta eftersom de blev omyndiga när de gifte sig. Det innebar att mannen övertog alla kvinnans pengar och också hennes företag om hon hade något. Ogifta kvinnor ur medelklassen hade stora problem eftersom kvinnor på den tiden inte hade möjlighet att utbilda sig och eftersom många yrken var förbjudna för kvinnor. Men kvinnor fick under 1800-talets gång möjlighet att arbeta i vissa yrken, t ex som lärarinna i den obligatoriska folkskolan eller som telefonist.

Vid 1900-talets början infördes "familjelön", ett system där gifta män hade högre lön för att kunna försörja en hemmafru och barn. Mannen gick till jobbet på morgonen och lämnade kvinnan hemma med barn och hushåll. Men den här familjeformen kritiserades av många, bl a av Alva Myrdal som var en socialdemokratisk politiker och forskare. Hon ansåg att det inte var bra för barnen att vara hemma med mamman, eftersom de blev för isolerade. För Myrdal var det också viktigt att alla kvinnor hade möjlighet att yrkesarbeta. Därför propagerade hon för daghem, men det var inte förrän på 70-talet som dagis blev en rättighet för alla.

På 70-talet var det också många som provade på andra sätt att leva i t ex kollektiv där man bodde många personer under ett tak. Man hjälptes åt med hushållsarbete och matlagning och hade ibland gemensam ekonomi.

I dag yrkesarbetar svenska kvinnor i nästan lika stor utsträckning som män. Många kvinnor och män tycker att jämställdhet mellan könen är viktigt. Det är dock fortfarande ofta kvinnan som har huvudansvaret för hemarbetet och debatten i dag handlar mycket om hur man ska lösa problemet med detta s k "dubbelarbete" – att kvinnan har ett arbete utanför hemmet och ett i hemmet. Många anser att mannen måste göra mer av hushållsarbetet än i dag. Men det har också blivit vanligare och mer socialt accepterat att anställa städare, speciellt i familjer där både mannen och kvinnan har krävande arbeten.

Nuförtiden lever vi inte så ofta i storfamiljer som förr i tiden, men istället har andra familjeformer som t ex bonusfamiljen vuxit fram. Varannan relation (men bara vart tredje äktenskap) slutar i separation. Så det är vanligt att en eller båda parterna i ett förhållande har barn från tidigare förhållanden. Bonusfamiljen kan bestå av låtsassyskon, bonusmamma, plastmormor och mammas nya kille, alltså nya familjemedlemmar och släktingar som inte är de biologiska. Var tredje person född på 80-talet har halvsyskon. En annan ny familjetyp är regnbågsfamiljen där en eller båda föräldrarna lever i en samkönad relation.

Men kanske är det viktigt att komma ihåg att den vanligaste familjetypen i dag faktiskt är ensamhushållet. En tredjedel av alla vuxna svenskar lever ensamma utan barn vilket gör svenskarna till världens mest ensamstående folk.

C Skriv ner 2–3 saker som var nya och intressanta i texten. 
Jämför med några andra personer i gruppen.

D Skriv 5 frågor på innehållet i texten. Ställ frågorna till ett annat par. Svara på det andra parets frågor.

för hela familjen
för att sköta allt hemarbete
I bondesamhället hade inte alla rätt att gifta sig …

hel – all

s 142–143

Olika familjetyper

Många tänker på mamma, pappa och två barn när de hör ordet familj.
Men i Sverige i dag finns det många olika sorters familjer. Här är några av dem.

5 A Kombinera. Vilka personer hör ihop med varandra, och vilken familjetyp tillhör de?

regnbågsfamilj adoptivfamilj bonusfamilj ensamstående
iblandbo/brabo sambo särbo

1 Katarina är omgift. Hennes nuvarande man har två barn från ett tidigare äktenskap. Hon har själv tre barn från sitt tidigare äktenskap. De väntar nu ett gemensamt barn.
2 Gudrun har två vuxna barn som har flyttat hemifrån. Hon är inte gift eller sambo, utan bor ibland med en person som det är bra att bo med.
3 Cecilia och Göran har inga egna barn. De har adopterat en flicka från Kina.
4 Jens och Jan ingick partnerskap för tre år sedan. De har vårdnaden om Jens dotter varannan vecka.
5 Anna är singel. Hon har ingen partner men hon har en hund. Hon har haft några förhållanden men inget som har varat.
6 Emma har en pojkvän i USA. De träffas ungefär en gång i månaden.
7 Nils vill absolut inte gifta sig. Han tycker inte att det behövs. Det räcker med kärleken säger han.

a Anne och Renata har en dotter tillsammans med ett killpar. Deras dotter bor varannan vecka hos mammorna och varannan vecka hos papporna.
b Johanna skulle gärna ha ett romantiskt bröllop i en kyrka på landet. Men hennes partner vill inte det. De bor tillsammans i alla fall.
c Felicia bor inte med sina biologiska föräldrar.
d Matt bor inte tillsammans med sin partner. Hans partner hälsar på honom ganska ofta.
e Jack är frånskild och har barn som bor i Norge med sin mamma. När han är i Sverige bor han hos sin partner, men ofta är han i Norge där han jobbar och är med sina barn.
f Fredrik har tre bonusbarn som han gillar väldigt mycket.
g Peters matte är ensamstående.

B Diskutera.

1 Finns det några andra familjetyper?
2 Hur ser familjer ut i andra länder?

6 **A** Titta på texten ”Syskonen bestämmer våra liv” i ungefär en minut. Diskutera med några andra personer vad texten handlar om.

s 143

B Läst texten om syskon. Ingressen och första delen är i rätt ordning, i resten av texten är styckena omkastade. Sätt styckena i rätt ordning.

Syskonen bestämmer våra liv

”Säg mig vilken plats du har i syskonskaran och jag ska säga dig vem du är.”

Det finns forskare som anser att upp till 60 % av vår personlighet bestäms av våra syskon. Andra anser att faktorer utanför familjen spelar minst lika stor eller större roll för hur vi utvecklas som individer.

Idén om syskonens betydelse är över hundra år gammal och kommer från en engelsk vetenskapsman, Francis Galton, kusin till Charles Darwin. Han la märke till att det fanns ovanligt många storebröder i samhällets topp. I dag är det både läkare, sociologer och psykologer som forskar på det här området. De som säger att vi påverkas av vår plats i syskonskaran, anser att det är flera faktorer som spelar in: hur många syskon vi har, om vi har bröder eller systrar, om vi är yngst, äldst, mellan- eller ensambarn. Det anses också att vi påverkas mest av de syskon som ligger närmast oss själva i ålder. Är åldersskillnaden mer än sju år till det närmaste syskonet anses man vara ensambarn. Så hur ser då typiska syskonroller ut?

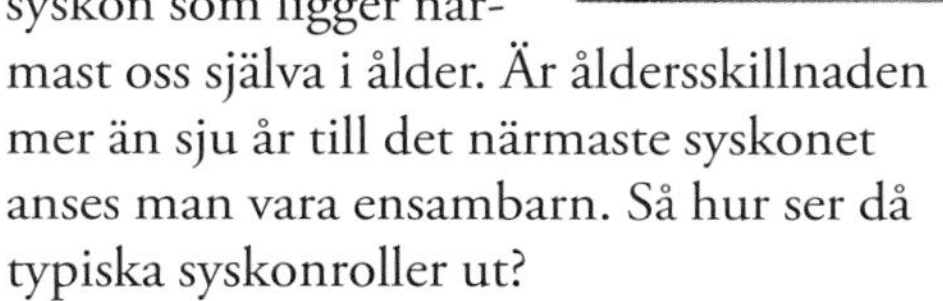

a ______ Andra kritiker menar att det visst går att se skillnader mellan syskon men att de är så små att de bara går att se i statistik och att skillnaderna inte kan säga något om specifika fall. Men den statistik som finns är ganska intressant. Äldsta barnet är ofta mer välutbildat och har också högre lön än de yngre syskonen. En informell undersökning av börs-vd:ar visade att de för det mesta är äldst eller yngst i syskonskaran. Även vår hälsa verkar påverkas av vår plats i syskonskaran. Storasyskon får upp till 20 % oftare hjärtinfarkt, men lever trots det längre än sina småsyskon och de yngsta syskonen dör tidigare än sina äldre syskon. Fast livsstilsfaktorer som t ex rökning har större påverkan på vår hälsa. Och medan forskare diskuterar vidare om vad som är spekulationer och vad som är fakta kan vi titta på våra egna familjer och se vilka mönster vi upptäcker där.

b ______ Endabarnet har däremot fått all uppmärksamhet av föräldrarna och har därför ofta ett gott självförtroende. Men eftersom de aldrig har tvingats konkurrera med syskon kan de få problem som vuxna då de inte har tränats i att hantera konflikter. Endabarnet gifter sig ofta med en person som också saknar syskon och får ofta bara ett barn.

c ______ I relationer kan dock mellanbarn ha problem med svartsjuka om de som barn har fått kämpa för föräldrarnas uppmärksamhet. Storasyskon passar sällan bra med andra storasyskon i en relation, eftersom de båda vill leda och bestämma. Därför passar storasyskon bättre ihop med småsyskon. Men det finns forskare som kritiserar teorierna om syskonens betydelse.

d ______ Om vi börjar med förstabarn, alltså storasystrar och storebröder, kan man säga att de ofta blir ansvarstagande och vill visa sig kompetenta som vuxna. Detta kan bero på att förstabarnet måste ta ansvar för småsyskonen. Ju fler syskon förstabarnet har, desto mer dominant och regelstyrd kan han eller hon bli. I värsta fall utvecklas han eller hon till en person som gärna kör över andra. Hur påverkas då det sista barnet i en syskonskara?

e ______ Vissa av dessa kritiker håller med om att syskonrelationer kan bestämma hur vi beter oss inom familjen. Men de anser att detta inte behöver påverka hur vi beter oss utanför familjen. Andra menar att det finns faktorer som spelar större roll för vår personlighet, som t ex gener, vänner och lärare. Det verkar också som om skillnaderna mellan syskon är tydligare i samhällen där man har mindre resurser och mer traditionella livsmönster, t ex om den äldste sonen tar över en bondgård medan de yngre syskonen blir tvungna att söka arbete på annat håll.

f ______ Småsyskon har ofta mindre förväntningar på sig än storasyskon. De är ofta lite rebelliska och inte rädda för att pröva nya vägar. Många småsyskon har god självkänsla. Mellanbarn har ibland ansetts som "klämbarn" som hamnar mitt emellan det första barnet som får all uppmärksamhet och småsyskon som får all uppmuntran. Om det är liten åldersskillnad mellan syskonen får mellanbarnet lätt en medlande roll eftersom han eller hon blivit flexibel och lärt sig kompromissa. För mellanbarn är ingenting svart eller vitt. Det spelar också stor roll vilket kön syskonen har. En mellansyster i en familj med tre systrar blir lätt osynlig och i statistik har man sett att de oftare än andra får problem med alkohol.

C Vilka yrken tror ni passar äldstabarn, yngstabarn, mellanbarn och endabarn? Välj ur rutan.

programledare	egen företagare	äventyrare	brandman	ekonom
konstnär	chef	grafisk formgivare	revisor	

D Har ni syskon? Vilken plats i syskonskaran har ni? Hur har det påverkat er, tror ni?

ingenting är svart eller vitt

Uttryck med färger

s 144

KRISTINA LUGN (1948–)

De flesta har en åsikt om Kristina Lugn. Inte alla har läst hennes dikter eller sett hennes pjäser men många har hört hennes lite släpiga karakteristiska röst på radio och sett hennes stora röda hår på teve.

Lugn bestämde sig för att bli författare som 6-åring efter att ha fått en dikt publicerad i Kalle Anka. Hon studerade litteraturhistoria i Uppsala och debuterade som poet år 1972. Hon har givit ut en rad diktsamlingar där hon utforskar familjelivet, ensamheten och döden. Hon har också skrivit många pjäser och driver en egen teater. Sedan år 2006 är hon invald i Svenska Akademien.

Familjen är hos Lugn ofta ganska instängd och obehaglig och fylld med tråkig vardag och ensamhet. Dikterna är ofta skrivna i jag-form. Personen som talar verkar inte må så bra och är bortvald, som barn eller i en kärleksrelation. En dikt börjar så här:

> "Jag vill att du ska komma nu!
> Jag vill att du ska komma nu genast!
> Miniräknaren ska du ta med dej."

Sedan följer en lång önskelista: en flygel, plåster, värktabletter, parfym, desinficeringsmedel, ramlösa, gin, whiskey, en tandborstmugg, fönsterputsmedel, sömnmedel, en krukväxt, en pizza och en respirator. Diktens jag verkar ha en hel del problem som behöver lösas och behov som behöver uppfyllas.

Lugns läsare har nog ofta blandat samman dikternas jag med den privata Kristina Lugn. Men om henne vet vi ganska lite.

Den offentliga bilden av henne har också påverkats mycket av ett teveprogram där hon diskuterade samtidsproblem och rökte i teverutan. Vissa blev då så provocerade att de ringde till teve och anmälde programmet, och under samma period blev hon till och med attackerad av okända på stan.

I dag är Kristina Lugn en av våra mest folkkära poeter. Hennes dikter är inte alltid lätta att förstå, men hon tar upp teman som många kan relatera till. Och hennes dikter och tankar ger tröst till många människor. Hon har också haft en egen frågespalt i radio där lyssnarna har fått ställa frågor om livet.

Lugn leker med språket, hon blandar allvar och humor och hon är skicklig på att skriva och säga saker man minns. I samband med att hon blev invald i Svenska Akademien fick hon frågan: "Kommer Akademien förändras nu när du kliver in?" av en journalist. Svaret blev: "Allting förändras när jag kliver in ..."

7 Titta på sakerna i rutan som diktens jag vill ha i dikten som börjar *Jag vill att du ska komma nu*. Diskutera vad hon behöver de olika sakerna till.

en miniräknare	parfym	whiskey	en krukväxt
en flygel	desinficeringsmedel	en tandborstmugg	en pizza
plåster	ramlösa	fönsterputsmedel	en respirator
värktabletter	gin	sömnmedel	

Exempel:
– Jag tror att hon vill ha en flygel för att hon vill höra romantisk musik ... – Ja, eller för att ...

8 A Läs de två första och de två sista raderna av dikten här nedanför. 
Vad tror ni resten av dikten handlar om?

s 144

B Läs hela dikten. Vad handlar den om? Vad vill Kristina Lugn säga?
Till vem är dikten skriven, tror ni?

C Kontrollera att du förstår de här orden. Vad har de här orden för funktion i dikten?

ett barnbidrag	ett underhållsbidrag
en present	en julklapp
en hemförsäkring	en frisedel

D Titta på alla de olika saker och egenskaper som diktens jag ger bort. Om ni fick välja 3 saker eller egenskaper att ge bort till någon ni älskar, vilka skulle ni då välja?

E Är det några rader i dikten som ni tycker är speciella eller intressanta?

Du ska få ett panoramafönster
i barnbidrag.
Stjärnhimlen ska vara din vardagsrumstapet
och Mozart ska skriva musiken.
Du ska få ett hem
som älskar dig.
Du ska få sinne för humor.
Och Strindbergs samlade verk.
Och alla mina barnbarn.
Min present till dig är att du ska tala många språk
och tåla allt slags väderlek.
Du ska få god markkontakt
och svindlande takhöjd med stuckaturer.
Du ska få ett liv
som förlåter dig allt.
Klar i tanken ska du vara.
Och stark i känslan.
Du ska få ha roligt.
Allt detta står i hemförsäkringen.
Du ska få vara i fred.
Mitt underhållsbidrag till dig är att du aldrig någonsin
kommer att sluta hoppas.
Du ska få ett modigt hjärta.
Och ett dristigt intellekt.
Och ett gott omdöme.
Den du litar på
släpper inte din hand.
Min julklapp till dig är att om du faller
ska medmänniskorna glädjas åt att få ta emot dig.
Ett vänligt leende ska gå genom hela din resa.
En frisedel ska jag sända från min ensamhet.
Du ska inte få ärva någonting alls av mig.
Men du ska få alla pengarna.

Kristina Lugn

Skrivtips

Personbeskrivningar hittar vi i många sammanhang: i tidningar, i intervjuer med kända personer, i romaner för att beskriva karaktärer och i biografier för att beskriva verkliga personer.

När man gör en personbeskrivning kan man tänka så här.
Inled på ett annorlunda sätt. Så här t ex:

- Vad tänkte du första gången du såg personen?
- Vad är det konstigaste, roligaste som den här personen har gjort?
- Vad finns det för saker som den här personen älskar och/eller hatar?
- Vad betyder den här personen för dig?

Beskriv sedan personen.

- Använd många beskrivande adjektiv, inte bara för utseende utan också för personlighet och attityder.
- Glöm inte att ge exempel från verkliga livet.

Avsluta genom att återknyta till inledningen på något sätt.

9 Välj en person som du vill beskriva och använd gärna tipsen här ovanför.

Till sist s 145

1

1 Vilka är figurerna, tror ni? Beskriv dem så detaljerat ni kan.

2 Vad tror ni att de har för egenskaper och personligheter?

Gör ordkunskapsövningen i övningsboken innan du läser texten "Vikingarnas världsbild och vår".

s 146

Vikingarnas världsbild och vår

Vikingarna trodde att världen hade skapats i krocken mellan två stora riken som låg på var sin sida om en avgrund. Så här hade det gått till: Det ena riket var isens rike, det andra eldens. När de här två rikena krockade med varandra skapades en jätte, Ymer. Ur isen föddes en stor ko som började slicka på isen. Hon slickade och slickade och efter ett tag kom då en annan jätte, Bure, fram. Bure blev far till vikingarnas gudar – asagudarna Oden, Vile och Ve. Asagudarna dödade jätten Ymer och av hans kropp skapade de världen. Hans blod blev havet och hans skalle himlen. Hans ben blev bergen och hans hår skogarna.

En vanlig tanke var att världen var ett enormt träd, en ask som kallades Yggdrasil. Vid askens fot bodde tre kvinnor som spann livets tråd. De bestämde människornas och världens framtid. Mitt i trädet låg Midgård, människornas värld, och i havet runt denna värld låg en jättelik orm och bet sig själv i svansen. Hans namn var Midgårdsormen. Asagudarna bodde i Asgård som låg i trädets topp.

Det fanns flera tankar om vad som skulle hända i framtiden. Vikingarna trodde att hela världen skulle gå under i något som de kallade Ragnarök. Då skulle alla de onda makterna tillsammans kriga mot gudarna och människorna. Men vikingarna trodde inte att detta var universums slut utan att en ny och bättre värld skulle komma efter Ragnarök.

I dag tror ju de flesta att världen har skapats i en stor explosion, Big Bang eller den stora smällen, en idé som inte är helt olik vikingarnas idé om jätten Ymers födelse. Man ser inte världen som ett träd utan som ett oändligt och expanderande universum där vi bor på ett pyttelitet klot i vårt solsystem.

Det finns olika idéer om vad som kommer att hända i framtiden. Vissa tror att universum alltid kommer att fortsätta växa. Andra tror att expansionen kommer att stoppas och att universum kommer att bli mindre igen. Till slut kommer det då att vara extremt litet och komprimerat som innan den stora smällen. En del tror att det då kommer en ny stor smäll. Så tanken om att världen kanske en gång börjar om på nytt delar vi faktiskt med vikingarna.

2 A Kan ni några andra berättelser om hur världen blev till, om hur världen ser ut och vad som kommer att hända i framtiden? Berätta för varandra. 

DÅ: Vikingarna trodde att världen hade skapats i sammanstötningen mellan två stora riken på var sin sida om en avgrund.
Vikingarna hade flera tankar om vad som skulle hända i framtiden.

NU: I dag tror ju de flesta att världen har skapats i en stor explosion.
Det finns olika idéer om vad som kommer att hända i framtiden.

Tempus-
harmoni

B Gör ett tidsschema. Välj tempus ur rutan och skriv dem på rätt plats i schemat.

presens perfekt	presens futurum
preteritum	preteritum futurum
preteritum perfekt	presens

C Stryk under alla verb i texten ”Vikingarnas världsbild …”. Skriv in några exempel i schemat.

Exempel:

FÖRE DÅ	DÅ	EFTER DÅ
Preteritum perfekt		
Så här hade det gått till.		
FÖRE NU	NU	EFTER NU
Presens perfekt		

D Skriv två texter om dig själv med olika fokus. Använd alla tempus i din text.

1 När jag var liten … (fokus DÅ).

2 I dag är jag … (fokus NU).

Ö s 146–148

Vår kunskap om religionen på vikingatiden (slutet av 700-talet till 1100-talet) kommer i första hand från två isländska böcker, den poetiska Eddan och Snorres Edda. Båda dessa verk är förmodligen muntliga berättelser från början. Böckerna innehåller dikter om gudar och hjältar. Berättelserna i det här kapitlet kommer från Eddorna.

Religionen på vikingatiden var möjligen en blandning av nya influenser från områden utanför Norden och mycket gammal gudatro från stenåldern och bronsåldern. Redan på bilder från bronsåldern ser vi figurer som liknar vikingarnas gudar.

När kristendomen kom till Sverige levde den sida vid sida med asagudarna under lång tid.

3 A Titta snabbt på beskrivningarna här nedanför. Titta sedan på bilderna på s 188 igen. Vem tror du är vilken asagud? Läs sedan om de olika gudarna.

Oden
Ledare för asagudarna och människornas viktigaste gud. Brukar visa sig bland människor ibland.
Kännetecken: bara ett öga
Ansvarsområde: krig
Familj:
- hustrun Frigg
- sonen Balder (med Frigg) och Tor
- många andra barn med människor, troll och jättar

Husdjur:
- hästen Sleipner med åtta ben
- de två korparna, Hugin och Munin, som berättar vad som händer i världen
- två vargar (oklar funktion)

Historia:
- skapade världen tillsammans med sina bröder
- gav liv åt människorna
- släppte ner sitt ena öga i vishetens brunn och kan därför se allt

Förmågor:
- kan förvandla sig till vad som helst
- kan förstöra vapen genom att titta på dem
- duktig på att trolla

Veckodag: onsdag

Frej
Frejas bror och fruktbarhetens gud. Kallas också Frö.
Kännetecken: reser på ett skepp som rymmer alla gudar men som ändå kan stoppas ner i fickan
Ansvarsområden: fred och jordbruk
Familj: gift med jättinnan Gerd
Husdjur: en gris med päls av guld som han rider på
Historia: gav bort sitt svärd och sin häst för att få gifta sig med Gerd
Förmågor: gör så att folk kan föda barn och att skörden blir bra
Veckodag: fredag (tillsammans med Freja)

Tor
Odens son och den starkaste av asagudarna, åskgud.
Kännetecken: rött skägg och en stor hammare
Ansvarsområde: att försvara världen mot jättar
Familj: frun Siv och två barn
Husdjur: två bockar som drar hans vagn (en öltunna)
Historia:
- har krigat många gånger mot jättarna
- när han kastar sin hammare kommer blixten och när jättarnas huvud krossas kommer åskan

Förmågor: enormt stark, extra stark med sitt styrkebälte
Veckodag: torsdag

Loke
Opålitlig figur som både skapar och löser problem för gudar och människor.
Kännetecken: mycket vacker men ändrar ofta utseende
Ansvarsområde: handel
Familj:
- frun Sigyn, har en son tillsammans
- har tre monsterbarn tillsammans med en jättekvinna
- är också far (mor?) till Odens häst som han födde när han själv var förvandlad till häst

Historia: har varit med i många intriger, den mest kända när han lurade en gud att döda Balder, ljusets gud
Förmågor: att trolla och luras

Freja
Kärlekens gudinna.
Kännetecken: ett halssmycke gjort av dvärgar
Ansvarsområde: kärlek och fruktsamhet
Familj: oklar familjesituation, eventuellt gift med en vanlig människa, särbo
Husdjur: två jättekatter som drar hennes vagn
Historia: togs som gisslan av asagudarna tillsammans med sin bror Frej och far Njord
Förmågor: har många förvandlingsdräkter speciellt fågeldräkter som hon gärna lånar ut till de andra gudarna
Veckodag: fredagen (delar den med sin bror Frej)

B Välj varsin gud och berätta för varandra om honom eller henne. 

C Känner ni till några gudasagor från andra kulturer? Vilka?

Hjältesagor och andra berättelser

Det finns många spännande sagor om asagudarna och deras tid. Här kan du läsa hjältesagan om Sigurd och en annan berättelse.

4 A Jobba i par. Läs varsin saga. Gör sedan ordkunskapsövningen  till din saga i övningsboken.

 s 148

B Gör anteckningar för att kunna återberätta din saga. Berätta sagan genom att bara titta på dina anteckningar.

Sigurd drakdödaren

Familjen Völsung var mycket rik och mäktig. De hade ett stort stort hus, byggt runt en ek, där de ofta hade fester. På en av festerna kom en objuden gäst. Det var en äldre man med en stor svart hatt och grå kläder. Han gick fram till eken mitt i huset och högg in ett svärd i trädets stam. Han sa att den som kunde dra ut svärdet skulle vinna det. Alla män på festen försökte, men inte ens de starkaste männen lyckades. Den objudne gästen försvann utan att säga vem han var, men många trodde att det var Oden, som var känd för att ibland vandra runt bland människorna.

Den yngste sonen i familjen hette Sigmund. Han ville också försöka dra ut svärdet. Alla skrattade eftersom de aldrig kunde tro att en pojke skulle lyckas med något som alla de starka männen hade misslyckats med. Till allas förvåning drog Sigmund utan ansträngning ut svärdet. När han blev vuxen använde han svärdet i många strider ända tills den mystiske främlingen en dag dök upp mitt i en strid och slog svärdet i tre delar. Sigmund förlorade striden och blev dödligt skadad. Innan han dog, bad han sin gravida fru att bevara de tre delarna av svärdet.

Sigmunds fru födde en son som hon döpte till Sigurd. Han var stark och duktig på alla sporter och på att kriga. Han fick en lärare som hette Regin och som var en skicklig smed. Regin kände till en guldskatt som vaktades av en drake, Fafner (1). Han ville att Sigurd skulle döda draken och ta guldet. Men han berättade inte att han sedan tänkte döda Sigurd för att själv få guldet.

Sigurd satte ihop de tre delarna av faderns svärd. Med det svärdet skulle han döda draken. Han red till drakens håla och grävde en grop där han gömde sig. När den väldiga draken sedan kom ut ur sin håla så hoppade Sigurd fram och dödade den (2). Blodet forsade ur draken och Sigurd fick lite blod på sin tumme. Han brände sig på blodet och stoppade fingret i munnen (3). När han smakade på drakblodet kunde han plötsligt förstå fåglarnas sång. En fågel berättade att Regin, hans lärare, planerade att döda honom (4). Sigurd tog drakens skatt och red hem och dödade Regin (5).

Utgårdaloke var en jätte som var mycket duktig på att trolla. Han bodde i en väldig borg och tyckte om att lura folk som vandrade förbi. En gång reste Tor, Loke och Tjalve genom jättarnas rike, och när de kom fram till Utgårdalokes borg blev de bjudna på middag.

Men Utgårdaloke var ingen trevlig värd. Han var oförskämd mot sina gäster, framför allt mot Tor som blev arg och ville försvara asagudarnas ära. Utgårdaloke föreslog att de skulle tävla på olika sätt för att se vem som var starkast och bäst. Först skulle Loke äta ikapp med en jätte. De skulle äta varsitt fat gröt, men när Loke var halvvägs hade jätten redan ätit klart. Han åt till och med upp grötfatet!

Efter det skulle Tjalve, som var känd för att springa snabbt, springa ikapp med en annan jätte. Tjalve sprang iväg direkt medan jätten stod kvar. Men precis innan Tjalve kom i mål passerades han av jätten som kom med blixtens hastighet.

Nu var det Tors tur. Först bad jätten honom att dricka upp ett jättestort horn med öl. Tor drack länge och mycket men ölet verkade aldrig ta slut. Till slut orkade han inte mer utan gav upp.

Sedan skulle han lyfta Utgårdalokes katt. Det tyckte inte Tor verkade så svårt. Men ju mer han lyfte desto längre blev katten. Han fick inte upp katten från golvet. Han lyfte och lyfte men till slut när han nästan lyckades lyfta katten, avbröt jätten plötsligt tävlingen.

I stället skulle Tor brottas med jättens gamla farmor, Elle. Tor ville hellre slåss med Utgårdaloke själv, men den gamla gumman attackerade honom direkt. Tor kämpade och kämpade men jättegumman brottade till slut ner Tor på knä. Detta var en stor skam för Tor, den starkaste av gudarna.

Gudarna var ledsna och besvikna men värden skålade för dem och sa att de hade varit jätteduktiga. De förstod inte alls varför, de hade ju förlorat mot alla. Då avslöjade Utgårdaloke vilka de egentligen hade kämpat mot. Jätten som Loke hade ätit mot var i själva verket *elden* som ju slukar allt. Jätten som Tjalve hade sprungit mot var *tanken* som rör sig snabbare än allt annat. Ölet som Tor hade försökt dricka var *havets vatten*. Katten var *Midgårdsormen*, ormen som ligger runt världen och biter sig själv i svansen. Och om Tor hade lyckats lyfta den, skulle världen ha gått under. Det var därför jätten hade avbrutit tävlingen. Och jättefarmor var *ålderdomen* och mot henne vinner ingen. Jättarna var mycket imponerade av Tor och hans vänner och de firade tillsammans hela natten.

Ö s 149

Runor

Runorna var vikingarnas bokstäver. Från början ristade man i trä. Senare gjorde man också stenar med runristningar. Troligtvis kommer runorna från det grekiska alfabetet. Det kan man se på likheten mellan många grekiska bokstäver och runor, t ex λ och ᛚ.

Från början hade runalfabetet 24 tecken och det användes i hela norra Europa. Vikingarna förenklade alfabetet och använde bara 16 tecken.

Alfabetet kallas Futharken efter de första runorna. Dessa sex runor användes för att skriva veckans dagar på runstavar, vikingarnas kalender. Runorna användes också för att skriva trollformler på små bronsbitar och meddelanden på träbitar. Stenar med runristningar, runstenar, gjorde man i hela Skandinavien men de var speciellt vanliga i Mellansverige.

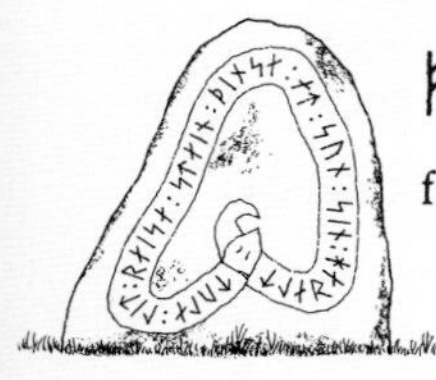

f u th a r k h n i a s

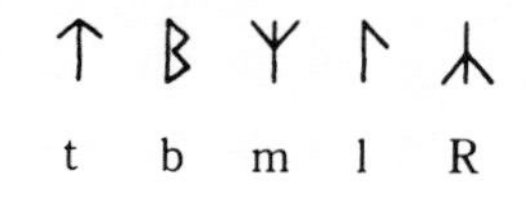

t b m l R

Gör ordkunskapsövningen i övningsboken innan du läser texten "Det livgivande trädet".

s 150

5 A Läs första meningen i varje stycke. Gör anteckningar. Fundera över vad du tror texten handlar om. Läs sedan hela texten.

Det livgivande trädet

En mycket gammal tradition är vårdträd. Det var oftast en ask, lind eller björk som man planterade på gården. Själva ordet vårdträd kommer från det gamla ordet "vård" som betydde skyddsande. Trädet skulle med sin kraft skydda gården och alla som bodde där. För att få bättre skörd kunde man offra t ex öl, mjölk eller ett mynt vid trädets rot. Vid bröllop lade man mat på en tallrik till trädets andar för då skulle äktenskapet bli lyckligt. I vissa delar av landet kunde man fortfarande på 1600-talet se människor sitta under vårdträdet och be inför viktiga händelser. Men detta var en tradition som kyrkan inte tyckte om.

ask

Om man på något sätt skadade trädet kunde det gå mycket illa. Inte ens ett löv fick man ta från vårdträdet. Det berättas om en man på Öland som högg ner sin gårdslind. Strax efter dog hans fru och svärmor och själv blev han utfattig.

lind

Man trodde också att träd kunde bota sjukdomar, speciellt träd med hål i. Man drog den sjuke genom hålet för att sjukdomen skulle fastna i trädet. Dessa träd stod ofta långt från hus och gårdar eftersom de var farliga. Man kunde nämligen bli smittad av alla de sjukdomar som stannat kvar i trädet.

hassel

Det var vanligt att en familj tog sitt namn efter vårdträdet. En familj med en alm på gården kunde ta namnet Almén och namn som Lindén och Björkegren har kanske samma ursprung.

Vår tids vanligaste trädritual är nog julgranen. Den moderna julgranen med julpynt inomhus är en relativt ny företeelse. Den kom från Tyskland under 1800-talet. Men utomhus har man länge haft granar och andra barrträd för att fira julens ankomst. När man var färdig med alla förberedelser för julen ställde man granen utanför dörren. Den som var först med granen skulle också bli först med skörden det kommande året.

björk

Många svenskar har fortfarande ett speciellt förhållande till träd. En intressant historia är den om den så kallade almstriden då allmänheten räddade en grupp almar i Kungsträdgården i Stockholm från att huggas ner. Året var 1971. Under 50- och 60-talet hade stora delar av den historiska stadskärnan i många svenska städer rivits och i stället hade man byggt moderna bostäder, parkeringshus och varuhus.

ek

Man ville bygga nya städer för det moderna livet och för framtiden. Viktiga tankar var nya centrum för arbete, förorter med bostäder och fler vägar för den ökande biltrafiken.

Detta hade skett också i Stockholm. Inte bara gamla trähus i dålig kondition utan också vackra palats och historiska byggnader hade rivits utan några större protester från allmänheten. Politikerna planerade nu en tunnelbaneuppgång i Kungsträdgården. För att ge plats åt den skulle man vara tvungen att hugga ner en grupp gamla almar. Men detta blev droppen som fick bägaren att rinna över.

En uppretad folkmassa stoppade tidigt på morgonen nedhuggningen genom att klättra upp i träden. Politikerna blev tvungna att flytta tunnelbanestationen och almarna står kvar än i dag med sitt lilla kafé under kronorna. Där kan du fika och lyssna på vindens sus. Eller är det kanske almarnas skyddsandar som viskar?

Ordet trädkramare används om en person som hindrar träd från att huggas ner t ex i samband med ett motorvägsbygge. Man kan också använda ordet om en person som är mycket miljömedveten.

B Stämde dina tankar om texten?

C Svara tillsammans på frågorna utan att titta i texten.

1 Varför hade man vårdträd?
2 Vad gjorde man på bröllop?
3 Vad kunde hända om man skadade vårdträdet?
4 Hur kunde träd bota sjukdomar?
5 Varför ville man vara först med julgranen förr i tiden?
6 Vad var almstriden för något?

D Diskutera.
Känner ni till någon naturreligion eller riter från andra länder?

E Almstriden är ett exempel på civil olydnad. Känner du till andra tillfällen då man använt denna metod i Sverige eller andra länder?

Gör ordkunskapsövningen i övningsboken innan du gör nästa övning.

s 150

6 A Jobba i par eller en grupp om tre personer. Läs varsin text om naturväsen på nästa sida. Gör anteckningar när ni läser, och återberätta sedan för varandra med hjälp av anteckningarna. Se s 200 för tips om hur man skriver anteckningar.

Naturväsen

Förr trodde många svenskar på naturväsen. Här kan du läsa om några av dem.

Näcken

Namnet näcken är släkt med ordet naken. Näcken är nämligen en naken man, med långt hår och skägg av sjögräs. Han är otroligt vacker och också mycket duktig på att spela fiol. Det brukar han göra sittande vid en fors, flod eller sjö. Ett favoritställe är vattenfall. Musiken gör folk förtrollade och de blir ofta förälskade i näcken. Speciellt kvinnor bör akta sig för näcken, för om näcken friar till dem och de svarar ja, tar han dem med sig ner till sjöbottnen där han bor.

Män däremot kan lära sig att spela fiol av näcken. Det går fort, på en natt ungefär. Näcken tar betalt med tre blodsdroppar från spelmannen. Att lära sig spela av näcken har sitt pris förstås; spelmannen kan få dåligt rykte och när som helst kan näcken ta ifrån honom förmågan att spela fiol.

Jättar

Ordet jätte betydde troligtvis storätare på gammal svenska. Det är inte så konstigt eftersom jättar är enorma, vissa är så stora att människor inte ens kan se dem. Ibland hittar man stora hål i klippor och berg. Det är "jättegrytor" där jättarna lagar sin mat. På många ställen i Sverige finns väldiga stenar mitt i skogen eller på en åker. Det är "jättekast". Jättarna har kastat de stora stenarna mot en annan jätte eller människor. En del jättekast ligger nära kyrkor. Det beror nog på att jätten tycker illa om kristendom och vill förstöra kyrkorna.

Men eftersom jättar är så starka kan de också hjälpa till att bygga kyrkor om man frågar snällt och erbjuder mycket guld. Kommer man på jättens namn innan kyrkan är färdig så behöver man inte betala honom något och han förlorar sin makt. Det hände t ex i Lunds domkyrka där man kan se jätten Finn krama en av pelarna.

Troll

Trollen är ofta mycket fula, men de kan också vara vackra. Man kan känna igen ett troll på svansen som ofta sticker ut ur kläderna.

De lever ganska likt människorna och har djur som de tar väl hand om. Guld och annat som blänker gillar de mycket och de har ofta samlat på sig stora skatter, så kallat trollguld.

Trollen bor ofta inuti berg i skogen. Dit rövar de människor som de använder som arbetskraft. Om människan lyckas ta sig därifrån kommer hon tillbaka alldeles förändrad. Man säger att hon har blivit bergtagen.

Ibland stjäl trollen människobarn och lägger dit ett trollbarn istället. Det kallar man för en bortbyting. Detta är särskilt vanligt innan barnet har blivit döpt. Därför lägger man en bibel eller ett litet kors under kudden på små odöpta barn. Det skrämmer bort trollen.

Det här är en vanlig vaggvisa i Sverige:

När trollmor har lagt sina elva små troll
och bundit dem fast i svansen
då sjunger hon sakta för elva små trollen
de vackraste ord hon känner
Ho aj aj aj aj buff
Ho aj aj aj aj buff
Ho aj aj aj aj buff buff
Ho aj aj aj aj buff

Margit Holmberg

 s 151

B Finns det några naturväsen i era länder? Känner ni till några i andra länder? Berätta för varandra.

Religion i Sverige i dag

I en undersökning om gudstro i ett 80-tal länder där man ställde frågan "Tror du på Gud?" hamnar Sverige nästan längst ner på listan. I Sverige svarade 53 procent att de tror på Gud. I många länder i Mellanöstern svarar 100 procent att de tror på Gud och i Europa är siffrorna i länder som Polen, Irland och Italien runt 95 procent. Men generellt är européer klart mindre religiösa än människor i resten av världen. Man kan se ett tydligt statistiskt samband mellan å ena sidan politisk stabilitet och ekonomisk trygghet och å andra sidan sjunkande gudstro. Det verkar som om man tror mindre på Gud när man får ett tryggt liv och klarar sig bra ekonomiskt.

Den svenska befolkningen tycks vara delad när det gäller religion. Den ena hälften tror som sagt på gud och ber ibland. Den andra hälften ber aldrig. Och bara en av trettio går i kyrkan varje vecka. Halva befolkningen tror på ett liv efter detta, den andra halvan gör det inte. Men bara en av tio är helt och hållet ateist. Som i så många andra frågor befinner sig de flesta svenskar någonstans i mitten. – Nja till religion, verkar man säga.

I en annan undersökning frågade man hur viktig Bibeln är för människors etik och moral. Bara ungefär en av tre tycker att denna bok är viktig för den egna moralen. Andra källor till etik och moral som nämndes i undersökningen var FN:s deklaration för mänskliga rättigheter, Anne Franks dagbok, dagstidningar, Dalai Lama, Gustaf Fröding, grekiska filosofer, lagboken och scoutlagen.

7 Diskutera.
Var hämtar ni inspiration till hur ni ska leva? Ur böcker, filmer eller från andra människor?

8 A Lyssna på några personer som talar om sin inställning till skrock. Gör ett schema.

Exempel:

MANNEN	KVINNAN	BÅDA	INGEN
tror på:	tror på:	tror på:	tror på:

B Diskutera 3–4 personer. Tror ni på skrock? Vad finns det för skrock i era länder och kulturer?

Skrivtips

När man skriver anteckningar eller korta informella meddelanden är det bra att kunna förkorta på ett tydligt och korrekt sätt. Följande förkortningar kan man använda.

	Vanlig svenska	**Förkortat**
Stryka subjektet	Jag är mycket trött.	Är mycket trött.
Stryka verben är, blir och har	Jag är mycket trött.	Mycket trött.
	Jag har mycket att göra.	Mycket att göra.
Utelämna konjunktioner	Jag är mycket trött så jag kommer inte på festen.	Mycket trött, kommer inte på festen.
Substantiv istället för verb	Jag har tvättat klart.	Tvätten klar.

När man skriver anteckningar kan man förkorta ännu mer, så länge man själv kan förstå vad man har skrivit.

Så här kan anteckningarna till första stycket i texten Religion i Sverige i dag se ut.

* 80-tal länder, undersökning, tror du på Gud?,
* Sverige längst ner på listan. 53% tror på Gud
* Mellanöstern 100%. Polen, Irland, Italien, 95%. Européer mindre religiösa.
* Samband politik, ekonomi och religion. Trygghet, bra ekonomi → tror mindre på gud.

9 A Skriv meddelandet här nedanför så kort som möjligt. 

Pernilla!

Jag kan inte komma på festen i kväll för jag har brutit benet. Jag är gipsad och ligger i sängen. Jag är jätteledsen. Jag hoppas att det blir en rolig fest.

B Skriv anteckningar till någon av texterna i det här kapitlet. Titta sedan på anteckningarna och se om du kan återberätta texten för dig själv eller för någon annan.

Till sist s 152–153

18

Konstigt i Sverige?

I alla länder finns det olika fenomen som utlänningar uppfattar som intressanta, ovanliga eller till och med konstiga. Det kan handla om seder och traditioner, men också om mer subtila saker som oskrivna regler, t ex hur man kommunicerar med varandra. Ofta är det de oskrivna reglerna som är svårast att förstå för utlänningar och som leder till missförstånd.

1 Diskutera.

1 Vad tycker utlänningar är annorlunda i era länder?
2 Vad tycker ni är annorlunda i Sverige?
3 Vilka oskrivna regler känner ni till i Sverige?

2 A Läs texten Svenska koder högt för varandra. Sammanfatta muntligt vad de olika personerna berättar. Har ni egna erfarenheter av något liknande?

Svenska koder – inte alltid så lätta att knäcka

Morgonbladet startar i dag en artikelserie om Sverige och svenska koder. Finns det några företeelser som är svåra att förstå för hitflyttade personer? Många traditioner och vanor är lätta att upptäcka, t ex att vi firar midsommar och äter surströmming. Andra svenska fenomen kan vara svårare att se och förstå. Ofta är det oskrivna regler och sådant som även vi svenskar är omedvetna om.

I dag låter vi sex nysvenskar berätta om underligheter i Sverige.

– Det tog ganska lång tid innan jag förstod de svenska koderna så jag har nog gjort bort mig många gånger på min arbetsplats. Jag minns speciellt ett tillfälle.

Irina, 42 år, Ukraina

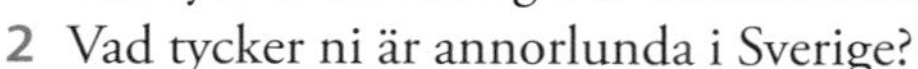

Avdelningssköterskan sa så här till mig: "Skulle du vilja ge patienten i rum 8 den här sprutan"? Jag trodde att hon frågade om jag faktiskt hade lust att göra det. Och eftersom jag verkligen inte ville det sa jag: "Nej, det har jag inte" och gick därifrån. Pinsamt, va?!

Chunde, 32 år, Kina

– En sak som jag har lärt mig med tiden är att lyssna på allt folk säger. På så sätt gör jag färre tabbar. I början på mitt jobb bad jag min chef läsa en rapport som jag hade skrivit och frågade vad hon tyckte. Hon sa att den såg jättebra ut. Tyvärr hade jag slutat lyssna när resten kom: "MEN, du skulle kunna skriva om inledningen och slutet och gå igenom språket och rätta alla grammatikfel." Här verkar man ge kritik i omvänd ordning jämfört med där jag kommer ifrån. Där börjar man med att påpeka allt som är dåligt och sedan kanske man avslutar med: "Annars ser det rätt okej ut" eller liknande. Nu inser jag också att jag kanske inte var riktigt så fantastisk på svenskkursen som jag trodde. Läraren sa alltid: "Vad bra! Vad duktig du är! Vilken intressant text!" osv. Förmodligen kom det någon kritik sedan, som jag inte hörde …

Giorgios, 39 år, Grekland

– En kollega till mig kom hem från sin semester och berättade att han hade varit i Lappland och vandrat. Han sa att det hade varit helt magiskt med en sagolik natur. Det kan jag väl förstå, men sedan sa han att det hade varit så fantastiskt för han hade inte träffat en enda människa på flera dagar! Min spontana reaktion var att det lät så hemskt. "Stackars dig, sa jag. Det måste ha varit förskräckligt!" I min fantasi såg jag honom vandra omkring alldeles ensam och hjälplös. Hur kan man tycka att det är underbart att vara ute i naturen så länge utan att umgås med andra människor?

Silsa 27 år, Brasilien

– Alla i Sverige pratar så tyst. När jag har pratat i telefon med min syster i Brasilien brukar min svenska sambo fråga varför vi grälar hela tiden. Vadå grälar? Vi diskuterar ju bara! Förresten går det inte att gräla med svenskar. När min sambo säger: "Det där tycker jag faktiskt var dåligt gjort", eller: "Nu är jag faktiskt lite sur på dig", har jag lärt mig att han är rasande. I Brasilien hade vi antagligen börjat smälla i dörrar och hotat med skilsmässa, mord och andra hemskheter. Det är normalt för oss. Och apropå det, varför kan svenskar inte säga som det är? Nu förstår jag att om mina svenska vänner säger: "Jag mår inte så jättebra just nu", så är läget katastrofalt. Då är det dags att sitta ner och prata om problemen. Och varför kan svenskar inte erkänna att något gör ont? När jag följde med min sambo till doktorn frågade läkaren om det gjorde ont. Min sambo sa då: "Nej, inte så farligt. Det går bra." Men jag såg ju på honom att han led!

John, 42 år, Australien

– Jag trodde att Sverige var världens mest jämställda land. Det är klart, mycket är fantastiskt här med pappalediga män och män som handlar, städar och lagar mat. Och nästan alla kvinnor är självständiga, inte minst ekonomiskt. Men så tittar man på företagen. Hur många av de högre cheferna är kvinnor egentligen? Inte många.

– Jag kunde till en början inte förstå att det finns så många framgångsrika svenska företag. Jag tyckte att det enda man gjorde var att fika. Det var morgonfika, lunchfika, eftermiddagsfika ... Som tur var hade en utländsk kollega förvarnat mig och förklarat att man måste sitta med och fika. Och alla dessa möten! Innan jag vande mig tyckte jag att folk bara satt och hummade i timmar. Jag kunde aldrig förstå när ett beslut togs. Några dagar efter ett möte kunde en kollega säga till mig: ”Men det bestämde vi ju på mötet.” Jag hade inte förstått att något bestämdes. Men nu, efter ett par år i Sverige, inser jag att mötena faktiskt fyller en funktion. Besluten som fattas är oftast väl genomtänkta och de flesta är delaktiga i besluten.

Sabine, 29 år, Tyskland

B Vad betyder egentligen följande fraser om en svensk pratar? Hur uttrycker man samma sak på era språk?

- Har du lust att ...?
- Vill du ...? /Om du vill/har tid skulle du kunna ...?
- Skulle du vilja ...?
- Det vore fint om du kunde ...
- Jag känner mig lite irriterad i dag.
- Jag mår inte så där jättebra.

I min fantasi såg jag honom vandra omkring alldeles ensam och hjälplös.

Satsförkortning, objekt + infinitiv

s 154

3 **A** Lyssna och anteckna vad mannen och kvinnan tycker är och har varit svårt att förstå och lära sig i Sverige.

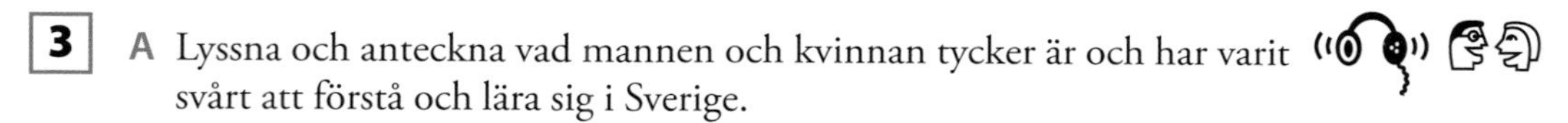

B Jämför med varandra. Har ni antecknat samma saker?

4 **A** Välj varsin artikel att läsa, Den svenska arbetsplatsen eller Fika. Läs artikeln ett par gånger, skriv stödord och öva dig att återberätta den muntligt.

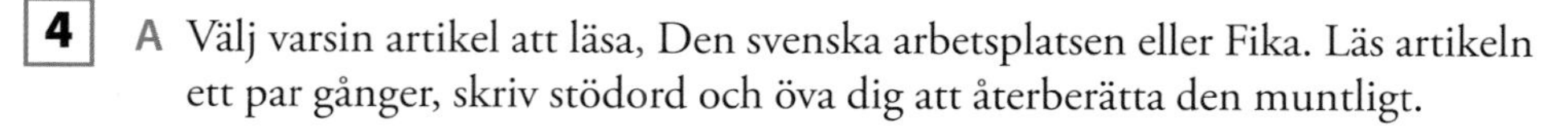

B Återberätta artikeln för varandra. Den som lyssnar antecknar det viktigaste och sammanfattar sedan muntligt den andres artikel med några meningar.

C Diskutera artiklarna.

1 Var något nytt, förvånande, intressant?
2 Har ni egna erfarenheter av svenska arbetsplatser?
3 Vad finns det för koder på arbetsplatser i era länder?

Den svenska arbetsplatsen

Nils Axelberg, med mångårig erfarenhet av både svensk och utländsk företagskultur, berättar här om sådant han uppfattar som typiska drag för den svenska arbetsplatsen och affärskulturen.

I de flesta svenska företag är hierarki och statustänkande inte så viktigt och man har s k platta organisationer. Kommunikationen mellan människorna är flexibel och individuella kontakter tas både "uppåt och nedåt" i hierarkin, exempelvis för att underlätta beslut. Det är ofta en självklarhet att man delegerar såväl befogenheter som ansvar. Det händer att utländska affärsmän blir förvirrade av sina svenska affärskolleger vid affärsmöten. Svenskarna håller ofta en låg profil men visar sig trots det ha stora befogenheter.

En god stämning och trivsel på arbetsplatsen är mycket viktigt för de anställda och ledaren uppfattas som mindre auktoritär i Sverige jämfört med i många andra länder. Högljudda konflikter är i allmänhet ovanliga på arbetsplatsen, liksom i samhället i övrigt. Samstämmighet och gruppkänsla på jobbet är viktigt och beslut fattas för det mesta i samråd. Detta leder till att vägen till beslut kan vara mycket lång och att beslutsfattandet föregås av ett antal möten. Å andra sidan är beslutet, när det väl är taget, oftast väl förankrat hos medarbetarna.

Titlar är avskaffade och man säger du till alla, något som kan upplevas som ovanligt för utlänningar. På många arbetsplatser är klädseln också relativt ledig och informell.

Svenska affärsmän och affärskvinnor

I många kulturer är socialt småprat viktigt vid ett affärsmöte. Genom småpratet skapar man en personlig relation till den andre och man bygger upp ett ömsesidigt förtroende. Det här är något som kan ha en avgörande betydelse när man diskuterar kontrakt eller affärer.

Svensken är som regel mer rakt på sak. Han eller hon går med andra ord direkt på ämnet och inte via småprat, vilket kan vara en nackdel i kontakten med affärsmän från en del kulturer. En svensk har vanligtvis ett relativt tillbakahållet kroppsspråk och pratar med låg röst. För den utländska affärskollegan, som kanske talar högre och som har ett uttrycksfullt kroppsspråk, kan svensken ge ett något stelt och tafatt intryck.

Det som många utländska affärsmän uppskattar är att svenskarna brukar komma väl förberedda och pålästa till ett möte. Han eller hon är analytisk och lugn, lyssnar noga på den andre och avbryter sällan den som talar. I vissa länder, där man är van att prata i mun på varandra, kan det emellertid vara en nackdel att inte avbryta. Svensken riskerar att sitta och vänta på sin tur och får kanske inte sagt det han eller hon vill säga.

Lite förenklat skulle man kunna visa på skillnaderna mellan svensk och traditionell internationell affärskultur så här:

INTERNATIONELL	SVENSK
formellt tilltal	informellt tilltal
strikt klädsel	ledig klädsel
information i rangordning	flexibla informationskanaler
kontrollerat/övervakat arbete	självständigt/delegerat arbete
starkare hierarki	svagare hierarki

FIKA

Finland är det land där man dricker mest kaffe i världen. Sverige kommer strax efter, som god tvåa. Svenskarna dricker 156 liter kaffe per år, vilket motsvarar mer än tre koppar per person och dag.

Kaffedrickandet blev vanligt bland den stora allmänheten under 1700- och 1800-talet. Det var den svenske kungen Karl XII som tog med sig vanan att dricka kaffe från Turkiet, där han hade tillbringat flera år. Kaffehus växte fram i städerna som en motvikt till de stökiga brännvinskrogarna. Där träffades männen och diskuterade politik, vetenskap och litteratur över en kopp kaffe. Kvinnorna, som inte hade tillträde till kaffehusen, träffades hemma och drack kaffe och åt kakor. Med tiden spred sig vanan att bjuda på kaffe hemma, ofta med tårta och sju sorters kakor till.

Nuförtiden dricker svenskarna allt mer av kaffet utanför hemmet, framför allt på arbetet. Fikarasten har länge varit helig i det svenska arbetslivet. Man vet inte exakt när man införde fikarasten, men den har en lång historia. Skogsarbetare och jordbrukare hade länge tagit med sig fika ut i markerna och när industrialismen kom behövde arbetarna ta en paus från det hårda slitet vid maskinerna för att orka med arbetsdagen. Från mitten av 1900-talet har fikarasten som en gemensam paus varit en institution på kontoren. Man slår sig ner tillsammans en stund för att koppla av och prata om ditt och datt. Mot slutet av 1900-talet började mer eller mindre exklusiva kaffeapparater göra entré på arbetsplatsen. I och med kaffemaskinernas intåg slapp man långa diskussioner om vem som skulle inhandla kaffe och kaffebröd och vem som skulle ansvara för kaffebryggningen under dagen.

Många utlänningar förvånas över de många fikarasterna på de svenska arbetsplatserna. Såväl forskare som arbetsgivare är dock överens om att fikarasterna fyller en viktig funktion och att de till och med kan bidra till framgång för företagen. Dels ger pauserna möjlighet att rensa hjärnan, dels fungerar de som en kontaktyta på företaget. De anställda träffas och utbyter idéer och erfarenheter, småpratar och lär känna varandra bättre. Ofta dröjer man kvar, diskuterar olika projekt och delar med sig av sina kunskaper och erfarenheter. Dessutom ökar trivseln och gruppkänslan bland personalen.

En oskriven regel är att alla bör delta i fikandet. Risken finns att en person som undviker samvaron med sina kolleger under fikarasten betraktas med viss misstänksamhet. Omvänt kan man göra stor lycka bland sina medarbetare genom att överraska och ta med bullar eller en kaka att bjuda på.

D Läs frågorna för varandra och försök att svara på dem utan att titta i texterna "Den svenska arbetsplatsen" och "Fika".

1 Vad menas med en platt organisation?
2 Hur är ledarrollen i många fall på svenska företag?
3 Nämn några saker som är viktiga på svenska arbetsplatser.
4 Nämn något som är ovanligt på svenska arbetsplatser.
5 Vilka skillnader mellan svenska och utländska affärsmän nämns i texten?
6 Vem tog vanan att dricka kaffe till Sverige?
7 Vad var kaffehus?
8 Berätta något om kafferastens historia.
9 På vilka sätt kan fikarasterna vara positiva för företagen?
10 Vad bör man tänka på under kafferasterna?

5 Tänk er att ni har fikarast på jobbet. Då gäller det att kunna prata om allt och ingenting. Använd er av fraserna här nedanför och försök att hålla igång ett samtal i minst fem minuter.

INLEDA ETT SAMTAL

Har du hört vad som hände …?
Du, apropå ingenting …
Visste du att …?
Du, jag måste kolla en sak med dig. Stämmer det att …?
Vet du vem jag stötte på häromdagen?
Jag måste bara berätta en sak … (som hände mig/som jag läste i tidningen …)
Har du läst det som stod i tidningen …?
Såg du det där programmet på teve …?
Jag blev verkligen förvånad över en sak jag läste/hörde …

GE RESPONS

Nej, vadå? Berätta!
Va, är det sant? Helt otroligt!
Det hade jag ingen aning om!
Skojar du?
Nej, det är inte möjligt!
Menar du det?
Det låter ju helt vansinnigt/galet/sjukt …

AVSLUTA ETT SAMTAL OCH ÅTERGÅ TILL JOBBET

Jaaa (stigande ton), det var det det.
Jaha (stigande ton)… Slut på det roliga.
Okej, då är det väl dags att återgå till jobbet.
Just det. Då var det väl dags.
Okej, då säger vi det.
Nähä… Plikten kallar.

Det sägs att den svenske kungen Gustav III (1746–1792) var övertygad om att kaffe var farligt för hälsan. Han ville bevisa att kaffe var ett dödligt gift genom en "klinisk prövning" med två dödsdömda enäggstvillingar som försökspersoner. Den ena av tvillingarna fick dricka tre kannor kaffe om dagen och den andra samma mängd te. Nu var frågan vem som skulle dö först och hur lång tid det skulle ta. Kungen beordrade två läkare att övervaka experimentet och att rapportera så snart den förste av tvillingarna hade dött. Men åren gick utan att någon av tvillingarna dog. De två läkarna hann dö och Gustav III hann bli mördad. När så den förste av tvillingarna avled hade han uppnått en ålder av 83 år. Det var tedrickaren.

Svenskarna håller ofta en låg profil men visar sig trots det ha stora befogenheter.

Kontrast

s 155

Ledaregenskaper

Många tror att deras chefer ska ha specifika egenskaper, beroende på om de är män eller kvinnor. Dessa förväntningar kan vara mer eller mindre omedvetna och uttalade.

6 A Titta på adjektiven i rutan. Är några av egenskaperna typiska för män eller kvinnor, tycker ni? 

varm, dominerande, rationell, individualistisk, beslutsam, intuitiv, tävlingsinriktad, aggressiv, förstående, kraftfull, relationsorienterad, samarbetsinriktad, beroende, oberoende, ängslig, mjuk

B Fråga paret bredvid vad de tycker och jämför era åsikter.
Vilka egenskaper tycker ni att en bra ledare ska ha?

C Diskutera nedanstående påståenden. Försök att motivera era åsikter.

- Kvinnor passar inte som chefer. De är alldeles för känsliga.
- Kvinnliga chefer är bättre än manliga på att lyssna.
- På en kvinnodominerad arbetsplats blir det ofta mycket konflikter.
- Manliga chefer är effektivare än kvinnliga chefer.
- Det spelar ingen roll om chefen är man eller kvinna.

7 A Titta på orden här nedanför. Vet ni vad de betyder? 
Slå upp de ord ni är osäkra på.

en andel	förhållandevis	en sannolikhet	framför allt
visserligen … men	ett antal	vara benägen	i lägre grad
endast	därmed	hamnar	en snedfördelning
den offentliga sektor	i större utsträckning	innehar	hoppa av

B Läs påståendena här nedanför och gissa om de är rätt eller fel *innan* ni läser texten Jämställt på arbetsmarknaden?

- Sverige hör till de 10 länder i Europa som har störst andel kvinnliga chefer.
- En majoritet av dem som jobbar inom den offentliga sektorn i Sverige är kvinnor.
- Svenska kvinnor är mer benägna att starta egna företag än kvinnor i andra länder.

Jämställt på arbetsmarknaden?

Sverige halkar efter övriga Europa när det gäller procentandelen kvinnliga chefer. År 2007 låg Sverige på 16:e plats i Eurostats ranking av andelen kvinnliga chefer i 30 länder.

Visserligen har andelen ökat de senaste tio åren, men ökningen går med snigelfart, från 27 procent till 31,5 procent. Och de senaste sju åren har andelen stått i princip still. I större delen av Europa är trenden den motsatta. Högst andel kvinnor i chefsposition har Lettland och Litauen, med 42 respektive 38 procent.

Siffrorna för andelen arbetsverksamma kvinnor med chefsjobb är ännu dystrare. Endast en av 30 arbetande kvinnor har ett chefsjobb i Sverige. Motsvarande siffra för Storbritannien och Irland är en av tio.

Undersökningar visar att det finns tre huvudorsaker till de förhållandevis låga siffrorna för Sveriges del. För det första är det en ovanligt stor andel kvinnor som jobbar inom den offentliga sektorn. Där är verksamheterna ofta större än inom den privata sektorn och därmed är antalet chefsjobb mindre. För det andra jobbar kvinnor i Sverige deltid i större utsträckning än kvinnor i andra länder och sannolikheten att en deltidsarbetande ska bli chef är inte stor. Slutligen tycks kvinnor i Sverige vara mindre benägna än kvinnor i andra länder att starta egna företag, vilket leder till att färre kvinnor hamnar på chefsposter.

Inom det privata näringslivet har man undersökt varför en så stor majoritet av chefsjobben innehas av män. En förklaring man ger är att de större företagen har rationaliserat bort många mellanchefsjobb. Detta drabbar framför allt kvinnorna, eftersom de ofta innehar just mellanchefspositioner. Man har också funnit att kvinnor i lägre grad än män ges chansen att träna på arbetsuppgifter som meriterar dem för chefsjobb. De har därför mindre erfarenhet och risken finns att de på grund av det sorteras bort i rekryteringsprocessen.

I många fall sker chefsrekryteringen genom att man handplockar en person eller att man uppmanar någon att söka tjänsten. Sannolikheten är stor att denna person återfinns i ett slutet nätverk. Det gynnar framför allt män eftersom arbetslivets viktiga nätverk ofta består av just män. Maktens män tenderar att välja dem de känner till – andra män.

Ytterligare en orsak till snedfördelningen mellan könen på chefsnivå är att många kvinnor som har nått toppen mer eller mindre frivilligt hoppat av sitt chefskap när de har insett hur tufft och utsatt det är att vara ensam kvinna i mansdominerade miljöer.

C Vad står siffrorna som fanns i texten för?

en av 30	42 procent
16:e	31,5 procent

D Skriv frågor till texten och ställ till varandra. Försök att svara utan att titta i texten. 

E Diskutera.
Hur kan man öka andelen kvinnliga chefer? Prata gärna om dessa alternativ: uppfostran, kvotering, delad föräldraledighet, lagstiftning.

De har därför mindre erfarenhet …

Orsak och förklaring

s 156

8 A Läs artikeln här nedanför snabbt och välj vilken rubrik som passar bäst.

Hästar gör som de vill

Ridning – en tuff sport

Hästtjej som klippt och skuren för ledarskap

En studie som gjorts vid Luleå tekniska universitet visar att stallet är en utmärkt skola för bra ledarskap. Få sporter är så krävande för utövaren som ridning. Det krävs både ansvarskänsla och flit för att ta hand om en häst. Utöver själva ridningen har hästägaren eller hästskötaren en mängd uppgifter som ska utföras. Hästen ska utfodras och ryktas, stallet ska mockas och alla prylar ska skötas om.

För att hantera ett djur på runt 600 kilo krävs också en stor portion mod och bestämdhet och ryttaren måste tidigt välja en överposition. Ryttaren måste övervinna sin rädsla och uppträda lugnt men ändå säkert. Samtidigt måste ryttaren och hästen samarbeta, ingen ryttare är bättre än den häst hon eller han sitter på. Att försöka tvinga en häst till något den inte vill är tämligen lönlöst. Det är ryttarens uppgift att få hästen att utvecklas och känna tillit till ryttaren. Detta uppnås genom att ryttaren är tydlig, vägleder, ger stöd och uppmuntrar hästen. Parallellerna till ledarskapet på ett företag eller i en organisation är med andra ord många.

B Hitta ord och uttryck i texten här ovanför som betyder ungefär detsamma som orden i rutan.

ge (ett djur) mat
mycket bra
många
saker

den som gör något (en sport till exempel)
få någon att göra något han eller hon inte vill

borsta (en häst)
ganska

s 157

9 Välj en av personerna och ta reda på mer om honom/henne. Försök att hitta intressanta fakta om personen. Undvik att nämna för många årtal.

Gun Nowak
André Oscar Wallenberg
Anders Ruben Rausing
Erling Persson
Antonia Ax:son Johnson
Jan Hugo Stenbeck

Skrivtips

Inom språkundervisning på högre nivå får man ofta skriva texter av utredande karaktär. När du ska skriva en text på svenska behöver du inte bara tänka på själva språket, utan också hur man strukturerar en text ”svenskt”. Texten ska ha en tydlig disposition och en klar, röd tråd som löper genom texten. Den ska med andra ord hänga ihop och vara lätt att följa med i. Tänk på att skriva ganska rakt på sak och inte onödigt krångligt. I Sverige uttrycker man sig ganska enkelt jämfört med många andra kulturer.

Börja med att tänka igenom uppgiften ordentligt. Vad förväntas du skriva om och vem är den tänkta läsaren? Om det finns statistik som ska behandlas bör du ta en stund till att titta igenom den och fundera över vad som är intressant och relevant för uppgiften. Skriv gärna ner tankar och idéer på ett papper.

Dispositionen av texten kan i korthet se ut så här.

1 Inledning/frågeställning (Väck intresse!)
2 Fakta/statistik (Skriv objektivt. Ta bara med det som är viktigt och relevant. Uttryck dig enkelt.)
3 Resonemang om frågeställningen/temat, t ex *möjliga orsaker – konsekvens – åtgärder* (Utveckla dina tankar/hypoteser. Försök få balans i texten, så att du inte bara skriver om en sak.)
4 Avslutning (Skriv om framåtblickar, förslag på åtgärder eller en kort sammanfattning. Se upp bara så att du inte skriver precis samma sak som du redan har skrivit en gång till.)

Välj rubrik till din text sist av allt. Då är det lättare att formulera en lämplig rubrik.

10 Skriv en text om sömnsvårigheter med utgångspunkt i nedanstående fakta. Tänk dig att din text ska läsas av personer med sömnproblem. Spekulera i vad sömnproblem kan bero på. Vilka konsekvenser kan dålig sömn få? Hur kan man göra för att förbättra sin sömn? Skriv ungefär 200 ord.

Spekulera om orsaker
Det är möjligt att …
Detta kan (också) bero på …
En orsak kan vara …

Spekulera om konsekvenser
Det/detta kan leda till …
Detta kan orsaka …

Leta på nätet efter information om du vill eller använd informationen här nedanför. Följ gärna förslaget på disposition här ovanför.

Var tredje person i Sverige har sömnproblem då och då och undersökningar har visat att det främst är kvinnor som har svårt att sova.

33 procent av studenterna på universiteten och högskolorna har svårt att sova minst en gång i veckan. Sömnproblem är vanligare bland kvinnliga studenter.

Till sist s 158–160

Uttal

ORD

En *mening* börjar med stor bokstav och slutar med punkt.
Viktiga ord med lång konsonant eller vokal har *betoning*.
A, b och c är *bokstäver*.
A, e, i, o, u, y, å, ä och ö är *vokaler*.
B, c, d, f, g, h, j, k, l, m, n, p, q, r, s, t, v, w, x och z är *konsonanter*.
Ordet 'stavelse' har tre *stavelser*: STA-VEL-SE.

Uttal

Regel 1: I en mening har viktiga ord betoning. Se 1 Satsbetoning.
Regel 2: Ord med betoning har lång vokal eller lång konsonant. Se 2 Ordbetoning.
Regel 3: Vi uttalar inte alla bokstäver. Se 3 Reduktioner och assimilationer.
Regel 4: Melodin går upp eller ner på lång konsonant eller vokal. Se 4 Accent 1 och 2.
Regel 5: Melodin går ner i slutet av en mening (också frågor). Se 5 Satsmelodi.

1 Satsbetoning

I en mening har viktiga ord betoning.

Exempel 1:
– Vem vann matchen i går? – Det gjorde Pelle.

SPECIAL
Ordet 'inte'
Exempel 2: Olof vann inte.

	SUBSTANTIV + VERB	PRONOMEN + VERB
Exempel 3:	Petra läser.	Hon läser.
	VERB	VERB + OBJEKT
Exempel 4:	Hon läser.	Hon läser en bok.
	VERB	VERB + PARTIKEL
Exempel 5:	Hon läser.	Hon läser om boken.
	MÅTTSORD	MÅTTSORD + DET MAN MÄTER
Exempel 6:	Hon köper en liter.	Hon köper en liter mjölk.

	FÖRNAMN	FÖRNAMN + EFTERNAMN
Exempel 7:	Hon heter Petra.	Hon heter Petra Andersson.
	NAMN	MANLIGA DUBBELNAMN
Exempel 8:	Jag heter Per.	Jag heter Per-Erik.
	(EJ KVINNLIGA DUBBELNAMN)	
Exempel 9:	Jag heter Anna.	Jag heter Anna-Lisa.

Öva satsbetoning i övningsdialogerna som finns på webbplatsen.

2 Ordbetoning

Svenska och internationella ord

Tendens:
Svenska ord har lång konsonant eller vokal i början (första stavelsen).
Internationella ord har lång konsonant eller vokal i slutet (ofta sista stavelsen).

Exempel 1: Jag är en desperat kvinna.

Det finns suffix som alltid har betoning.

Exempel 2:

-at desperat	-ik teknik	-an banan	-in maskin
-ad promenad	-era producera	-är populär	-et diet
-i bageri	-tion attraktion	-ör humör	-al total

Ord som slutar på -isk och -iker har betoning på stavelsen innan suffixet.
Exempel 3: teknisk, tekniker

Det finns internationella ord som betonas som svenska ord.
Exempel 4: yoga, stretching, en partner, ett foto

A Lyssna på betoningen av internationella ord. Markera långt ljud.

kolhydrat	energi	fantisera	fysisk	taktik
resultat	kalori	kondition	fysiker	taktisk
privat	diskutera	pensionär	fantasi	taktiker
marmelad	repetera	fysik	lotteri	

Ord som börjar med be- och för- har lång vokal/konsonant i andra (2:a) stavelsen.
Exempel 5: beror, förbjuden

Om för- betyder ”före”/”innan” är det betonat.
Exempel 6: på förhand

B Lyssna. Stryk under lång vokal eller lång konsonant.

behöver	förening	beskriver	förbjuden	förstås
förstår	beror	besöker	förhandlar	förälder
förkortning	berättar	förskola	förrätt	

Sammansatta ord

Sammansatta ord har två (2) långa ljud. Sammansatta ord har också en speciell melodi som är en variant av accent 2. Melodin går ner på första långa ljudet. Melodin går upp på andra långa ljudet.

Exempel 7: soffpotatis, hurtbulle

C Lyssna. Vilka ljud är långa? Rita in melodin.

paraplydrink	simklubb	kolhydrater
armhävning	a-kassa	fritidsintresse
längdskidåkning	förskollärare	samband
simglasögon	uthållighetssporter	
samhällsklass	idrottsförening	

Också ord med långa prefix och/eller suffix uttalas som sammansatta ord.
Exempel 8: område, snabbhet

D Lyssna på ord med långa prefix och suffix och markera lång vokal och lång konsonant. Rita in melodin.

uthållighet egenskap redskap anställd avbetalning

3 Reduktioner och assimilationer

Reduktioner

Vi uttalar inte alla bokstäver.

Vi uttalar **h** i betonade ord. Vi uttalar **h** i början av meningen.
Exempel 1:
– Har ~~h~~an en häst? – Han ~~h~~ar en häst.

A När uttalar vi **h**? Lyssna och markera.
– Vad har du för husdjur?
– Jag har en hund. Du då?
– Jag har ingen hund. Men min syster har husdjur.
– Vad har hon då? Har hon en häst?
– Nej, hon har en katt.

Finalt **r** uttalas bara före vokal.
Exempel 2:
Lycka kan inte köpas fö~~r~~ pengar. (**r** + konsonant)
En guldnyckel öppnar alla dörrar. (**r** + vokal)

B När uttalar vi **r**? Lyssna och markera.
Peter älskar att bo i stan.
Han tjänar ganska bra och får ofta bonus.
Han jobbar femtio timmar i veckan.

D blir **r** efter vokal i obetonat ord.
Exempel 3:
Ha ~~d~~e~~t~~ bra så länge!

C När uttalar vi **d** som **r**? Lyssna och markera.
Ta det lugnt. Det blir er tur sedan!
Hur skaffade du nya kompisar då?
Utan pengar hade det inte funkat.
Tillsammans startade de också en folkhögskola.

Adjektiv som slutar på -**ig**
Exempel 4:
Det här är vikti~~g~~t! Mina vänner är så roli~~g~~a.

D Hur uttalar vi ord med -**ig**? Lyssna och markera.
Nyttig mat.
Jag har aldrig gillat sport.
Jag har dålig rygg.
Jag blir svettig när jag springer.

Ord som slutar på -**skt**
Exempel 5: dramatis~~k~~t

E Hur uttalar vi ord med -**skt**? Lyssna och markera.
Det är faktiskt så.
Det är inte så praktiskt men det är hemskt vackert.
Vad typiskt!
Det blir svårare ekonomiskt.
Det var fantastiskt roligt i går!

Många ord med **dag**
Exempel 6: midda~~g~~, varda~~g~~
OBS! mi_dd_a~~g~~, mi_dd_agar

F Hur uttalar vi ord med **dag**? Lyssna och markera.
Oj, vilken arbetsdag!
När är din födelsedag?
Vi ses på lördag!

Verb som slutar på -**ar** (grupp 1)
Exempel 7: Jag bruka~~r~~ träna på måndagar. I går träna~~de~~ jag inte.

G Hur uttalar vi verb som slutar på -**ar** (grupp 1)? Lyssna och markera.
– Åh, vad maten kostar mycket! Förut kostade den inte lika mycket.
– Nej, det är sant. Jag har sparat en del pengar som jag tar av.
– Det är bra. Jag sparade mycket förut, men nu sparar jag ingenting.

Exempel 8:

VANLIGA REDUKTIONER OCH FÖRÄNDRINGAR:

att [å] + infinitiv MEN att [at] + bisats	sedan [sennn]	tidning [tining]
	är [e]	morgon [morron]
vad [va]	jag [ja]	världen [värden]
var [va]	det [de/re*]	ledsen [lessen]
hur [hu]	de/dem [dåm/råm*]	tjugo [tjugi, tjuge]
vilken/t/a [viken/t/a]	mig [mej] dig [dej] sig [sej]	tjugoett, tjugotvå [tjuett, tjutfå]]
till [ti]	någon [nån] något [nåt]	
vid [vi]	några [nåra]	trettio [trettti]
med [me]	mycket [mycke]	fyrtio [förttti]
bredvid [brevi]	alltid [allti]	femtio [femti]
och [å]	aldrig [aldri]	

* Se Reduktioner 3 C

Assimilationer

Tonande + tonlös = tonlös
tonande: **b d g v**
tonlösa: **p t k f s**

Exempel 9:

	B	D	G	V
P			soluppgång	
T	snabbt ett bi	enligt dig att du (den, det, de osv)		effektivt två
K	bakben	nackdelar		kvinna
F	golfbana			
S	substantiv	föds arbetsdag	högskola inte alls glad	svara svettas

H Hur uttalar vi **b, d, g** och **v**? Lyssna och markera.
Jag hoppas **att du** har valt **utbildning.**
Jag är **tvungen** att **tvätta.**
Han har flera **sjukdomar.**

Deras brev var **absolut** intressanta.
Jag **trivs** med min **livsstil**.
I **Sverige** finns mycket **svamp** men den är **svår** att hitta.

Rd, rt, rl, rn och **rs** uttalar vi som ett ljud.
Exempel 10: borde, kort, Karl, barn, person

Också mellan kombinationer av **t, d, l, n, s** och **r**
Exempel 11: torsdag, sorts, partner, störst

I Hur uttalar vi **rd, rt, rl, rn** och **rs**? Lyssna och markera.

RD	RT	RL	RN	RS
1	2	3	4	5
hård	artikel	kärlek	gärna	undersökning
gjorde	stort	konstnärlig	Dalarna	störst
körde	klart	härlig	hundarna	universitetet
rörde	vårt	farlig	(bestämd	kurs
lärde	starta	annorlunda	form singular	annars
vård av barn	hjärta	förlorar	av alla ord	försöker
vardagen	säkert	storlek	med plural	förstås
värden	hört	Charlotte	på -r)	eftersom
	snart	naturlig		stackars dig
	svart	ärlig		förskola
				sjuksköterska

Också mellan ord.
Exempel 12: Var studerar du?

J Lyssna och markera **rd, rt, rl, rn** och **rs** mellan ord.
Hur skaffar ni nya vänner?
Ungefär så.
För ett år sedan kom jag hem.
Han rakar sig inte så ofta.
Jag kom för sent.
Där ser man.
Du lär dig mycket.
Hur tänker du?
Var läser du?

Vi uttalar **n** som **ng** före **k** (och **g**).
Exempel 13: enkel, tänker, punkt, drink, bank, smink

Vi uttalar **g** som **ng** före **n**.
Exempel 14: Var lugn. Ugnen är varm.

4 Accent 1 och 2

Melodin går upp (accent 1) eller ner (accent 2) på långt ljud.

Exempel:

ACCENT 1	ACCENT 2
Jag heter Per.	Men jag kallas för Pelle.

A Lyssna efter accenten på orden med fet stil.

ACCENT 1	ACCENT 2
– Vad **läser** du? – **Matematik**.	– Vad **pluggar** du? – **Matte**.
– Vad **äter** du? – **Mat**…	– Vad ska du **äta**? – **Kyckling**.
– När **kommer** du? Klockan **två**.	– När kan du **komma**? – Klockan **åtta**.
– Vad **köper** du? – En **liter**.	– Vad **köpte** du? – Bara **lite**.

B Titta på orden. Kan du se ett system för vilka ord som har accent 1 och accent 2? Tips: titta på hur orden betonas.

ACCENT 1	ACCENT 2
ett, två, tre	fyra
en man	en kvinna
ett universitet	en skola
betalar	talar

Se svar nedan.

Ord med betoning på första stavelsen har accent 2.
Alla andra ord (även ord med bara en stavelse) har accent 1.
Undantag: bestämd form av enstaviga ord (boken) och presens på –er (läser) har accent 1.
Arbeta mer med accent 1 och 2 i övningsdialogerna som finns på cd:n.

5 Satsmelodi

Melodin går ner i slutet av en mening (också i frågor).

Exempel: Tycker du om att spela tennis? Ja, jag gillar att spela tennis.

6 Vokaler

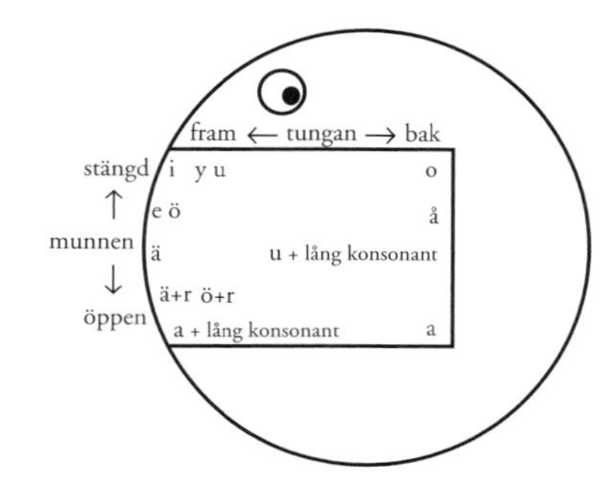

Vokalerna I, E och Ä

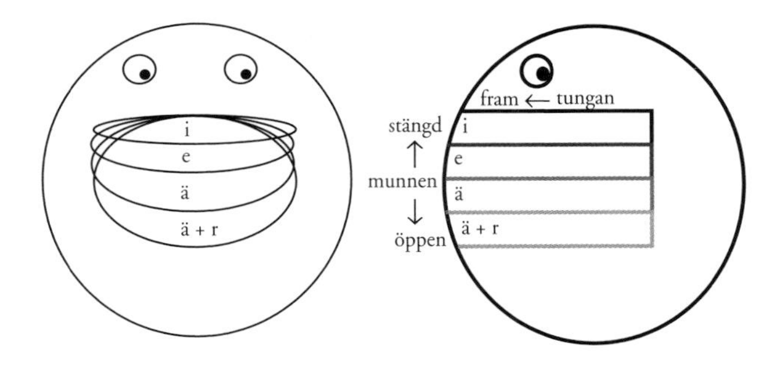

A Lyssna och imitera.

I	E	Ä	Ä + R
skiner	sken	skäl	skära härlig*
I + LÅNG KONSONANT	E OCH Ä + LÅNG KONSONANT (SAMMA LJUD)		E OCH Ä + RR
brinner	händer henne		herre därför

* också när r inte uttalas före l

Vokalerna I och Y

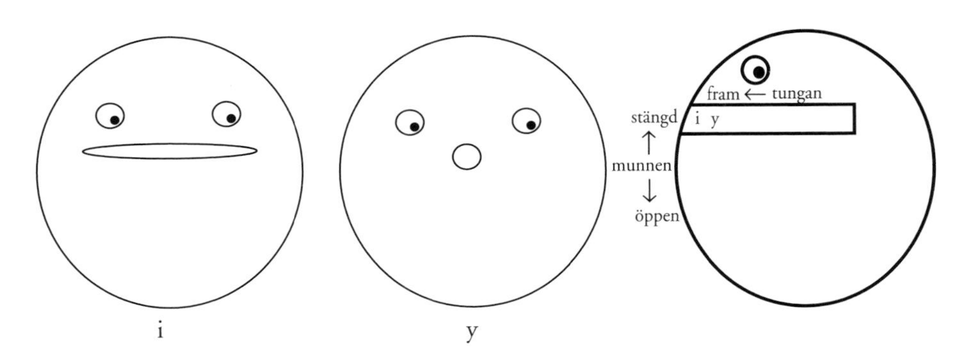

B Lyssna och imitera.

Y	I
by	bi
Y + LÅNG KONSONANT	I + LÅNG KONSONANT
byxa	bild

Vokalen U

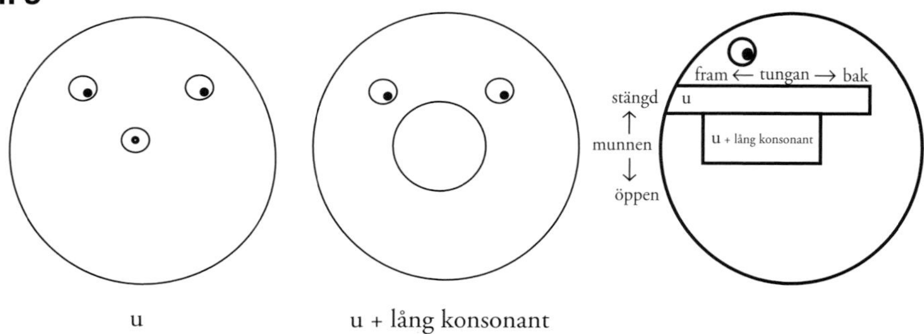

C Lyssna och imitera.

U	U + LÅNG KONSONANT
ful	full

Vokalerna E och Ö

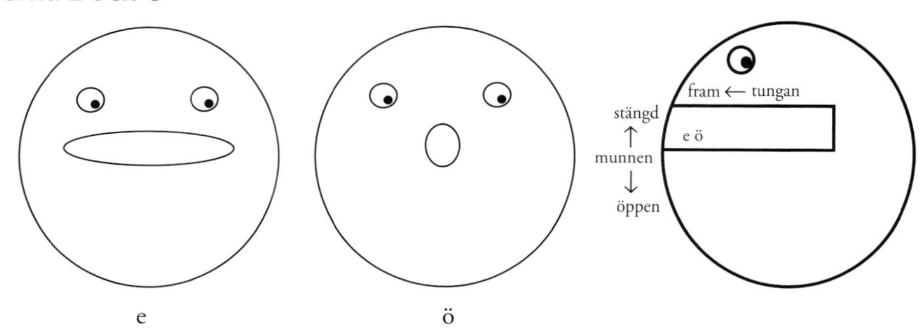

D Lyssna och imitera.

E	Ö	Ö+R
brev	öl	öra
E ELLER Ä + LÅNG KONSONANT	Ö + LÅNG KONSONANT	Ö + LÅNGT R (IBLAND SOM U + LÅNG KONSONANT)
pengar	öst	dörr

Vokalerna O, Å och A

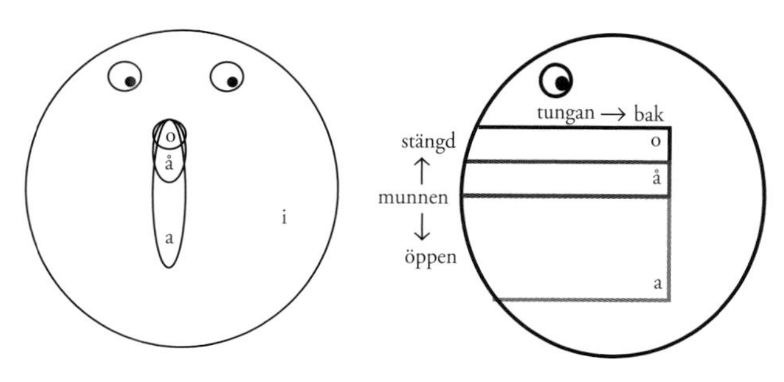

E Lyssna och imitera.

O	Å	A
sol	son	dator
O + LÅNG KONSONANT	Å + LÅNG KONSONANT	A + LÅNG KONSONANT
mormor	dotter	kaffe

Vokalen A

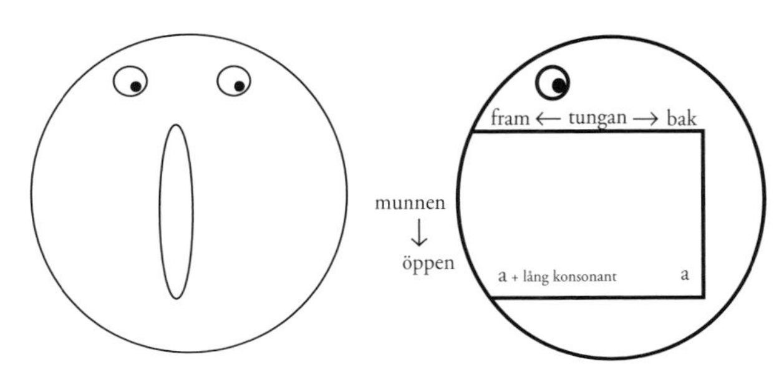

F Lyssna och imitera.

A	A + LÅNG KONSONANT
Karl	Kalle

7 Konsonanter

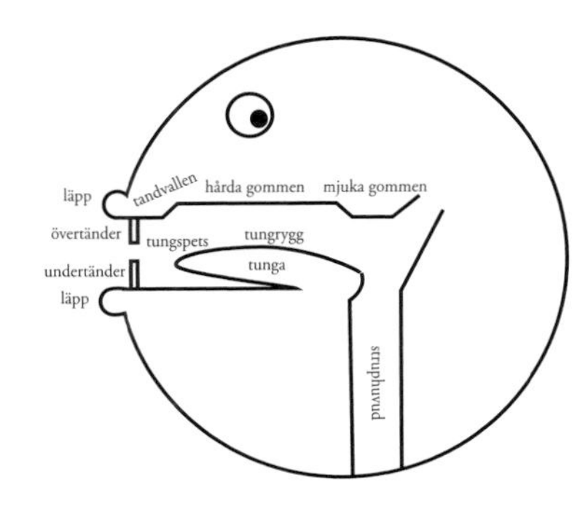

HUR\VAR	1 LÄPP + LÄPP	2 LÄPP + TAND	3 TUNGA + TAND	4 TUNGSPETS BAKOM TÄNDERNA	5 TUNGRYGG + HÅRDA GOMMEN	6 TUNGRYGG + MJUKA GOMMEN	7 HALSEN
TONLÖS	p	f	s, t	rs, rt	tj	k, sj	h
TONANDE	b, m	v	d, l, n	rd, rl, rn, r	j	g, ng	

Ng-ljudet

Lyssna och imitera.
engelska

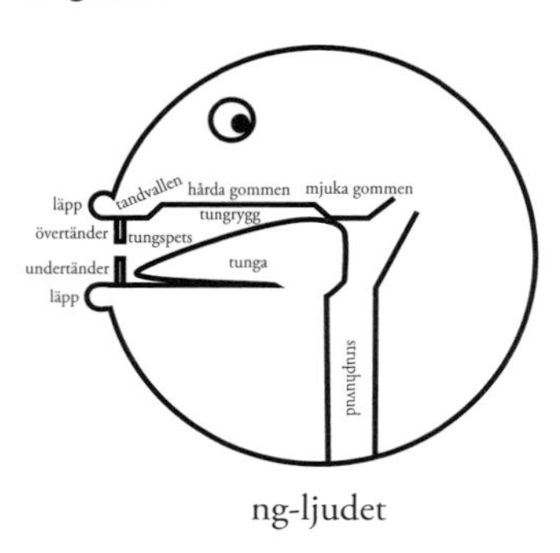

ng-ljudet

20-ljudet och 7-ljudet

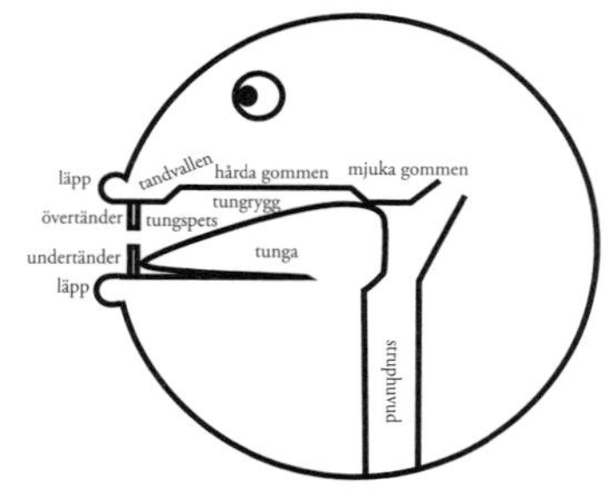

sju-ljudet (bakre)

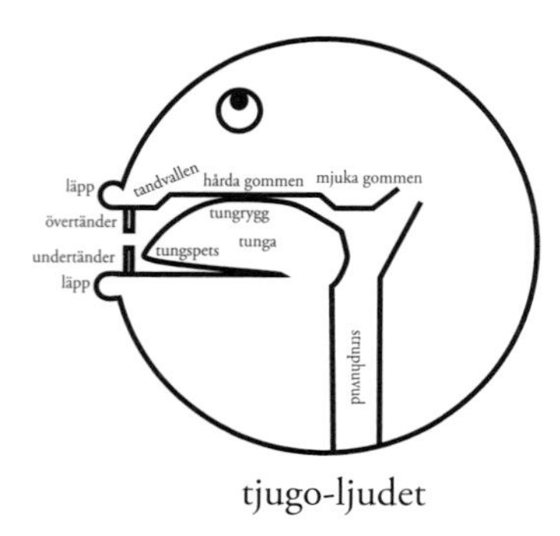

tjugo-ljudet

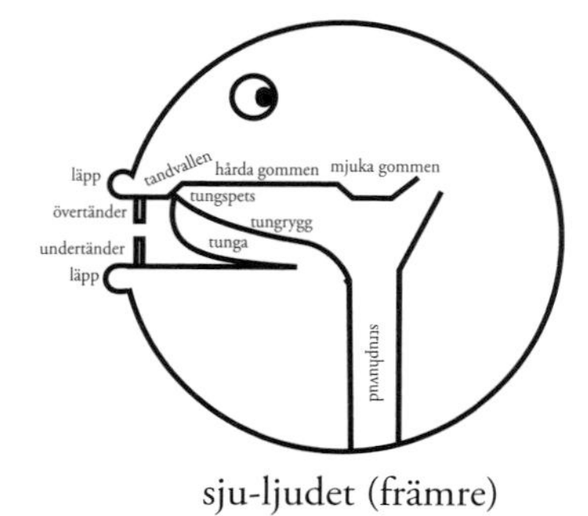

sju-ljudet (främre)

Lyssna och imitera.

20-LJUDET	7-LJUDET
tjugo	sju

8 Skriva och uttala

Hur skriver vi lång konsonant?

Lång konsonant = dubbel konsonant

Exempel 1: jobbar

Lång konsonant = två olika konsonanter

Exempel 2: börjar

SPECIAL

k-ljudet: långt k skriver vi ck

Exempel 3: mycket

j-ljudet: långt j skriver vi j

Exempel 4: hej

m-ljudet skriver vi mm bara mellan vokaler

Exempel 5: komma

Undantag: ord som har med Rom och dom att göra

Exempel 6: romersk, domare, ungdomar

Hur skriver vi sju-ljudet?

Oftast sk före e, i, y, ä och ö

Exempel 7: sked, skina, skyller, skär, skörd

Sju-ljudet kan skrivas på många olika sätt.

Exempel 8:

choklad, charm, Charlotte

garage, reportage

giraff

journalist

schack, duscha, usch, schema, schampo, schäfer, fräsch

shoppa

sju, själv, sjö, sjuk, sjunga, sjunker

skjorta, skjuter, skjutsa

diskussion

station, instruktion, attraktion, kondition, motion*, nation*

stjärna

* med t-ljud

Hur skriver vi tjugo-ljudet?

Vi skriver ofta k före e, i, y, ä, ö.

Exempel 9: kylskåp, känsla, köpa

Vi skriver ofta tj före a, u och o.

Exempel 10: tjatar, tjugo, tjock

Undantag:
Exempel 11: tjena, tjej, tjänar

Tjugo-ljudet kan skrivas med **ch** och **kj** också.
Exempel 12:
charter, chatta, check, chili, chips, Chile, Chicago*
Kjell, kjol

* OBS! ch används också för sju-ljudet. Se exempel 8.

Hur skriver vi j-ljudet?

Vi skriver j i många ord.
Exempel 13: jag, ja, jo, tjej, nej, välj

Vi skriver oftast g före e i y ä ö
Exempel 14: geting, gick, gym, gärna, gör

SPECIAL
dj, hj, lj [j]
Exempel 15:
djungel, djur, djup, djävul
hjortron, hjul, hjälm, hjälp, hjälte, hjärna, hjärta
ljuger, ljud, ljus, ljummet

rg lg [rj] [lj]
Exempel 16:
berg, varg, arg
helg, älg

Hur skriver vi å-ljudet?

Vi skriver å-ljudet med å eller o.
Exempel 17: håller, hål, son, pollen

Hur uttalar vi g, k och sk?

Exempel 18:

	+ A O U Å = HÅRT UTTAL	+ E I Y Ä Ö = MJUKT UTTAL
G	galen, godis, gullig, gång	ger, gift, gym, gärna, gör
SK	ska, skojar, skulle, skåp	sker, skillnad, skynda, skär, skönt
K	kanske, kock, kunna, kål	kemi, Kina, kylskåp, kött

Både hårt och mjukt:
kex, kilo, kilometer, kiosk

Minigrammatik

Ordföljd

Ordföljd i huvudsats

FUNDAMENT	VERB 1	SUBJEKT	SATS-ADVERB	VERB 2–4	VERB-PARTIKEL	KOMPLE-MENT	ADVERB HUR? VAR? NÄR?
Jag	har	---		lånat	ut	pengar	en massa gånger.
Jag	får	---	aldrig		tillbaka	dem.	
Om det inte hjälper	ska	du	kanske	prata			med polisen.
Ibland	bru-kar	hon		ringa		mig	på nätterna.

Konjunktioner (mellan ord och satser av samma typ)

Eller (alternativ) — Ska vi äta middag hemma **eller** gå på restaurang?

Men (kontrast) — Jag ringde i går, **men** ingen svarade.

För (orsak) — Jag söker jobb **för** jag är arbetslös.

Så (konsekvens) — Jag är arbetslös **så** jag måste söka jobb.

(*Inte*) … *utan* (inte x men y) — Jag arbetar **inte utan** (jag) är hemmafru.

Både … *och* (x och y) — Jag vill ha **både** pengar **och** status.

Antingen … *eller* (x eller y) — Jag ska **antingen** köpa **eller** hyra lägenhet.

Varken … *eller* (inte x inte y) — Jag har **varken** jobb **eller** bostad.

Ordföljd i bisats

BISATS INLEDARE	SUBJEKT	SATS-ADVERB	VERB1	VERB 2-4	VERB-PARTIKEL	KOMPLE-MENT	ADVERB (HUR? VAR? NÄR?)
… att	man	alltid	ska	vara		ärlig …	
Om	du	inte	vill	hjälpa	till …		
När	vi		var				ute förra veckan …

Subjunktioner (inleder en bisats)

TID

när	Jag ska städa **när** jag kommer hem.
medan	Ludvig lyssnar på musik **medan** han studerar.
innan	Tänk efter **innan** du tackar ja till jobbet!
tills	Vi sitter ute **tills** solen går ner.
(inte) ... förrän	Vi börjar **inte** äta **förrän** alla har kommit.

HUR

utan att	Olof svarade **utan att** tänka.*
genom att	Michael lärde sig svenska **genom att** se svenska filmer.*

KONTRAST

även om	Agneta cyklar varje dag, **även om** det regnar.**
trots att/fastän	Monica är på jobbet i dag, **trots att** hon är förkyld.**

VILLKOR

ifall/om	Säg till **om/ifall** du behöver hjälp.

FÖRKLARING

eftersom/därför att	Jag går hem **eftersom/därför att** jag inte mår bra. ~~**Därför att** jag inte mår bra, går jag hem.~~***

RESULTAT

så att	Skynda dig, **så att** vi inte missar bussen!

AVSIKT, PLAN

för att	Lena åker till stan **för att** handla.*

ALLMÄN

att	Kim tycker **att** livet är toppen.

* 'För att/utan att/genom att' + infinitiv om det är samma subjekt i huvudsatsen och bisatsen
** 'Även om' = hypotes. 'Trots att/fastän' = faktum
*** 'Därför att' kan inte stå först i mening.

Indirekt tal

1) Påstående:
   ... *säger/berättar/tycker/påstår/svarar* ... + *att* + bisats
   Jag sa att jag inte kunde bestämma något.

2) Ja/nej-fråga:
   ... *frågar/undrar/vill veta* ... *om* + bisats
   Hon frågade om jag hade lust att åka till Stockholm.

3) Frågeordsfråga:

... *frågar/undrar/vill veta* ... + frågeord + bisats

Vet du när tågen går på torsdagar?

Om frågeordet är subjekt i direkt tal (huvudsats) måste man använda *som* i indirekt tal.

Vad hände i går? → Vet du vad *som* hände i går?
subjekt

Emfatisk omskrivning

1) Fokus på subjektet, objektet, tid eller plats

Jag åt upp din chokladkaka i går. → Det var jag som åt upp din chokladkaka i går.*

Jag åt upp din chokladkaka i går. → Det var din chokladkaka (som) jag åt upp i går.

Jag åt upp din chokladkaka i går. → Det var i går (som) jag åt upp din chokladkaka.

2) Ja/nej-fråga med fokus på subjektet, objektet, tid eller plats

Åt du upp min chokladkaka? → Var det du som åt upp min chokladkaka?*

Åt du upp min chokladkaka? → Var det min chokladkaka (som) du åt upp?

Åt du upp min chokladkaka i går? → Var det i går (som) du åt upp min chokladkaka?

3) Frågeordsfråga

Vem har ätit upp min chokladkaka? → Vem är det som har ätit upp min chokladkaka?*

* 'Som' behöver man bara när man har fokus på subjektet.

Satsförkortning: objekt + infinitiv

Efter verben *se*, *höra*, *be* och *känna* använder man ofta satsförkortning.

KOMPLETT SATS	SATSFÖRKORTNING
Jag såg att hon fuskade. (hon = subjekt)	Jag såg henne fuska. (henne = objekt)
Vi hörde att han sjöng. (han = subjekt)	Vi hörde honom sjunga. (honom = objekt)

Verb

VERBGRUPP	IMPERATIV	INFINITIV	PRESENS	PRETERITUM	SUPINUM
1	prata	prata	pratar	pratade	pratat
2a	ring	ringa	ringer	ringde	ringt
2b	köp	köpa	köper	köpte	köpt
3	bo	bo	bor	bodde	bott
4 -it	skriv	skriva	skriver	skrev	skrivit
4 oregelbundna	säg	säga	säger	sa(de)	sagt

Verbformer

Imperativ

1) order, inget subjekt
   Vakna!

Infinitiv

1) efter hjälpverb
   Man får inte fotografera här.
2) efter infinitiv-att
   Det är roligt att dansa.
   Det här kommer att gå bra.

Supinum

1) efter *har* (=presens perfekt)
   Gunilla har arbetat här i många år
2) efter *hade* (=preteritum perfekt)
   Vi började äta när alla hade kommit.

I bisats kan man stryka 'har' och 'hade' före supinum.
Vi började äta när alla kommit.

Tempus

NU-TEMPUS

PRESENS PERFEKT	PRESENS	PRESENS FUTURUM
har talat	talar	ska tala, kommer att tala, talar (i morgon)

DÅ-TEMPUS

PRETERITUM PERFEKT	PRETERITUM	PRETERITUM FUTURUM
hade talat	talade	skulle tala

Presens

1) nu
   Pia diskar.
2) generellt
   Göteborg ligger på västkusten.
3) vana
   Pia spelar poker på lördagar.

Presens perfekt

1) tidpunkten eller tidsperioden är ointressant (men före NU).
   Resultatet är intressant/aktuellt.
   Jag har studerat mycket till provet. (Resultat: Jag kan allt nu.)
2) tillsammans med nutidsadverb
   Paulina har jobbat hårt i år.
3) tiden är inte slut
   Anneli och Sture har varit gifta i sju år. (Och är fortfarande gifta.)

Presens futurum

1) *kommer att* + infinitiv (naturlig process, logisk konsekvens, prognos, subjektet planerar eller bestämmer inte)
   Det nya bostadsområdet kommer att bli populärt.
2) *ska* + infinitiv (beslut, plan, vilja, tvång, intention, löfte, ”rykte” – man visar att informationen kommer från någon annan: Det ska bli regn i helgen.)
   Roine Wigman ska starta ett nytt parti.
3) presens (med framtidsadverb samt i temporala och konditionala bisatser)
   Rolf kommer hem i morgon.
   När vi kommer till landet ska vi bada.
4) *tänker* + infinitiv (planerar)
   Sofie tänker flytta till London.
5) presens perfekt (en handling som kommer att vara avslutad vid en specifik tidpunkt i framtiden)
   När Richard har lärt sig perfekt svenska ska han börja studera kinesiska.

Preteritum

1) specifik tidpunkt eller tidsperiod i DÅ (med dåtidsadverb eller underförstått)
   Pelle kom hem i går.
   Jag gjorde läxan på bussen.
2) berättande tempus i DÅ
   Först åt vi lunch och sedan tog vi en promenad.
3) i utrop (också om NU)
   Vad gott det var!

Preteritum perfekt

1) något som hände före DÅ. Tidpunkten eller tidsperioden är ofta ointressant men resultatet var intressant/aktuellt DÅ.
   Det gick bra på provet. Jag hade studerat mycket.
   Alla hade redan ätit när jag kom hem.

Preteritum futurum

1) framtid i DÅ*
   När han hade städat skulle han tvätta bilen.
2) när något just höll på att hända eller var på väg att hända när en annan händelse inträffade
   Telefonen ringde precis när jag skulle duscha.

* *Ska* + infinitiv, kommer att + infinitiv och presens (som framtid) blir *skulle* + infinitiv i DÅ:

Exempel:

PRESENS FUTURUM	PRETERITUM FUTURUM
Jag ska åka	
Jag kommer att åka	Jag skulle åka
Jag åker	

Konditionalis

1) "Nu"

Om jag vann 100 000 kronor skulle jag resa jorden runt.

= Vann jag 100 000 skulle jag resa jorden runt.

2) "Efter"

Om jag hade gift mig med Carlos skulle jag ha flyttat till Spanien.

= Hade jag gift mig med Carlos skulle jag ha flyttat till Spanien.

Transitiva och intransitiva verb

Transitiva verb kan ha objekt:

Jag lägger pennan på bordet.

Intransitiva verb har inte objekt:

Pennan ligger på bordet.

1) En del intransitiva verb slutar på -na:

INTRANSITIVA	TRANSITIVA	INTRANSITIVA	TRANSITIVA
bleknar	bleker	kallnar	kyler
drunknar	dränker	slocknar	släcker
fastnar	fäster	sover*/somnar	söver
vaknar	väcker		

2) Intransitiva verb byter ofta vokal eller ändras lite på annat sätt när de blir transitiva.

brinner*	bränner	sitter*	sätter*
dör*	dödar	sjunker*	sänker
faller*	fäller	spricker*	spräcker
ligger*	lägger*	står*	ställer

3) Några verb har -s när de är intransitiva.

bits*	biter*	luras	lurar
kittlas	kittlar	retas	retar
knuffas	knuffar	sparkas	sparkar

*oregelbundet verb

Presens particip

Presens particip är en verbform som kan fungera som:

1) adjektiv

Stickande och bitande djur

2) adverb (oftast efter verb som: *komma*, *gå*, *springa*, *sitta*, *ligga*)

Gå sjungande eller pratande därifrån...

3) substantiv

De boende i skärgården ...

Fästingen orsakar mycket lidande.

IMPERATIV	PRESENS PARTICIP
prata!	pratande
stick!	stickande
bit!	bitande
bo!	boende

Perfekt particip

Perfekt particip är en verbform som kan fungera som:
1) adjektiv
Peter äter stekt potatis.
2) passiv
Olof Palme blev mördad 1986.

VERBGRUPP	SUPINUM	PERFEKT PARTICIP
1	baka|t	+d +t +de
2a	fyll|t	+d +t +da
2b	stek|t	+t +t +ta
3	strö|tt	+dd +tt +dda
4 -it	skriv|it	+en +et +na
4 OREGELBUNDNA	sål|t	+d +t +da

Bestämd form singular och plural = obestämd form plural
två stekta ägg
det stekta ägget
de stekta äggen

Perfekt particip av partikelverb
Ebba åt upp alla kakor. → Alla kakor är uppätna.
Katten har sprungit bort → Katten är bortsprungen.

Passiv

Passiv med blir/är + perfekt particip

1) *Blir* + perfekt particip har fokus på en händelse eller förändring. Blir + perfekt particip kan oftast bytas ut mot s-passiv.
   Han blev opererad i går. (= Han opererades i går.)

2) *Är* + perfekt particip har fokus på ett tillstånd eller resultat.
   Chefen är bortrest på semester.
   Hotellrummen är städade.
   Chefen har rest bort på semester.*
   Man har städat hotellrummen.*
   **Är* + perfekt particip kan ofta bytas ut mot presens perfekt

S-passiv

AKTIV	PASSIV
Ett japanskt företag presenterade idén.	Idén presenterades av ett japanskt företag.
Man äter semlor under fastan.	Semlor äts under fastan.

AKTIV		PASSIV
objekt	⟷	subjekt
subjekt	⟷	av + agent
man	⟷	---
verb	⟷	verb + s

	INFINITIV	PRESENS	PRETERITUM	SUPINUM
1	presenteras	presenteras	presenterades	presenterats
2a	byggas	byggs	byggdes	byggts
2b	sänkas	sänks	sänktes	sänkts
3	strös	strös	ströddes	strötts
4 -it	hållas	hålls	hölls	hållits
4 oreg.	göras	görs	gjordes	gjorts

SPECIAL 1: imperativ slutar på s, t ex läs! *läses* i presens
SPECIAL 2: imperativ slutar på r, t ex kör! köras, körs, kördes, körts

Andra verb med -s

1) Reciproka (intransitiva)
   De träffas ute på stan. (= De träffar varandra.)

2) Deponens (*minns*, *hoppas*, *andas*, *svettas*, *kräks* osv)
   Hon minns inte något av händelsen.

3) En del verb som beskriver en aktiv handling (t ex *bita*, *lura*, *reta*, *slå*) kan med -s bli intransitiva.
   Hunden bet mig i går (= transitivt). Den bits ofta (= intransitivt).
   Lasse-Maja lurade polisen (= transitivt). Han lurades ofta (= intransitivt).

Substantiv

Substantivets former

	SINGULAR OBESTÄMD FORM	SINGULAR BESTÄMD FORM	PLURAL OBESTÄMD FORM	PLURAL BESTÄMD FORM
GRUPP 1	en kyrka	kyrkan	kyrkor	kyrkorna
GRUPP 2	en tävling	tävlingen	tävlingar	tävlingarna
GRUPP 3	en student	studenten	studenter	studenterna
GRUPP 4	ett arbete	arbetet	arbeten	arbetena
GRUPP 5	ett spel	spelet	spel	spelen
	en läkare	läkaren	läkare	läkarna

Obestämd form

Med obestämd artikel

1) ny information:
Jag såg en orm i trädgården.

2) i presenteringsfraser (börjar med 'det')
Det ligger en katt utanför huset.

Utan obestämd artikel

1) efter kvantitetsord (*sju*, *olika*, *någon*, *ett par*, *många* osv)
Niklas har många CD-skivor.

2) efter possessiva pronomen och genitiv
Mina syskon bor utomlands.
Vet du vad Sveriges statsminister heter?

3) verbfraser, generellt/inte specifikt
Eva spelar piano varje dag.
Claes åker buss till jobbet.*
*Claes tar bussen. = specifik buss

4) efter *nästa* och *samma*
Nästa år ska vi göra en långresa.

5) familj (inkl husdjur), kläder och "utrustning" (inte specifik):
Han har barn och hund.
Greta går med rullator.
Linda går alltid klädd i kjol och blus. — Linda går alltid klädd i <u>en</u> blommig blus.*
De har båt. — De har <u>en</u> stor båt.*
*med attribut

6) yrke, religion, politik osv
Mats är kock. — Mats är <u>en</u> duktig kock.*
Adam är katolik. — Adam är <u>en</u> djupt troende katolik.*
*med attribut

7) ofta vid samordning av substantiv (*med och/eller)*
Ta med dig papper och penna till provet.
Per firade födelsedagen med släkt och vänner.

Bestämd form

1) gammal/presenterad/känd information
   Jag såg en hund och en katt i trädgården. Hunden var vit och katten var svart.
2) lyssnaren/läsaren vet vad man menar
   Livet är fantastiskt!
   Kan du stänga dörren.
   Vi träffas i receptionen.
3) något man kan associera
   Vi badade men vattnet var jättekallt.
4) substantivet tillhör eller är en del av subjektet
   Lisa biter på naglarna.
   Jag tar bilen i kväll.
5) egenskap, yrke (inte titel) eller annan beskrivning + namn
   Multimiljonären Dennis Tito …
   Men: Professor Nilsson arbetar på KI.
6) efter bestämd artikel och demonstrativa pronomen
   Ska vi ta den kakan?*
   Du måste läsa den här artikeln.**
   *Substantivet kan ha obestämd form mellan den/det/de och 'som'
   Polisen vill tala med den person som såg …
   Denna artikel skrevs för 50 år sedan.**
   **Efter denna/detta/dessa har substantivet obestämd form.
7) fraser
   Jag ska gå på banken i eftermiddag.
   Du borde gå till doktorn.
8) efter vissa ord, t ex: *förra*, *hela*, *båda*, ordningstal
   Förra veckan var vi i Köpenhamn.
   Det är andra gången jag ser filmen.
9) Före ett attribut (adjektiv t ex) har man normalt bestämd artikel
   Vi köpte den svarta bilen.
   Men det gäller inte "namn":
   Ska vi gå till Gamla Stan i morgon?
   USA:s president bor i Vita huset.
   Har du badat i Röda havet någon gång?

Pronomen

SUBJEKT	OBJEKT	REFLEXIVA	POSSESSIVA	REFLEXIVA POSSESSIVA**
jag	mig/mej	mig/mej	min/mitt/mina	
du	dig/dej	dig/dej	din/ditt/dina	
han	honom	sig/sej	hans	sin/sitt/sina
hon	henne	sig/sej	hennes	sin/sitt/sina
man*	en	sig/sej	ens	sin/sitt/sina
den/det	den/det	sig/sej	dess	sin/sitt/sina
vi	oss	oss	vår/vårt/våra	
ni	er	er	er/ert/era	
de/dom	dem/dom	sig/sej	deras	sin/sitt/sina

* Man är ett indefinit pronomen.

** Reflexiva possessiva pronomen (sin/sitt/sina) refererar till subjektet (tredje person) i samma sats.

Anita går på bio med sin bästa vän.

Sin/sitt/sina kan inte vara del av subjektet (varken i huvudsats eller bisats).

Anita och hennes bästa vän går på bio. Anita säger att hennes bästa vän är fantastisk.

Demonstrativa pronomen

denna = den här

detta = det här

dessa = de här

denna/detta/dessa + bestämt adjektiv + obestämt substantiv

den/det/de här + bestämt adjektiv + bestämt substantiv

Denna/detta/dessa är i de flesta delar av Sverige mer formellt än *den/det/de här/där*.

Relativa pronomen och adverb (inleder bisats)

1) *Som*

De har ett sommarställe **som** ligger vid havet.

De har ett sommarställe **som** de gärna åker **till**.*

De har ett sommarställe de gärna åker till.**

2) *Där*

Ett smultronställe är en plats **där** man mår bra och kopplar av.

3) *Dit*

Det är en plats **dit** man åker när man vill koppla av.

4) *Vars*

Jag hjälpte en man **vars** bil hade gått sönder.

5) *Vilket/något som*

Filmen visade människor utan kläder **vilket/något som** var en skandal på den tiden.

* Prepositionen kommer sist.

** Man måste ha 'som' när det är subjekt i bisatsen. När något annat ord är subjekt i bisatsen behöver man inte ha 'som'. (Samma princip som i indirekt tal.)

Adverb

Adverb beskriver:

1) verb

   Peter springer snabbt.

2) adjektiv

   Peter är väldigt snabb.

3) adverb

   Peter springer väldigt snabbt.

Adjektiv

OBESTÄMD FORM		BESTÄMD FORM	
Adjektiv = X			
en X	en gul bil	den X + a	den gula bilen
ett X + t	ett gult hus	det X + a	det gula huset
två X + a	två gula bilar	de X + a	de gula bilarna

Adjektiv + substantiv

1) Obestämt adjektiv + obestämt substantiv efter "kvantitetsord": *en/ett/någon/något/några/ingen/inget/inga/vilken/vilket/vilka/en annan/ett annat/andra* osv.

   Vilken praktisk bil!

   Vilket praktiskt kök!

   Vilka praktiska väskor!

2) Bestämt adjektiv + bestämt substantiv efter *den/det/de* (*här/där*)

   den (här) praktiska bilen

   det (här) praktiska köket

   de (här) praktiska väskorna

3) Bestämt adjektiv + obestämt substantiv efter: possessiva pronomen/genitiv/*samma/nästa/följande/föregående/denna/detta/dessa*

   min praktiska bil

   mitt praktiska kök

   mina praktiska väskor

Adjektiv efter några verb

Efter verben *vara, bli, känna sig, se … ut* och *verka* kommer adjektiv (alltid i obestämd form).

Peter är snabb.

Maria och Sofia blev glada efter loppet.

Adjektiv +t

1) Det är + adjektiv + t.
   Det är nyttigt att springa.
2) Att + infinitiv + adjektiv + t
   Att springa är nyttigt.
3) Att + bisats + adjektiv + t
   Att han springer är nyttigt.
4) När vi beskriver något generellt.
   Sill är gott. (Jämför: Den här sillen är god. = specifik sill)

En del adjektiv är oböjliga, t ex lagom, extra, gratis.

Komparation av adjektiv och adverb

POSITIV	KOMPARATIV	SUPERLATIV
billig	billigare	billigast

Potatis är billigare än tomater.
Bananen är lika billig som apelsinen.
Apelsinen och bananen är lika billiga.

HALVSPECIAL

dum	dummare	dummast*
hög	högre	högst
nära	närmare	närmast
vacker	vackrare	vackrast

SPECIAL

bra	bättre	bäst
dålig	sämre/värre	sämst/värst
få	färre	---
gammal	äldre	äldst
gärna	hellre	helst
lite	mindre	minst
liten	mindre	minst
lång	längre	längst
mycket	mer	mest
många	fler	flest
stor	större	störst
tung	tyngre	tyngst
ung	yngre	yngst

* Långt m och n dubbeltecknas mellan vokaler.

PERFEKT PARTICIP

intresserad mer intresserad mest intresserad

PRESENS PARTICIP

fascinerande mer fascinerande mest fascinerande

ADJEKTIV SOM SLUTAR PÅ -isk

praktisk mer praktisk mest praktisk

Superlativ bestämd form

1) Adjektiv

   Regelbundna (som slutar på -ast i superlativ)

   Nordens brantaste berg- och dalbana i trä …

   Oregelbundna (som slutar på -st i superlativ)

   Sveriges längsta väg …

2) Perfekt particip

   En av de mest sedda svenska filmerna …

   Klassens mest motiverade elev …

3) Presens particip

   Den mest fascinerande filmen …

4) Långa adjektiv och adjektiv som slutar på -isk

   Den mest praktiska apparaten är …

Tidsprepositioner

1) Hur ofta? (Frekvens)*

   om (dagen/året/dygnet)

   Peter tränar en gång om dagen.

   Annars:

   i (sekunden/minuten/timmen osv)

   Vi tränade 2 gånger i veckan.

   *Annat sätt att uttrycka frekvens:

   Tåget går varannan timme/var tredje timme/var fjärde timme …

   De träffas vartannat år/vart tredje år/vart fjärde år …

2) Tidsperiod

   Hur länge?

   (*i*): Jag springer i skogen (i) två timmar varje vecka.

   Hur snabbt?

   på: Hon sprang Stockholm maraton på 5 timmar.

   ”Negativ tidsperiod”

   i: Han har inte tränat på en månad.

3) Tidpunkt

När? (framtid)

om: Bussen går om fem minuter.

När? (dåtid)

för ... sedan: De flyttade till Sverige för fem år sedan.

Källförteckning till bilderna

Siffran anger sidan och bildens placering på sidan

10:1 Sven Persson/sydpol.com/IBL Bilbyrå
16 Björn Andrén/Nordic Photo
23:1 Carl Larsson: Till en liten vira, Bridgeman Art Library/ IBL Bildbyrå
23:2 Anders Zorn : Hennes första dopp, Bridgeman Art Library/ IBL Bildbyrå
36:1 Torbjörn Arvidsson, 36:6 Sven Persson/Swelo Photo/IBL Bildbyrå
39 Peter Frennesson/Sydsvenskan/IBL Bildbyrå
46 Ingvar Karmhed/SvD/Scanpix
47 Paulina Westerlind/Bildhuset/Scanpix
58 Charles Hammarsten/ IBL Bildbyrå
65 Trons/Scanpix
66 Peter Nordahl/IBL Bildbyrå
68 Ingmar Aourell/Nordic Photo
69 André Maslennikov/ IBL Bildbyrå
70 Everett Collection/ IBL Bildbyrå
73:1 Ragnar Ness/IBL Bildbyrå
73:2 Anders Good/IBL Bildbyrå
74:1 Look/IBL Bildbyrå
74:2 Mark Earthy/Scanpix
75:1 Sören Wibeck/IBL Bildbyrå
77:2 Jesper Sandström/Scanpix
83:4 Rex Features/IBL Bildbyrå
92 Yuri Arcurs/ IBL Bildbyrå
104 André Maslennikov/IBL Bildbyrå
107 Sandra Qvist/Bildhuset/Scanpix
108 Peter Frenneson/Sydsvenskan/IBL Bildbyrå
112 Nils-Johan Norenlind/Nordic Photo
114 Patrick Persson/Scanpix
123 Scanpix
126 Andy Godfrey/Scanpix
138 Elisabet Omsén/Scanpix
140 Staffan Jönsson/IBL Bildbyrå
141 Anders Good/IBL Bildbyrå
152 Anders Blomqvist/Nordic Photo
164 Tomas Södergren/Nordic Photo
176 Johan Adelgren/Nordic Photo
183 Mikael Lejon/Great Shots/Nordic Photo
185 Ulla Montan/Scanpix
197 Anders Good/IBL Bildbyrå
202 Sven-Erik Sjöberg/Scanpix

Kartor: Stig Söderlind
Uttalsbilder: Karl Lindemalm